Abracadagascar

La Fabuleuse Histoire
des lunes de Pandor - 1

AU DIABLE VAUVERT

ISBN : 978-2-84626-164-7

© Éditions Au diable vauvert, 2008

Au diable vauvert
www.audiable.com
La Laune BP72 30600 Vauvert

Catalogue disponible sur demande
contact@audiable.com

Ménéas Marphil

Abracadagascar

La Fabuleuse Histoire
des lunes de Pandor - 1

Préambule

Île de Pandor, un soir au clair des lunes, très longtemps après.

— C'est vraiment beau ces deux lunes… ces reflets sur l'océan Infini… dit Cloé. Je crois que je ne m'en lasserai jamais. Et dire qu'on ne peut voir ça que depuis les îles Protégées…

— Oui, murmura Norn, les yeux dans le ciel, nous avons beaucoup de chance d'être nés sur Pandor.

Depuis quelque temps, c'était comme ça chaque soir, à peu près à la même heure, selon le rythme des marées. Ils venaient s'asseoir sur l'avancée de rochers de la pointe Vavat et laissaient balancer leurs pieds au gré des vagues qui finissaient là avec une douceur contenue. Parfois, une vague plus grosse que les autres les éclaboussait ; ils se mettaient à rire en secouant leurs ailes irisées pour les égoutter un peu, en attendant la suivante. Ils allaient avoir quinze ans tous les deux et savaient qu'ils étaient faits l'un pour l'autre. Sous leurs boucles mordorées, leurs yeux verts scintillaient de vie et de tendresse, et leurs fines bouches, si délicatement dessinées, alternaient ces baisers et ces paroles cristallines propres à tous les Pandorans. Dans ce calme éthéré, seul dissonait parfois le cristal pas encore ordonné des voix des plus petits… Comme ce soir-là où le jeune Naëm et la petite Budshu, assis en tailleur un peu plus loin sur la grand-dune, se chamaillaient à propos des lunes. Ils n'étaient pas d'accord sur leurs places dans le ciel, laquelle était la lune noire, laquelle était la blanche, laquelle celle de toute éternité… Il n'y avait rien de dramatique dans ces querelles enfantines, mais sur Pandor il n'était pas question de laisser s'envenimer quoi que ce soit.

— Je trouve Naëm un peu agité en ce moment, dit Cloé.

— C'est normal. Tu sais… il vient juste d'avoir sept ans, c'est la raison qui entre. Ça perturbe toujours, la raison. Allez, viens, on va les calmer.

— Alors? On vous entend de loin tous les deux!

— C'est Naëm qui fait rien que me tromper. Il dit que la lune de la méchante reine c'est celle-là… dit Budshu, un doigt pointé vers la lune la plus à gauche dans le ciel.

— Houlà! C'est pas la peine de se disputer pour ça, mais je suis désolé ma petite perle, Naëm a raison.

— Ah! tu vois bien! triompha Naëm en donnant une tape sur les épaules de Budshu.

— Aïe! Ça fait mal…

— Bah… j'ai pas tapé fort. Ce que t'es douillette!

— Mauvaise réponse! intervint Cloé. Fort ou pas fort, on ne tape personne. Tu sais très bien que le dos est très sensible quand les ailes commencent à pousser. Tu n'as qu'à te souvenir du moment où les tiennes sont nées, ce n'est quand même pas si vieux.

— Euh, c'est vrai… je… j'y pensais plus.

Norn s'agenouilla devant les petits, posa ses mains sur leurs épaules et les regarda dans les yeux.

— Si vous ne voulez plus vous tromper dans les lunes, demandez au vieux Ménéas de vous en raconter l'histoire. Croyez-moi, après l'avoir entendue, on s'en souvient toute sa vie.

— Mais il l'a déjà racontée l'année dernière, gémit Naëm, un peu dépité. Tu crois qu'il voudra la raconter encore?

— Évidemment! Ménéas la racontera aussi longtemps qu'il vivra et aussi souvent que quelqu'un voudra l'entendre. Le mieux est d'aller le voir tout de suite. Allez, en route! Je suis sûr que cela va lui faire plaisir.

Un large sourire illumina le visage du garçon, et Budshu ne se fit pas davantage prier pour suivre ses jeunes aînés. Tandis qu'ils s'approchaient tous quatre de mon nid, je vis Cloé donner un petit coup d'aile complice à son amoureux.

— Tu sais, Norn… je me demande à qui cela fera le plus plaisir. J'ai beau avoir déjà quinze ans, moi aussi j'adore cette histoire. On dirait qu'elle… qu'elle est aussi infinie que l'océan qui nous entoure.

C'est ainsi que je les vis débarquer à la tombée du soir, un soir plutôt idéal pour raconter l'histoire puisque les deux lunes éclairaient la nuit. C'est toujours préférable aux nuits noires, car les lunes ont leur propre mémoire et le souffle qu'elles apportent aux récits contient toujours son pesant de magie.

Quelques instants plus tard, nous étions plus d'une vingtaine à farfouiller entre les buissons de la grande cocoteraie. Je leur avais demandé de ramasser autant de branchages que possible pour faire un grand feu. Le sable était encore chaud mais la nuit s'annonçait un peu humide, et ils étaient quelques-uns à n'avoir pas encore d'ailes pour se réchauffer. Sans compter que l'histoire qu'ils me demandaient est une longue histoire…

— Elle est longue mais si belle, me dit Yéul qui, du haut de ses treize ans, la connaissait déjà par cœur. J'espère que ce soir tu nous raconteras au moins jusqu'au moment où Piphan'…

— Ne sois pas inquiet. Tant que ton attention te portera, tu entendras selon tes désirs. Jusqu'à l'aube s'il le faut… Car qui sait si un jour ce n'est pas toi qui prendras ma place?

À vrai dire, même si ma joie est immense de voir tous les miens ainsi rassemblés, je ne serais pas surpris que ce soit Yéul qui hérite un jour du titre de Grand Archonte des îles Protégées, ce suprême honneur dont m'a gratifié le Conseil Septentrional. Parmi tous ceux qui seront l'avenir de Pandor, Yéul a déjà mesuré l'importance de ne jamais cesser de raconter ces aventures. Il sait qu'à travers ces récits mon seul et dernier rôle consiste à accomplir un devoir de mémoire, car l'avenir s'enracine toujours dans les méandres du passé. Ne pas oublier. Ne jamais oublier pourquoi et comment le peuple pandoran vit aujourd'hui dans le plus fantastique des univers, sur cette planète Gaïa qui l'a plusieurs fois échappé belle...

Ainsi les flammes crépitèrent-elles à nouveau et un grand cercle de frimousses attentives se referma autour du feu. Sans les faire attendre, je désignai du doigt la grand-dune où Naëm et Budshu se tenaient quelques instants plus tôt.

— Vous voyez cette longue dune de sable blanc qui ondule comme un serpent d'argent ? Eh bien... il fut un temps où ce serpent était vivant ; c'était une barrière de corail qui encerclait un magnifique lagon aux eaux turquoise. D'un côté du lagon, il y avait une petite île qui s'appelait l'îlot Nat, et de l'autre côté une île plus grande qui s'appelait Albaran. Ce n'est que lorsque le lagon fut complètement ensablé et qu'il n'y eut même plus un filet d'eau entre les deux îles que l'ensemble prît le nom de Pandor, tel que nous le connaissons aujourd'hui.

Je m'interrompis brièvement pour replier mes ailes et prendre place dans le cercle. À côté de moi, je voyais les flammes danser dans les yeux de Yéul. Je fermai les miens pour lire dans le grand livre de ma mémoire et sentis à quel point j'étais porté par tous les souffles retenus.

— Celui dont je vais vous conter l'histoire fut un ange. Un ange terrestre. Un Élu. Mais ça, il l'ignora longtemps. Longtemps aussi il ignora pourquoi il se nommait Épiphane, d'autant qu'on l'appelait plutôt Piphan'. Enfin… quand je dis qu'il fut un ange, je veux dire qu'il avait gagné ses ailes. Car ce qui nous semble naturel aujourd'hui ne l'a pas toujours été, et nous, les Pandorans, c'est à Piphan' que nous devons ce pouvoir de libérer nos ailes. Les siennes apparurent le jour de ses quinze ans. En fait, il les avait toujours eues, enfouies, comme tout ce qui chez chacun n'attend qu'une révélation. Des ailes pour voler, pour croire un instant qu'on échappe à la pesanteur du monde, à cette époque c'était bien pratique. Surtout à quinze ans, vous pensez bien… Même s'il ne s'en servit pas souvent, par manque d'occasions ou de temps.

Au début pourtant, avant qu'il ne s'accélère, le temps était fluide, parfois même très élastique. Ils en passaient une bonne partie sur le lagon corallien de leur îlot Nat, à bord de pirogues, à pêcher des tatangues ou à alpaguer des poulpes. Quand je dis «ils», je veux parler de la bande des quatre. Épiphane, Kimyan et Vouki étaient pensionnaires de l'orphelinat que mère Pélagie dirigeait d'une morale d'acier. Le quatrième,

Marusse, avait une famille dont il était l'unique enfant. Selon la tradition vawak, ça signifiait qu'il devrait reprendre le métier de son père. Il serait pêcheur. Mais il l'était depuis sa naissance et, vu que l'école n'enseignait rien sur les poissons, il avait préféré reporter son assiduité sur la pêche. Ça lui laissait plein de temps libre pour repérer les bons endroits de la forêt ou du lagon où il conduisait ensuite ses amis. Avec deux ans de moins que les autres, Vouki était le benjamin de la bande. Quant à Épiphane et Kimyan… Ah! Piphan' et Kim! Tant de choses les reliaient…

D'après sœur Bertille, qui les avait tout particulièrement élevés, ils étaient tous deux entrés à l'orphelinat le même jour, qui était aussi celui de son arrivée à elle. Et tout comme Kim, Piphan' ne savait quasiment rien de ses origines. Sa mère était morte pendant l'accouchement et, comme si une absence ne suffisait pas, elle avait emporté le secret de la paternité. C'était comme ça pour la plupart de ses frères et sœurs de l'orphelinat ; ils étaient les enfants de l'absence, tous frères et sœurs par abandon. Si bien que les vrais piliers sur lesquels Piphan' avait toujours pu s'appuyer pour grandir étaient Kimyan, qu'il aimait comme un frère, Bertille, leur chère Bertille dont l'amour sans faille compensait la dureté de mère Pélagie, et Mercurio, son parrain vaza qui venait les visiter de temps en temps.

Ici, on appelait vaza tout étranger. C'était simple, si on était né sur l'îlot Nat ou sur Albaran on était vawak, sinon on était vaza. Un jour, Piphan' finirait par apprendre que, quels que soient les pays ou les trous perdus, il y a toujours des vawaks et des vazas, parce qu'on naît toujours vawak quelque part et qu'on est toujours vaza pour quelqu'un d'autre.

En attendant de savoir ça, il éprouvait une grande fierté à être vawak. C'est toujours rassurant d'appartenir à un clan, même si, justement… l'ombre sur sa naissance n'avait jamais cessé de planer dans son esprit comme un doute sauvage. S'il avait grandi ici, si tous le considéraient comme un des leurs, il n'en restait pas moins un «cheveux-lisses». Un pur vawak doit avoir les cheveux noirs, crépus, et une peau sombre. Or ses cheveux étaient comme l'ébène mais lisses, et on ne pouvait pas dire de sa peau qu'elle fût noire. Il était si clairement métissé! À supposer qu'une infime pointe de noir se fût mêlée à ses gènes, le résultat était plutôt jaune, un beau jaune que le soleil et le lagon rendaient cuivré en toutes saisons. Tout comme Kimyan, dont certains disaient qu'il était eurasien avec un soupçon d'Africasie. Nul n'en savait rien vraiment et de toute façon, quand on n'a pas de parents, qu'importe d'être d'un pays plutôt que d'un autre, surtout quand on n'a qu'une planète.

Avec Kim il partageait également des yeux que Bertille disait plus noirs qu'une nuit sans lune et sans étoiles. À quoi elle ajoutait aussitôt que la lumière qui y brillait était plus puissante que mille soleils. Quoi que dît Bertille, c'était toujours un flot d'amour. Avec elle, ils baignaient dans une tendresse aussi infinie que l'océan du même nom qui les entourait.

Pourtant, quelque deux mille ans plus tard (car il m'arrive encore de rencontrer Piphan'), il me répète qu'il ne croit pas avoir jamais su aimer. Que sinon le monde n'en serait pas là. Pas dans cet état. Oh, bien sûr... tel n'est peut-être pas le souci de ceux qui n'ont jamais été ni ange ni élu, ni de ceux qui n'ont pas la chance d'être des Pandorans.

Tout de même, avec du recul, lorsque j'observe avec vous ces deux lunes dans le ciel de Pandor, je me dis que Piphan' a raison d'insister car... nous l'avons vraiment échappé belle. Au temps où commence notre histoire, lorsqu'on levait les yeux vers la nuit, il n'y avait qu'une lune dans le ciel. Une lune unique dont les hommes, qu'ils fussent vazas, vawaks, moazis ou magiciens, avaient toujours su se contenter pour éclairer leurs rêves. Épiphane le vawak ne savait pas qu'il existait aussi des moazis et des magiciens. Mais un jour...

L'îlot Nat

OCÉAN INFINI

Barrière de Corail

Piste d'atterrissage

La Pointe Aldaran

Rochers aux mouettes

Pointe Vavat

Zone dangereuse

L'orphelinat

Pointe Rodin

Le vieux village

Nid de Guêpes

Le Pas du géant

Colline Bellevue

Poulpe

Passe de l'Arbre Mort

Épave du Batelier

NO NE
O E
SO SE
S N

Chapitre 1

L'îlot Nat

Piphan' était sorti très tôt ce matin-là, entrebâillant à peine la porte du dortoir pour ne pas réveiller ses frères et sœurs. L'orphelinat dormait encore dans les lueurs roses d'aube que redistribuait la surface lisse du lagon. C'était Bertille qui lui avait annoncé la bonne nouvelle, en insistant bien sur son caractère secret : son parrain, Mercurio, devait arriver par le premier avion, mais mère Pélagie ne devait rien en savoir. Il trouvait curieux que Mercurio veuille lui en faire la surprise, surtout en songeant à leur relation. Car si on pouvait difficilement trouver plus poli que son parrain, lorsque ce dernier venait en visite à l'îlot Nat, on pouvait difficilement trouver plus mielleuse que mère Pélagie. Évidemment, elle n'avait aucune envie d'étaler au grand jour les brimades et les malversations que les jeunes subissaient.

La raison pour laquelle personne ne la dénonçait était la même que celle qui la faisait taire : il en allait des cotisations des parrains et des marraines qui faisaient vivre l'orphelinat. Déjà qu'à table on devait se partager un os de poulet… tous les enfants tremblaient à l'idée qu'un jour il n'ait même plus de moelle.

Un jour, par indiscrétion, Épiphane avait pourtant appris que son parrain payait pour lui douze sidois[1] chaque mois. Si on multipliait ce montant par les trente orphelins, mère Pélagie engrangeait chaque mois une coquette somme dont on savait juste qu'elle disparaissait sur Albaran, l'île d'en face, où l'on n'avait pas le droit d'aller.

C'était là, à la pointe d'Albaran, que se trouvait la piste d'atterrissage. C'était aussi à cet endroit que le lagon était le plus étroit. Il aurait pu traverser à la nage mais, ce matin-là, il décida d'emprunter la pirogue de l'orphelinat.

Bien sûr, il était tout aussi interdit d'emprunter la pirogue sans autorisation que d'aller à la pointe, et Piphan' n'allait quand même pas réveiller mère Pélagie pour une autorisation que, de toute façon, elle lui refuserait. Il y a des jours où il ne faut pas être à une infraction près. Il se disait surtout qu'il gagnerait l'immunité en revenant accompagné de son parrain. Ce jour s'annonçait radieux.

[1.] Gros coquillage (environ 40 cm d'envergure) de valeur marchande. Un sidois en bon état équivaut à mille cauris, en bon état aussi.

Et pour vrai qu'il fut le jour le plus exceptionnel de sa vie, celui où tout commença, il ne s'engagea pourtant pas très bien.

Pour commencer, Piphan' ne trouvait pas son parrain. Il avait vu le petit avion se poser, tous les passagers en descendre et traverser le tarmac, mais pas de Mercurio. Bertille se serait trompée de date ? Non, ça ne tenait pas. Bertille portait trop d'attention à tout pour faire une erreur de date. Surtout, elle ne savait que trop l'importance qu'Épiphane attachait aux visites de son parrain. Pour elle, les sentiments c'était prioritaire.

Il fallait pourtant se rendre à l'évidence : l'avion repartait, Mercurio n'était pas là !

Ses jambes tremblaient. Cinq minutes plus tôt, il portait en lui tout l'espoir du monde, si gonflé de bonheur qu'il aurait pu, comme Atlas, porter le monde sur ses épaules. Mais non. Il n'était qu'un gamin de presque quinze ans, pieds nus, tee-shirt pas très clair, dans le hall décrépi d'un aéroport de bout du monde.

Après le bonheur, c'était l'amertume qui le gonflait soudain comme une outre. Il s'apprêtait à repartir lorsqu'on l'interpella à voix basse. Une femme avançait vers lui, une vaza aux cheveux courts et blonds, vêtue de clair, d'une beauté qu'il ne connaissait que par les revues des Pays Extérieurs, surtout de la Nouvelle Europe.

— C'est toi Piphan', n'est-ce pas ? demanda-t-elle d'une voix couverte qui incitait au secret.

Comme il acquiesçait, elle lui dit avoir un message de son parrain. Mercurio le priait de l'excuser pour ce contretemps. Il était arrivé par l'avion de la veille, mais des affaires importantes le retenaient en ville.

— Vous voulez dire qu'il est déjà sur Albaran ?

— Oui, et il viendra te voir comme promis, dans deux ou trois jours. En attendant, il m'a chargée de te remettre ceci.

La vaza blonde tira un paquet de son bagage à main. Venant de son parrain, il ne pouvait s'agir que d'un cadeau. Il lui en apportait à chacune de ses visites. Des livres le plus souvent, qui signifiaient de longues et belles heures de plaisir et de rêverie. Son préféré avait été un gros livre de mythologie, avec peu d'illustrations mais tellement d'histoires fabuleuses…

Un qui ne le lisait pas du même œil (et pourtant il le lui empruntait plus qu'à son tour), c'était Anicet, le sorcier et président de l'île :

— Tout ça, c'est rien qu'histoires à vazas. Vous avez beau faire, vous ne m'enlèverez pas l'idée que rien ne vaut la tradition orale. Les mots écrits, ça vous dévore l'âme !

Épiphane aimait beaucoup le vieil Anicet, mais ses propos n'étaient pas suffisants pour le faire changer d'avis. Les lectures que son parrain initiait le transportaient trop. Au fil des ans, il lui avait apporté des tas de livres d'aventures où d'incroyables magies semblaient tout permettre. Il adorait. Ces pages lui donnaient le souffle des héros. Il marchait, il chevauchait, grimpait, naviguait, le monde était à portée de main, sauf que… quelle que soit l'histoire, il y avait toujours un Seigneur et Maître des Ténèbres dont le seul nom donnait à réfléchir. Alors Piphan' n'était plus très sûr de vouloir être un héros. Mais peut-être que dans le paquet que lui tendait la vaza il y aurait un nouveau livre, une histoire nouvelle, avec une méthode pour ne plus avoir peur du Seigneur Noir…

— Sur ce, je dois m'en aller, dit la vaza en le tirant de ses rêveries. Ravie de t'avoir rencontré, Piphan'.

— Moirci… merci!

Son bafouillage la fit rire, puis elle s'éloigna vers les taxis-brousse à destination de Lakinta, la capitale d'Albaran.

Tout à son impatience, il n'attendit pas d'avoir regagné la pointe pour ouvrir le paquet. Une longue boîte de chocolats au gingembre attestait sa gourmandise et la bonne mémoire de Mercurio. Mais le paquet contenait surtout un objet curieux, une plaquette de bois aux bouts arrondis autour de laquelle était enroulée une corde. Il se demandait pourquoi son parrain lui envoyait de la ficelle, lorsqu'il trouva une lettre pliée en quatre sous la boîte.

Mon grand Piphan'
Pardon pour ce contretemps, mais je te promets d'être là au plus vite. Ne sois pas déçu si ce colis ne contient pas les livres habituels. De grands changements ont lieu

en ce moment, et je te supplie de ne plus parler de magie avec qui que ce soit. J'insiste. Je ne peux t'expliquer pourquoi dans cette lettre mais tu sauras assez tôt.

En revanche, tu trouveras un instrument dans ce paquet. Il s'agit d'un rhombe. Tu es assez futé pour trouver tout seul comment il fonctionne. Juste un conseil : il est réellement magique. Tu peux en user mais pas en abuser. Dernier point, brûle cette lettre dès que tu l'auras lue.

À très bientôt. Je t'embrasse. Ton Mercurio

À ces seuls derniers mots, Piphan' comprit qu'il n'y avait pas d'embrouille. Son parrain signait toujours «*Ton*» Mercurio. Comme s'il y en avait d'autres! Pour lui il n'y en avait qu'un, celui qu'il adorait, alors ce n'était pas quelques jours de retard qui allaient changer les choses. Il fourra le rhombe et la lettre dans sa poche et retourna vers le lagon.

Le soleil avait pris de l'altitude et baignait à présent les arbres de la pointe d'une belle lumière dorée. Soudain, Piphan' réalisa qu'il revenait sans son parrain. Si on s'était aperçu de son absence à l'orphelinat, il pouvait commencer à numéroter ses abattis. Mais ce qui lui fit davantage accélérer le pas fut de ne plus voir la pirogue. Normalement, même à cette distance, il aurait dû l'apercevoir entre les cocotiers. Et ce n'était pas tout… Plus il approchait, plus il entendait grandir une rumeur. Des cris montaient de l'autre rive. Un tollé s'amplifiait.

Ce qu'il découvrit en arrivant au bord du lagon le gela sur place. Une foule d'hommes, de femmes et d'enfants, presque tout le village, était massée sur la rive opposée, criant, hurlant dans sa direction. Certains avançaient dans l'eau, frappant la surface avec des bâtons ou tapant comme des sourds sur de vieilles marmites, des bouts de tôle, tout ce qui pouvait faire du raffut. De part et d'autre de cette foule en furie, deux pirogues, dont l'une était bien celle de l'orphelinat. Sa gorge commençait à se nouer, et lorsqu'il découvrit que des gendarmes se tenaient à bord des pirogues, il comprit à peu près la situation : une expulsion, un bannissement. Il y avait déjà assisté lorsqu'il était plus jeune.

En tête du cortège, il reconnut le vieil Anicet. Sauf qu'aujourd'hui (à croire que ce jour était spécial pour tout le monde) le président de l'île avait revêtu ses habits de troumba, de Grand Sorcier. Il entrait dans l'eau d'un pas lent, tête haute, sans le moindre regard en arrière, ainsi que l'exigeait le rituel. D'une main, il tenait le long bâton au sommet duquel pendaient les amulettes sacrées des Ancêtres. Ça ne laissait aucun doute : la personne à qui il désignait le chemin de la sortie ne pouvait être que malfaisante.

En l'occurrence, il s'agissait d'une petite femme, osseuse et rabougrie. Ses longs cheveux mouillés venaient se plaquer sur son front et ses épaules, découpant un visage émacié, percé d'une bouche fripée, probablement sans dents. Elle avançait les seins à l'air, sous les cris aigus des femmes qui la ballottaient pour l'empêcher de reculer. C'était une sorcière, ce qui signifiait que seules les femmes avaient le droit de la toucher. Elles pouvaient la bousculer, la traiter de tous les noms, lui cracher dessus, il était juste interdit de la frapper. En tant que représentants de l'ordre civil, c'est à cela que veillaient les gendarmes puisque le Grand Sorcier n'avait pas le droit de tourner la tête.

D'ailleurs, lorsque celui-ci ne fut plus qu'à une quinzaine de mètres d'Épiphane, il le fixa et lui signifia d'un geste de son bâton de s'écarter du rivage. Au premier pied que le Grand Sorcier posa sur le sable de la pointe, le vacarme s'arrêta net. Les femmes en furie se figèrent au milieu de l'eau sans plus piper mot, tandis que les gendarmes encadreurs accostaient à leur tour.

C'est dans ce silence chargé que la sorcière humiliée, telle une bête blessée à mort, prit elle aussi pied sur le rivage. Surgissant de derrière le troumba, elle se dirigea droit sur Épiphane et s'immobilisa à moins d'un mètre de lui. Leurs regards s'interpénétrèrent avec force. La sorcière émit un sifflement aigu, vibrant, comme un serpent prêt à l'attaque. Épiphane crut voir une langue fourchue sortir de cette vieille bouche écaillée, mais tout se passa si vite qu'il douta de sa vision. Quant à ces yeux, si profondément rivés dans les siens, ils étaient bien pareils à ceux des serpents. Ça, il ne le rêvait pas, ils allaient être inoubliables. Deux billes jaunes avec des pupilles étroites et verticales. Des yeux comme ça, plus gros que les siens, si près des siens… Leur pouvoir était si puissant qu'il n'arrivait déjà plus à s'en détacher. Derrière les fentes de ces pupilles, il devinait l'étrange profondeur d'un abîme qui l'attirait comme un aimant. Ses poumons ne fonctionnaient plus, il sentait une force invisible le vider de son énergie. Conscient qu'il devait absolument se dégager de cette emprise, dans un effort considérable il ferma les yeux.

C'est alors qu'un souffle chaud l'envahit, en même temps qu'une voix intérieure qui allait bientôt devenir familière. Et la voix lui dit d'affronter la peur.

— Concentre-toi ! Tout ira bien ! Tu es infiniment plus fort que cette simple sorcière, et elle le sait.

— Sssss ! Plus fort... persifla la femme-serpent, comme si elle avait entendu sa voix intérieure. On verra bien qui sera le plus fort dans vingt-huit jours. Plus qu'une lune, mon garçon !

— Quoi qu'elle dise, ne l'écoute pas ! Ose la regarder en face ! Elle ne peut rien, absolument rien contre toi.

Alors il ouvrit les yeux comme on sort d'un cauchemar. La sorcière n'était plus là. Seul persistait un bruit de feuillages dans les buissons où elle venait de disparaître.

Il flottait en état de choc lorsque retentit une autre voix.

— Piphan' ! Piphan' !

C'était Anicet le troumba qui le secouait par les épaules.

— Qu'est-ce qu'elle a dit ? Elle te parlait.

— Non, rien. Elle a juste... sifflé.

— Sifflé comment?

— Ben… sifflé comme… comme…

Il se retint de dire comme un serpent. Un vawak n'a pas peur des serpents. Juste d'en parler. Heureusement, Anicet n'insista pas. Il remercia les gendarmes pour leur aide puis se plaça face au lagon, brandit le bâton aux amulettes et cria «Vita!», ce qui marquait la fin de l'exorcisme et du bannissement. Les bla-bla pouvaient reprendre et les groupes se disperser. Certains regagnaient l'îlot Nat, d'autres venaient vers la pointe ; c'est parmi ces derniers qu'Épiphane aperçut Marusse. Mais aujourd'hui, l'ami ne venait pas l'inviter à alpaguer des poulpes.

— Grouille-toi, Piphan'! Je crois que tu vas te faire sonner les cloches par mère Pélagie.

C'était le dur retour aux banalités quotidiennes. L'expulsion de la sorcière avait pris tellement de temps qu'il n'était plus possible de cacher quoi que ce soit à mère Pélagie. Encore qu'il pourrait toujours se servir du bannissement pour justifier la traversée à la pointe… Quant à l'emprunt de la pirogue, Marusse expliquerait qu'elle avait été réquisitionnée par les gendarmes et qu'il avait eu à charge de la rapporter. Marusse était habitué à le couvrir et mère Pélagie ne pouvait rien contre lui, il ne faisait pas partie de l'orphelinat.

Lagon faisant, Épiphane voulut en savoir davantage sur les raisons du bannissement. Marusse n'en connaissait que les grandes lignes, ce qu'il avait appris en suivant la foule : la sorcière était originaire d'Albaran, elle ne s'était installée sur l'îlot Nat que le temps de préparer une potion et des grigris qui allaient provoquer la mort de son beau-frère. Tout ça pour une sombre histoire de terrain. Si ce n'est que le beau-frère était très estimé sur l'îlot. Sa mort avait sérieusement mis les vawaks en colère et la vindicte populaire n'avait pas tardé.

Ils étaient en train d'amarrer la pirogue lorsque Épiphane sentit une main ferme lui tirer l'oreille. C'était mère Pélagie, ils ne l'avaient pas vu arriver.

— Alors ? Ce n'est pas du flagrant délit, ça ? Tu vas peut-être me dire que tu as pris la pirogue pour aller à la messe sur Albaran…

— J'étais pas à Albaran…

— Ne mens pas ! Je t'ai vu, de mes propres yeux vu. Tu étais à la pointe.

— Oui… aïe… mais j'étais juste à la pointe.

— C'est vrai, Madame. On n'a pas dépassé la pointe, appuya Marusse pour défendre son ami.

— Toi, je ne te demande rien, sinon de cesser de débaucher les jeunes de l'orphelinat. C'est à M. Épiphane que je parle !

Marusse recula un peu sous la pression du regard foudroyant de mère Pélagie qui reprit son interrogatoire.

— On t'a vu à l'aéroport. Puis-je savoir ce que tu allais y faire ?

— Je… j'attendais du courrier.

— Du courrier, voyez-vous ça! À part ton parrain, personne ne t'a jamais écrit.

— Eh bien justement, c'est une lettre de lui!

— Quoi, ce maud…

Mère Pélagie s'interrompit. Elle détestait ce Mercurio de malheur mais n'était pas assez stupide pour en dire du mal ouvertement. Elle reprit, d'une voix faussement apaisée.

— Je ne vois pas pourquoi ton parrain t'écrirait puisqu'il doit arriver d'un jour à l'autre.

— En fait, il m'écrit pour dire qu'il est déjà là.

— Comment ça, déjà là?

— Oui, il est sur Albaran et il va venir dès qu'il aura réglé ses affaires.

— Tu mens! s'écria-t-elle, inquiète.

— Non! C'est vrai! Il m'a même fait passer ça, répliqua Piphan' en montrant le paquet.

À la vue de la boîte, et surtout de l'écriture, mère Pélagie comprit que le garçon ne bluffait pas.

— S'il en est ainsi, nous réglerons cela plus tard. Il est l'heure de la messe.

Le dimanche, c'était toujours l'heure de la messe. Il y eut donc celle de 8 heures, celle de 10 heures, puis les vêpres, et finalement les choses ne se passaient pas trop mal. Elles s'obscurcirent en fin d'après-midi lorsque mère Pélagie fit appeler Piphan' et Bertille.

— Alors comme ça, ton parrain est déjà sur Albaran?

— Oui, ma Mère.

— Et vous, Sœur Bertille, vous étiez au courant?

— Bien sûr que non, ma Mère. Comment aurais-je pu l'être? répondit Bertille de sa voix la plus angélique.

— Hum, évidemment…

Le ton de mère Pélagie signifiait qu'elle n'en croyait pas un mot. Elle fixa durement Épiphane pour l'intimider, ragea qu'il ne l'ait pas mise au courant de la venue de son parrain alors qu'il en était informé, et qu'il ait rencontré une inconnue qui lui avait remis un paquet qu'au demeurant elle confisqua.

Heureusement qu'il avait sorti la lettre et le rhombe magique du colis. Même s'il ignorait encore la raison du secret concernant sa venue, et même s'il n'avait pas eu le temps de brûler la lettre, il n'était pas près de trahir Mercurio. Juste râla-t-il à l'idée que mère Pélagie allait s'empiffrer des chocolats au gingembre qu'il aurait préféré partager avec ses frères et sœurs.

— Très bien, dit-elle. Voici ce que nous allons faire.

Elle fit appeler le gardien-chauffeur-factotum, l'homme à tout faire de l'orphelinat et exécuteur des basses besognes que la religion ne l'autorisait pas à exécuter elle-même.

— Prends le taxi et file directement chez notre ami Loki, à la Cité. Il est au courant de tous les mouvements sur Albaran. Si Mercurio est là, nous en aurons le cœur net avant ce soir. Vous, Sœur Bertille, vous pouvez disposer. Le travail ne manque pas. Quant à toi…

Elle s'interrompit le temps que Bertille et le gardien veuillent bien quitter le bureau, puis elle reprit un ton plus haut.

— Quant à toi, j'espère que tu dis vrai. Si ton parrain est bien ici, nous réglerons ensemble le problème de ton indiscipline. Sinon… tu sais ce qui t'attend!

— La réserve?

— Bien sûr, la réserve! Enfermé avec les déchets et les rats, comme tout ce qui ne vaut pas mieux. Et plutôt pour quelques jours que quelques heures. Prendre la pirogue, aller sur Albaran, mentir, fréquenter des voyous… Un jour de réserve pour chaque chose et autant d'autres pour te calmer, car j'en ai plus qu'assez. Tu vas avoir quinze ans et pas une seule fois je ne t'ai vu être un exemple pour tes jeunes frères et sœurs. Quinze ans de vaines prières, à espérer que passe cette révolte imbécile. Pourquoi ne veux-tu pas comprendre que ça ne te conduira nulle part? Les lois sont les lois et les règlements sont les règlements. Qui crois-tu être pour prétendre t'y dérober? Épiphane par ci, Épiphane par là, j'en ai… plus qu'assez!

Plus mère Pélagie haussait le ton, plus il sentait monter en lui la colère. Il n'avait plus l'âge qu'on lui parle comme à un enfant. Il avança vers la porte et posa résolument une main sur la poignée.

— Je ne t'ai pas dit de sortir! hurla presque mère Pélagie.

Alors ce fut la goutte qui fait déborder le vase. Il fit volte-face et se mit à débiter d'une voix qu'il voulait assurée :

— Je n'ai… plus rien à faire ici ! Mes amis… c'est moi qui les choisis… et puis vous… vous n'êtes que… qu'une… vous n'êtes qu'une…

Il aurait bien aimé vider son sac mais l'émotion était trop forte. Les mots ne sortaient pas. Alors c'est lui qui sortit, en trombe, claquant si fort la porte que tous les objets accrochés aux murs de falafa[1] dégringolèrent dans un bruit de bimbeloterie bon marché. Mère Pélagie, perplexe, se laissa couler sur sa chaise comme un vieux fromage. Personne, et surtout pas un enfant de l'orphelinat, ne lui avait jamais répliqué sur ce ton. Le temps qu'elle reprenne ses esprits, Piphan' était déjà loin.

[1]. Dans les îles de l'océan Infini, les murs des cases étaient des panneaux végétaux, faits des nervures centrales de longues feuilles.

La belle étoile

'il n'avait pas su son parrain dans les
parages, il se serait senti seul au monde
pour la seconde fois de la journée.
Chaque fois que ça n'allait pas, son sentiment d'abandon
remontait à la surface. Une mère qui meurt en vous
mettant au monde, ça ne peut que laisser une douleur
résidente. Mais quand on ne peut lui donner un visage,
la douleur reste abstraite. Envers son père, par contre, ses
sentiments étaient étrangement mitigés. Personne
n'ayant jamais dit qu'il était mort, il lui arrivait de le
supposer vivant quelque part. De se demander pourquoi il l'avait abandonné. Ou de se dire que, peut-être,
son père aussi pensait à lui en ce moment. Peut-être
même cherchait-il à le retrouver, à réparer son erreur…

Questions sans réponses. Silence des absences.

Il appelait mère Pélagie «mère», mais ça ne voulait pas
dire «maman». Alors Piphan' se disait qu'il lui restait

Bertille et Kimyan pour reposer ses incertitudes, et que ce n'était pas si mal. Et puis il y avait tous ces frères et ces sœurs avec qui il avait grandi. Oui, il les aimait, ils avaient tout partagé, mais il y avait quelque chose de forcé : ils n'étaient pas liés par la chair ni le sang. Un jour ou l'autre, ceux qui avaient la chance d'être adoptés finissaient par disparaître et on ne les revoyait jamais ; loin des yeux, loin du cœur.

Après avoir marché sans but précis, Piphan' se retrouva sur la colline Belévêque. De là, le panorama embrassait tout son univers, un univers fort restreint. L'îlot Nat, on en faisait le tour à pied en quelques heures. Quant à l'île d'en face, elle semblait constituer sa seule perspective d'avenir. Autour des deux îles, l'océan étirait son infini. Oh, il savait bien qu'existaient d'autres îles, mais que lui importait ! Elles étaient si loin, si inaccessibles. D'ailleurs, elles étaient officiellement rattachées aux Pays Extérieurs et venir de ce monde lointain n'était possible que par avion. Avec les quelques cauris d'argent de poche dont il disposait, ce n'était même pas la peine d'y penser. Bien souvent, la condition de vawak était une condamnation au surplace. Autant être un arbre, pensait-il parfois.

Même d'Albaran il ignorait presque tout. Peut-être mère Pélagie avait-elle raison quand elle répétait que c'était une île démoniaque, peuplée de brigands et de filles légères. Comment savoir ?

Mais soudain il lui vint à l'esprit que c'était là l'unique question. Savoir, découvrir par soi-même. Refuser les vérités toutes faites! Et si le monde était encore plein de choses à découvrir? Pour les Pays Extérieurs il verrait plus tard, mais pour Albaran il n'en tenait qu'à lui. Il était temps qu'il prenne en main sa destinée, alors pourquoi pas tout de suite? Pour commencer, il ne rentrerait pas à l'orphelinat, il dormirait à la belle étoile.

L'absence de lune augmentait l'éclat d'une Voie lactée si féérique qu'il s'y laissa aller avec l'impression de contempler l'éternité pour la première fois. De temps en temps, une étoile filante zébrait le ciel, une autre clignotait... À un moment, il eut la nette sensation que certaines changeaient de place, qu'elles se regroupaient différemment pour former de nouveaux motifs dans l'espace. Il mit cette vision sur le compte de la fatigue, sans soupçonner combien il était loin du compte. Ce jour, on l'a dit, était exceptionnel, et il s'endormit sous une voûte céleste particulièrement bienveillante.

À l'aube, il petit déjeuna de quelques mangues bien juteuses tout en songeant à la journée qui commençait. Que faire? Retourner à l'orphelinat? La nuit ne lui avait pas apporté ce conseil. Outre qu'il n'avait aucune envie d'aller se confondre en excuses auprès de mère Pélagie, quelque chose avait basculé pour de bon. Un destin immédiat se dessinait clairement :

partir à la recherche de son père. Il décida d'en aver-
tir son parrain Mercurio, et c'est sur cette idée qu'il
quitta la colline Belévêque pour descendre vers le
lagon.

Chapitre 3

La mère loche

Sur la côte Est, vers le milieu de la plage, pas très loin des rochers aux Mouettes, il y avait un épi rocheux qu'on appelait la pointe à Rodin, suffisamment haut pour pouvoir surveiller la plage sans être vu. Le lieu de prédilection de la bande des quatre, celui de tous les rendez-vous improvisés. Ses amis étaient déjà là lorsqu'il arriva.

— C'était sûr que tu viendrais, claironna Vouki.

— T'es quand même vache… t'aurais pu nous faire savoir où t'étais, dit Kimyan, encore contrarié par son absence nocturne. Tu sais, Bertille était hyper inquiète.

Il tira de sa poche une feuille de cahier un peu huileuse.

— Elle a dit de t'apporter ça.

La feuille enveloppait trois grosses rondelles de manioc cuites dans du sucre. Sacrée Bertille… Hélas, Piphan' s'était gavé de mangues et n'avait plus faim, mais tant mieux pour Vouki dont les yeux dévoraient déjà les tranches luisantes. En langue vawak, Vouki signifiait « rassasié », ce qui était un contresens puisque Vouki ne l'était jamais. Il essayait toujours de se garder une tripe vide, juste par gourmandise, en cas d'en-cas.

— Bon ! Est-ce que ça vous dit d'aller pêcher vers le sud ? proposa Marusse.

Une rapide concertation du coin de l'œil, et les quatre convinrent que le calme et la clarté de l'eau étaient idéaux pour les calmars. Sauf que Marusse avait promis du beau poisson pour une fête familiale et que pour les beaux poissons, pas de secret, il fallait passer la barrière de corail.

Ce n'était pas tant l'océan qui inquiétait ceux de l'orphelinat, que la sempiternelle crainte que cette virée ne remontât jusqu'à mère Pélagie. Bien entendu, aller de l'autre côté de la barrière était tout aussi interdit que d'aller sur Albaran ou d'emprunter la pirogue. Le vrai problème avec mère Pélagie était de trouver autre chose que la messe qui ne soit pas soumis à autorisation.

— Allez ! insista Marusse. Vous dégonflez pas ! Si on n'y va pas avec ce temps superbe vous n'irez jamais. Et vous mourrez idiots.

— Oui, mais si mère Pélagie l'apprend ? dit Kimyan qui redoutait plus que tout d'être pris en train de désobéir.

— Qu'est-ce que tu veux qu'elle apprenne ? On n'a qu'à sortir par la passe de l'Arbre mort, ça risque rien.

C'était la passe la plus éloignée du rivage. On l'appelait aussi la «passe du Bateleur», à cause de l'épave qui y sommeillait par vingt mètres de fond. Tout bien pesé, la pirogue fila vers le sud dans une franche embardée de rigolades.

Avant d'atteindre la barrière, Marusse et Piphan' avaient déjà fait le plein de poulpes et de calmars, pendant que Kim et Vouki s'attaquaient aux tatangues. Seul le plus gros des calmars vint obscurcir ce flot de joyeuse humeur ; au moment où Marusse le remontait à bord, il lâcha un dernier jet d'encre que Vouki prit en pleine figure. Kimyan éclata de rire.

— Je connaissais les taches de rousseur, mais les taches de noirceur… c'est nouveau. En tout cas, noir sur noir c'est discret. Ça te va pas mal.

— Oh toi la peau de citron… attends un peu le prochain calmar. Il va te transformer en marsupilami.

À l'approche de la passe du Bateleur, Marusse ralentit à fond la course de la pirogue. Il s'agissait de ne pas se fracasser contre les coraux. Ils avancèrent donc très lentement entre les méandres multicolores de la barrière et l'eau changea d'un coup son turquoise pour un vert émeraude. À partir d'ici, on ne voyait plus le fond. La bande des quatre avait quitté le lagon pour l'océan Infini.

— On va aller par là, dit Marusse en connaisseur. Une fois, avec mon père, on a sorti un mérou de vingt kilos.

C'est le coin de tous les beaux perroquets, des carangues, des capitaines… Seulement, il va falloir plomber plus profond et armer un peu fort.

Il désigna des lignes parmi tout un attirail emmêlé à l'avant de la pirogue.

En l'espace de deux heures, ils avaient gagné deux beaux perroquets, cinq marguerites, un napoléon, deux jeunes mérous bruns et un nouveau calmar de plus d'un kilo mais qui, au grand désespoir de Vouki, n'avait pas transformé Kimyan en marsupilami. Les trois de l'orphelinat n'avaient jamais fait d'aussi belles prises et se seraient bien vus continuer ainsi toute la journée. Marusse était cependant plus réservé. D'abord, il avait assez de poissons pour honorer sa promesse, ensuite, il savait que la houle montait avec le soleil et qu'il ne faudrait pas tarder à prendre la passe en sens inverse.

— Si vous voulez, on peut rester encore une demi-heure, mais on va se caler au-dessus de l'épave.

Dans l'euphorie générale, personne ne souleva d'objection et Marusse les guida vers le Bateleur.

Ils étaient calés depuis un bon quart d'heure, sans aucune touche pour aucun d'entre eux, lorsque Piphan' sentit son fil se tendre. Curieusement, le fil restait tendu sans pour autant opposer de résistance. Mais, d'un coup, une secousse le plaqua si vite et si fort contre le plat-bord qu'il faillit les envoyer tous à la baille.

— Cool! s'exclama Marusse. Relâche sans lâcher! Ça, c'est sûrement un gros. Je serais toi j'attacherais la ligne à l'avant.

Piphan' se dirigea vers l'avant de la pirogue mais n'eut que le temps d'enjamber Vouki. Une seconde secousse magistrale le déséquilibra. Il entendit bien Marusse lui crier de lâcher la ligne mais… c'était trop tard, il était déjà sous l'eau.

— M'enfin! Pourquoi il a pas lâché le fil?

— Ben… l'a pas eu le temps, fit Vouki pas rassuré. Tu… tu crois que… que ça peut être un requin?

— Un requin? répéta Kimyan affolé par cette idée.

— Je crois pas… j'en sais rien. C'est sûr qu'il y a pas mal de peaux bleues autour de l'épave, songea Marusse.

— Pourquoi il ressort pas?

Kimyan se laissait gagner par la panique.

— Eh! T'énerve pas! Est-ce que je sais, moi, pourquoi il ne remonte pas?

— C'est… c'est vachement sombre, ajouta Vouki. Ça doit être profond…

— Toi, si c'est pour en rajouter, ferme-la, tu veux! Je demande juste si vous voyez Piphan'. Et toi, Marusse, tu ne peux pas plonger?

— Euh… vas-y, toi, si t'as pas peur des requins!

Quelques mètres sous l'embarcation affolée, Piphan' n'éprouvait plus aucune peur. Une sphère irisée s'était formée autour de lui, pareille à une très grosse bulle de savon. Il sentait sous ses pieds une substance plutôt tiède, assez résistante. Machinalement, il s'assit en tailleur. Il pensait que cette sorte de coussin agissait comme un poids qui entraînait lentement la bulle vers le fond. Du moins le crut-il jusqu'à ce qu'elle s'immobilisât. Il se retrouvait au niveau du pont supérieur de l'épave, dont les écoutilles délabrées laissaient entrevoir de sombres entrailles. Le fil de pêche qu'il n'avait toujours pas lâché s'y perdait dans l'obscurité. Il tira d'un coup sec… Plus aucune résistance. Une voix résonna dans la bulle.

— Bonjour Épiphane!

Guidé par le son, il tourna la tête vers son interlocuteur. Une loche sortait de la cale et nageait placidement vers lui. Elle était énorme. Les rares pêcheurs de l'îlot Nat qui en avaient vu parlaient de trois mètres comme d'une taille record. Or celle-ci devait dépasser les cinq mètres et sa rondeur incitait plus à parler de tonne que de kilos. Piphan' eut un mouvement de recul lorsque la bulle résonna à nouveau.

— Pas très poli, ce garçon…

— P… pardon?

— Oui! Quand on te dit bonjour, il est malpoli de ne pas répondre. Tu n'as pas appris ça?

— Euh… vous parlez?

— Pourquoi ne le ferais-je point?

— Mais… les poissons…

— Quoi, les poissons?

— Ben oui! Les animaux… enfin, en général ils ne parlent pas.

— Voyez-vous ça! Tu connais des êtres vivants qui ne parlent pas, toi?

— Euh…

— Qu'est-ce qui t'empêche de penser que c'est toi qui ne sais pas entendre? Tu sais, pour qu'une chose parle, il suffit de lui prêter une oreille et une voix.

Là, ça lui en bouchait un coin. La loche marquait un point. Comme elle l'observait en silence, il essaya de meubler la conversation, et il faut bien reconnaître qu'il ne savait pas quoi dire à un poisson.

— Hum!… comment vous vous appelez?

— Mon nom! Il veut savoir mon nom, le grand dadais! C'est que j'en ai tellement, des noms! Si tu veux, tu peux m'appeler Mère.

— Oh non! C'est pas vrai, pas ça!

Mère! C'était ainsi qu'il devait s'adresser à mère Pélagie, et il n'avait jamais aimé ça. La loche devina son embarras.

— C'était juste pour dire que, présentement, je suis une mère loche, mais tu n'as qu'à m'appeler comme tu veux.

— Alors… Madame? Ça va comme ça?

— Madame! Ciel, que c'est original!…

La loche s'amusait à bon compte sur son dos.

— Bien, maintenant que les présentations sont faites, passons aux choses sérieuses. Nous n'avons plus beaucoup de temps.

— Ah bon? Plus de temps?

— Forcément! Avec tout celui que tu as perdu…

— J'ai perdu du temps, moi?

— Des années, oui, de précieuses années tu as perdues, mon ami. Trois ans que j'attends ta visite. Mais voilà, Épiphane ne franchit jamais la barrière de corail. Il a peur. De quoi? Il ne le sait pas mais il a peur, le grand dadais.

— C'est pas vrai, s'enhardit celui-ci, je n'ai pas peur!

— Vraiment? VOYONS CELA!

Dans un rugissement, la loche bondit sur lui. Une fraction de seconde il se vit mort. Son sang n'avait fait qu'un tour et il s'était reculé, collé à la paroi de la bulle. Cette loche pouvait l'avaler d'un seul coup, mais telle n'était pas son intention. Mâchoires écartées, elle maintenait délicatement la bulle entre ses lèvres. Enfin, quand elle recula pour reprendre sa position initiale, Piphan' remarqua que son corps s'alignait parfaitement dans l'ombre de la pirogue au-dessus d'eux.

— Excuse-moi, reprit-elle enjouée. C'était si facile que je n'ai pas pu résister. Que veux-tu, à mon âge les plaisirs se font rares et il faut bien rire un peu. Tu auras tout de même compris qu'en matière de peur… il te reste quelques progrès à faire. Venons-en au fait. Tu vas avoir quinze ans. Jusqu'à ton douzième anniversaire, nul n'aurait songé à te reprocher l'enfance plutôt insouciante que tu as menée. Or, depuis trois ans, de grands changements sont apparus autour de ta petite personne. Trois ans sans que tu remarques quoi que ce soit de cette mise en place. Tu n'es pourtant pas aveugle, tu possèdes de naissance une vue hors du commun, plus puissante que tous les lynx de la planète réunis. Mais tu ignores, primo, qu'on ne voit pas qu'avec les yeux et, deuxio, qu'il ne suffit pas de regarder pour voir.

— Et qu'est-ce que j'aurais dû voir?

— Les signes, mon jeune ami, les signes!

— Je… je ne comprends pas.

— C'est bien ce que je dis. Tu ne peux pas comprendre les signes puisque tu ne les vois pas! Tu ne vois pas les causes, non plus. As-tu jamais pensé à ce qui relie les choses entre elles?

— Quelles choses?

— Mais toutes les choses. Rien n'existerait sans ce qui l'entoure. Même un instant n'est rien sans l'instant d'avant et celui d'après. Si l'on a été attentif hier, et si l'on vit pleinement l'instant présent, il ne faut que quelques cauris d'intelligence pour deviner ce qui nous attend. Mais toi, Épiphane, le sais-tu? Et qu'attends-tu pour te mettre en chemin?

— En chemin? Pour aller où?

— Suis le chemin de ton cœur, mon ami. La nuit dernière, sur la colline…

— Comment vous savez ça?

— Ah! S'il fallait que je te dise comment je sais tout ce que je sais, nous serions encore là dans mille ans. Cette nuit, disais-je, lorsque tu t'es endormi, tu as pris une résolution, oui ou non?

— Euh… oui… je crois, balbutia-t-il sans être sûr de savoir à quoi la loche faisait allusion.

— Il croit! Le grand dadais croit! Croa, croa, croa! Il n'est plus temps de croire lorsqu'il est temps de savoir. Et du temps, je croa bien que nous sommes encore en train d'en perdre. Autant mettre un terme à cette conversation.

Aussitôt, la bulle commença à remonter vers la surface. Piphan' se mit à paniquer. La loche en avait trop dit ou pas assez.

— Et si je veux retrouver mon père? lança-t-il à la vavite.

— Je te l'ai dit : fie-toi aux signes, observe les coïncidences, elles portent toujours des habits de lumière.

Décidément, ce poisson ne parlait que par énigmes et Piphan' sentait que le temps allait lui manquer. Il voyait déjà la pirogue se rapprocher, pendant que sous ses pieds la loche disparaissait dans les entrailles du Bateleur.

— Hé! Comment je fais pour sortir d'ici?

Une voix déjà lointaine lui répondit.

— Faut-il être sot! Tu n'as qu'à crever ta bulle!

Avec appréhension, il avança une main vers la paroi sphérique. Le résultat fut instantané : son doigt perça la bulle aussi facilement qu'une épingle fait éclater un ballon de foire. Il émergea devant la pirogue, pile à l'endroit où il était tombé à l'eau, et n'eut qu'à saisir le bras que lui tendait Marusse pour se hisser à bord.

— Waouh! s'écria Vouki plein d'admiration. Qu'est-ce que tu restes longtemps sous l'eau! T'as battu ton record…

— Tu veux dire qu'il a battu tous les records de l'île, ouais! corrigea Kimyan. Et le record de ficher la trouille aux autres. Franchement... ça se fait pas!

— J'ai jamais vu quelqu'un partir à la baille aussi vite, dit Marusse. C'était quoi? Un barracuda? Un thazar? T'as vu le poisson?

Piphan' ne pouvait rien répondre, les trois parlaient en même temps. Kimyan était trop impressionné pour s'inquiéter de savoir de quel poisson il avait pu s'agir. Il se demandait plutôt comment son meilleur ami avait pu rester sous l'eau aussi longtemps.

Piphan' répugnait à mentir, à plus forte raison à Kim. Mais comment s'y prendre lorsque la réalité vous dépasse à ce point? Une bulle géante, un poisson qui parle! Que pouvait-il dire sans paraître suspect? Pouvait-il dire qu'en plus de l'océan Infini c'était en pleine magie qu'il venait de nager? Oui, sans doute Kimyan pouvait l'entendre, sinon qui le pourrait? Mais ce n'était pas l'heure. Il fallait trouver le moment, les bons mots, la manière... En attendant il mentit donc.

— Non... rien de spécial. J'en ai juste profité pour jeter un œil à l'épave du Bateleur.

— Tu nous raconteras en route, coupa Marusse. Bon, les potes, c'est pas pour dire, mais il faut se magner. Les vagues sont de plus en plus grosses et j'ai pas envie de péter la pirogue de mon père.

Sur le chemin du retour, ils gambergèrent une stratégie pour que Piphan' puisse passer à l'orphelinat sans se faire repérer. Il avait besoin de récupérer des affaires et, surtout, il n'avait pas le cœur à s'absenter plus long-temps sans prévenir Bertille. À l'heure dite, Kim et Vouki organisaient une diversion dans la salle prin-cipale et Piphan' entrait par la cuisine où Bertille l'attendait.

Il n'était pas encore entre ses bras qu'elle s'inquié-tait déjà de savoir s'il avait mangé. Il la rassura. C'était un grand moment d'émotion. Il n'était jamais parti plus d'une demi-journée, et là, il venait lui annoncer qu'il allait s'absenter pour une durée inconnue, peut-être des semaines ou des mois. Ils tremblaient dans les bras l'un de l'autre.

— Tu ne vas pas faire de bêtises, au moins?

— Bien sûr que non. Je veux juste retrouver mon père.

— Ton père? Mais ce n'est pas possible. Tu sais bien qu'il n'a jamais donné signe de vie.

— C'est vrai mais… peut-être qu'il est malheureux de ne pas pouvoir le faire.

— Oh ça! Je ne crois pas, mon Piphan', répondit-elle avec une spontanéité qui l'étonna d'autant plus qu'il crut déceler un soupçon de crainte dans sa voix.

— Pourquoi tu dis ça, Bertille? Tu ne le connais pas. Tu m'en aurais parlé, n'est-ce pas?

Cette fois elle prit son temps avant de répondre.

— Tu comprends… ça fait si longtemps. Pourquoi n'en parles-tu pas à ton parrain Mercurio? Il t'aime beaucoup, tu sais?

— Justement, j'ai l'intention d'aller à Albaran pour le voir.

— Mais puisqu'il doit arriver d'un jour à l'autre… Pourquoi ne l'attends-tu pas tranquillement ici ? Par ailleurs… Mère Pélagie ne t'en veut pas vraiment. Elle sait que tu as agi sous la colère et elle est prête à pardonner.

— Ah non ! J'en veux plus de son pardon ! s'emporta Piphan', obligeant Bertille à lui faire signe de se calmer pour ne pas attirer l'attention vers la cuisine.

C'est qu'elle le connaissait bien, son Piphan'. Pour l'adorer comme elle l'avait toujours fait, il avait bien fallu qu'elle le prenne tel qu'il était, avec cette colère qui éclatait pour un oui ou un non, une colère fondamentale que quinze années d'éducation n'avaient pas mise à bas.

— Bon, je ne crie pas. Mais je ne peux pas t'expliquer maintenant. Je… j'ai pas le temps. Je dois me rendre à Lakinta.

— Lakinta ! Tu me fais peur, mon petit. Tu n'as jamais dépassé l'aéroport et tu veux aller tout seul dans cette ville maudite… dangereuse… et avec quel argent ?

— C'est pour ça que je voulais te voir. J'ai besoin de ton aide, Bertille. Il me faut des vêtements propres et mes économies.

— Pour les vêtements, tes frères me l'ont dit. Je les ai préparés dans ce petit sac à dos. Mais pour ton argent de poche, tu sais bien que je ne peux pas le sortir sans la signature de mère Pélagie…

— Je sais. Mais si je pouvais entrer dans son bureau… Je sais où elle cache nos cauris. Je ne prendrai que les miens, Bertille, je te le promets.

— N'y pense même pas ! Tu me demandes trop. Imagine les conséquences pour tes frères et sœurs…

Il savait qu'elle avait raison. Elle se retrouvait déjà bien assez en porte-à-faux comme ça. Cela dit, il ne la trouvait pas très hostile à sa fugue. Même si elle faisait mine de lui opposer les dangers et les difficultés d'Albaran, elle n'avait pas moins préparé son sac à dos. C'était un signe. De toute façon, le connaissant par cœur, elle savait qu'il ne reculerait pas, qu'il ne restait qu'à mesurer sa détermination.

Après un temps d'observation silencieuse, elle s'approcha.

— Tiens ! Ce n'est pas beaucoup mais… si ça peut t'aider jusqu'à ce que tu voies ton parrain…

Elle lui remit une bourse contenant trois cents cauris. C'était exactement le montant de ses économies dans le coffre de mère Pélagie. Bertille avait dû regarder le cahier des comptes et lui avançait la somme.

Ils se regardèrent longuement, les yeux brillants et un sourire en coin qui voulait dire pour chacun : «Prends soin de toi, je t'aime très fort.»

Chapitre 4

La deuxième belle étoile

L'envie ne lui manquait pas de se mettre *en chemin* comme l'avait dit la loche, mais le bon sens l'incitait à reporter le vrai départ au lendemain car une nouvelle nuit pointait déjà ses ombres. Il trouva cependant un compromis. Ce soir, il traverserait quand même le lagon pour être en place sur Albaran dès les premières lueurs. Après Bertille, c'est à Kimyan qu'il devait cette dernière heure sur l'îlot Nat, et ils la passèrent dans les rochers de la pointe à Rodin.

Piphan' ne tenait plus en place. Il débita d'un trait l'épisode de la loche. Dans la foulée, il raconta aussi sa brève rencontre de la veille avec la sorcière expulsée. Ça lui faisait du bien de pouvoir enfin partager d'aussi gros morceaux. Tout autre que Kimyan l'aurait sans doute traité de fou ou de menteur. Au lieu de cela, son ami lui demanda le plus simplement du monde s'il avait une idée de ce que cela signifiait.

— Pas vraiment… mais je sens qu'il s'est passé un truc important. Je crois que c'est en rapport avec mon père.

— C'est ce que la loche t'a dit? Elle a parlé de ton père?

— Non… c'est juste ce que je ressens. Mais la loche, tu sais, on aurait dit qu'elle lisait mes pensées. En tout cas, elle a dit que je devais suivre le chemin de mon cœur et depuis hier mon cœur me dit que je dois retrouver mon père. Je sens qu'il n'est pas mort. Je ne sais pas où il est mais je crois qu'il… qu'il a besoin de moi.

— Tu as bien de la chance, souffla Kimyan en baissant la tête.

C'était la première fois que Piphan' voyait une telle tristesse envahir son ami de toujours. Tout l'îlot Nat connaissait Kim pour sa bonne humeur permanente et ses plaisanteries. Même dans les moments pénibles, on ne l'avait jamais vu malheureux. Non seulement il était la joie de vivre incarnée, mais il était fiable, fidèle et incapable de méchanceté. Ils avaient le même âge, ils avaient grandi en inséparables et tout partagé, leurs yeux étaient du même noir et leurs peaux brillaient des mêmes reflets cuivrés. C'était bien le cœur qui disait à Piphan' que Kimyan était plus qu'un ami, il était un vrai frère.

— Tu sais, Kim, je ne suis pas obligé de partir seul…

Si tu veux on part ensemble. Ça me ferait vraiment plaisir. Je t'aime, tu comprends?

En disant cela, il réalisa soudain la dureté de la situation. Kimyan n'avait pas cette «chance» de pouvoir partir à la recherche d'un père ou d'une mère. Pour lui, ils étaient morts. On le lui avait toujours dit, et comme Piphan' il n'avait jamais pu donner de visages à ses parents. De plus, il était le seul jeune de l'orphelinat à n'avoir ni parrain ni marraine. L'attribution des parrainages suivait un ordre de priorité défini par mère Pélagie et le sort avait voulu que Kim ne fût jamais prioritaire. Si maintenant son seul frère d'âme et de cœur s'en allait aussi...

Et ce frère venait de lui dire qu'il l'aimait!

Il le regarda d'un regard mouillé où luisait toute la tendresse du monde, mais il savait que le destin de Piphan' n'était pas le sien. Il y avait un bout de route qu'ils ne feraient pas ensemble, des réponses à trouver pour l'un et pas pour l'autre.

Kim se ressaisit vite.

— Ça m'aurait fait plaisir de partir avec toi, mais... je ne me sens pas prêt pour l'aventure. Et puis... il faut bien que quelqu'un reste ici, avec Bertille, avec nos autres frères et sœurs. Mais je sais qu'on se reverra, alors tu peux compter sur moi, je vais t'attendre ici!

Le jour déclina rapidement. Sur le lagon, les rochers mis à l'air par la marée basse disaient qu'il était l'heure du premier pas vers l'inconnu.

— Je suis sûr que tu vas retrouver ton père! Fais quand même gaffe en route, mon frère! lui lança Kim tandis qu'il s'éloignait.

Lorsqu'il prit pied sur le rivage d'en face, il restait juste assez de lumière pour repérer un endroit convenable où dormir. Il s'installa sous un hintsy dont la large couronne voûtée laissait retomber ses feuilles jusqu'au sol. Il y aplanit un lit de fortune puis s'assit au bord de l'eau pour attendre le sommeil.

La nuit était toujours sans lune. De l'autre côté d'un lagon au calme plat vacillaient les faibles lumières de quelques lampes à pétrole. Jamais l'îlot Nat ne lui avait paru si lointain. Il était sur Albaran, la nuit, seul.

Cette deuxième nuit buissonnière offrait le spectacle d'une Voie lactée encore plus lumineuse que la veille. Vers le zénith, il remarqua un alignement d'étoiles auquel il n'avait jamais prêté attention. Pas très doué dans la lecture du ciel, il se dit qu'elles avaient toujours été là… Un instant plus tard, une autre lumière attira son regard vers la gauche. Plus basse sur l'horizon, elle scintillait, écarlate, puissante. Avec quelques connaissances supplémentaires, il aurait su que cette étoile si proche et si rouge n'en était pas une. Il s'agissait de la planète Mars, et son extrême proximité de la Terre n'annonçait rien de bon.

Dans cette parfaite ignorance, Piphan' ratait un signe important. Mais tant de choses attendent leur heure. Et malgré tout, même si sa tête s'encombrait encore de questions sans réponses, il avait bien progressé. Il repensa à la loche. Elle avait dit que les coïncidences portent toujours des habits de lumière.

C'était ça! Les étoiles coïncidaient avec les événements… ou l'inverse. La loche avait voulu lui faire comprendre qu'il n'y a pas de hasard, juste des coïncidences… ou pas.

Alors, en cette heure de départ, il plaça bout à bout ses meilleurs souvenirs. La forêt et le lagon, les grandes fêtes de rythmes et de danses, la présence épisodique mais sûre de son parrain, la chaleur de Bertille, l'amitié de Marusse, de Vouki et bien sûr de Kimyan, tous ceux dont l'amour sans condition l'avaient grandi. Oui, tous ceux-là étaient pareils à des perles, et les perles étaient en place. Et comme ces étoiles savamment alignées dans la voûte des cieux, elles avaient depuis bien longtemps tracé pour lui un possible chemin. Mais voilà, il n'avait su lire ni le ciel, ni les signes. La loche avait raison : il était temps de s'y mettre.

Chapitre 5

La fille aux licornes

Le soleil était déjà haut lorsque Piphan' émergea de son hintsy pour affronter l'inconnu. Un inconnu plutôt familier : les mêmes cases en falafa le long de la route, habitées par des vawaks pas différents. Indifférents même. Personne ne lui prêtait la moindre attention. Il repensait aux dangers d'Albaran dont on lui avait rebattu les oreilles, et se dit qu'il n'y avait pas de quoi casser trois pattes à un canard.

À peine venait-il de penser ça que des cris retentirent derrière lui. Un homme arrivait en courant, il gesticulait, et tout se mettait en branle sur son passage. Les femmes attrapaient les enfants en bas âge, saisissaient à la volée le linge qui séchait, s'emparaient des marmites où ronronnait le riz du matin. À l'évidence, il fallait s'abriter et Piphan' se demandait de quoi lorsque les cris se firent plus distincts.

— Les tornades! Les tornades!

L'homme passa devant lui comme une fusée et Piphan' vit en effet débouler de grands tourbillons ocre de près de quatre mètres de hauteur, qui suivaient la piste en soulevant un nuage de poussière et de feuilles mortes qui retombaient sur les cases. Il n'eut que le temps de se mettre à couvert derrière une haie pour assister, les yeux à demi clos, à un spectacle sidérant…

Pourquoi tous ces vawaks étaient-ils affolés? Ne voyaient-ils pas qu'il s'agissait de fausses tornades? Ne voyaient-ils pas qu'au centre des tourbillons il y avait un char tiré par six licornes?

Piphan' n'en avait jamais vu, mais ces crinières soyeuses que la vitesse balançait vers l'arrière, ces corps exhalant une lumière cendrée, ces étincelles qui jaillissaient des sabots, et surtout ces cornes nacrées et torsadées sur leurs fronts magnifiques… on ne pouvait pas s'y tromper, c'était bien des licornes. Pourtant, le plus magique n'était pas l'attelage, mais la jeune fille qui le menait. Son visage tendu vers la route était d'une beauté si exceptionnelle qu'elle lui arracha un cri de stupeur émerveillée. Belle comme ça, ça n'existe pas, dit-il à voix haute. Et son esprit, au lieu de douter de l'existence de licornes, s'envola et divagua farouchement sur la possibilité d'une pareille beauté. Son cœur battait la chamade comme jamais, une fille l'emportait sur son char, sans avoir rien dit, sans même l'avoir aperçu. Et visiblement pas une vawak. Plutôt du genre princesse fraîchement évadée des pages d'un conte de fées, d'une beauté trop grande pour son imagination.

Il bondit hors des buissons et cria en direction du cortège fantastique, mais c'était trop tard. Il avait manqué de réflexe. Les tourbillons s'éloignaient, et le nuage de poussière lui retombait dessus en changeant son tee-shirt de couleur. Parti presque blanc, il était déjà ocre.

Piphan' aperçut une petite tache verte se détacher des tourbillons fuyants. Elle voleta avec la poussière avant de se poser au sol. Il s'en approcha et se rendit compte qu'il s'agissait d'un bandeau frontal. Sur un tissu vert uni, le mot ÉLATHA se détachait en petites lettres blanches. Prenant cela pour une marque de fabrique quelconque, il fourra le bandeau dans sa poche et reprit la piste.

Trois heures plus tard, il arrivait à Lakinta.

Ce n'était pas tout à fait comme il l'avait imaginé d'après les on-dit, voire pas du tout. À sa droite, une immense coupole dressait ses arches dans l'azur. Elle était bâtie sur un îlot au centre d'une baie, sans chemin pour s'y rendre, et le seul pont était celui sur lequel il s'engageait, mais il ne se dirigeait pas vers la Cité. Au contraire il s'en éloignait.

De l'autre côté, alors que reprenaient la piste et les cases en falafa, il tomba sur deux vawaks : Jeannot Bizness et Gédéon Le Matois. À les écouter, ils assuraient services, dépannages et renseignements en tout genre, qui se révélaient plutôt embrouilles et arnaques, ainsi qu'il allait l'apprendre à ses dépens, en commençant par une dépense.

Contre la modique somme de cinquante cauris, les deux lascars proposaient de l'aider dans la recherche de son parrain. Ils connaissaient toute l'île et avaient des potes dans tous les quartiers de Lakinta, ce qui lui parut justifier un effort de sa part.

— Comment il s'appelle, ton parrain?

— Mercurio.

— Mercurio comment?

Ah! Mercurio comment! Les galères commençaient et Piphan' réalisa l'ampleur de la tâche : trouver quelqu'un dont on ne connaît que le prénom. Tout ça à cause de ce foutu règlement que mère Pélagie avait défini toute seule. Seuls les prénoms étaient autorisés à l'orphelinat, ou plutôt, les noms de famille étaient interdits. Des enfants n'avaient pas à connaître ni à porter le nom des lâches qui les avaient abandonnés.

Pour les orphelins de naissance, la règle prévoyait qu'ils n'avaient pas à porter le nom des morts dont les familles n'étaient pas fichues de prendre le relais. Quant à l'extension de la règle aux marraines et parrains, c'était au cas où ces derniers décèdent ou ne puissent plus assurer matériellement. L'enfant n'avait alors pas à connaître le nom d'un mort ou d'un lâcheur. Dans la foulée, mère Pélagie changeait aussi le prénom d'origine, puisqu'il n'était pas question d'en porter un choisi

Bordereau date de retour/Due date slip

Bibliothèque de Beaconsfield Library
514-428-4460
07 Nov 2014 03:49PM

Usager / Patron : 23872000085840

Date de retour/Date due: 28 Nov 2014
Ariane et Nicolas, t. 3 : Le phylactère

Date de retour/Date due: 28 Nov 2014
Abracadagascar / Ménéas Marphil.

Total : 2

HORAIRE / OPENING HOURS
Lundi / Monday
13:00 - 21:00
Mardi - vendredi / Tuesday - Friday
10:00 - 21:00
Samedi / Saturday
10:00 - 17:00
Dimanche / Sunday
13:00 - 17:00
13:00 - 17:00
beaconsfieldbiblio.ca

par des lâcheurs. La religion faisait le reste et le nouveau prénom était celui du calendrier au jour d'arrivée à l'orphelinat. C'était pour cette raison qu'il s'appelait Épiphane. Plus tard, en lisant le calendrier de mère Pélagie, il comprit qu'il aurait pu tomber plus mal. C'était une chance de ne pas être arrivé le jour de mardi gras, des Cendres ou de Fetnat. Épiphane, c'était plus sympa, il était arrivé en même temps qu'une étoile. Quoi qu'il en fût, il n'avait jamais su le nom de famille de son parrain.

— C'est pas grave, avait conclu Jeannot Bizness. Si t'es au moins sûr qu'il est à Lakinta, on va te le retrouver en moins de deux, ton Mercurio. Allez, on va commencer par Voula-Kely.

Retrouver Mercurio en moins de deux ? Ils ne croyaient pas si mal dire. En fait, comme ils avaient préféré taire qu'ils étaient *persona non grata* dans la Cité et les quartiers chics, ils s'apprêtaient juste à lui faire perdre un peu de temps et d'argent. Il était le pigeon tombé du ciel.

Le Matois parlait peu. Ça lui permettait de se concentrer sur les âneries plus grosses que lui qu'il débitait chaque fois qu'il ouvrait la bouche. Jeannot Bizness était la tête un peu pensante, et Piphan' collait donc à ses pas.

Plus ils avançaient, plus tout devenait sale. Jeannot et Gédéon s'arrêtaient à de misérables échoppes plus sombres et décrépies les unes que les autres ; puis le trio repartait, arpentant ruelles et impasses où s'entassaient des ferrailles et des ordures très odorantes. Des poules squelettiques venaient y disputer aux enfants ce qu'elles pouvaient, entre deux coups de pied. L'odeur de certains tas faisait rechigner à s'avancer, tellement elle collait aux narines.

— Pas très connu, ton parrain, dit Jeannot. On va faire péter un œil à Tsimis-Voula.

Piphan' hésita à suivre. Il ne voyait pas ce que son parrain aurait pu faire pour être connu en ces lieux. Mais on changeait de quartier, alors tant que les lascars ne demandaient pas une rallonge... Et puis, à défaut de l'amuser, la découverte de cet étrange univers des bas-fonds le fascinait.

Le quartier de Tsimis-Voula qui s'annonçait était encore plus noir de crasse que Voula-Kely. Tout à flanc de colline, on y descendait à ses risques et périls en empruntant une multitude d'escaliers aux pierres disjointes qui menaçaient de rouler à chaque pas. Déraper ici voulait dire qu'en plus de se faire mal on pouvait même tuer quelqu'un en dessous. D'autres escaliers étaient en bois, du moins l'avaient été. Ce qui restait tenait par miracle plus que par les clous, et on avait d'ailleurs plus vite fait de compter les marches restantes que celles absentes.

On ne pouvait plus parler de ruelles, tout était impasse. Ni donner le nom de cases à ces entassements mille fois rafistolés de tôles rouillées, de cartons, de bouts de plastique, tout ce qu'on avait pu récupérer pour faire des semblants de murs. L'ensemble était noirci par les fumées des feux permanents et le mauvais pétrole des lampes. Des récipients hétéroclites servaient de marmites, sauf qu'ici n'y ronronnait plus le riz qui sent bon mais un sombre bouillon, dernière étape pour un rat trop aventurier. C'était en attendant mieux, mais le mieux se faisait attendre. Les poules de Voula-Kely n'étant pas aussi téméraires que les rats, elles ne se risquaient jamais vers les escaliers de Tsimis-Voula de peur d'y laisser plus que des plumes.

Piphan' écarquillait les yeux sur ces myriades d'enfants nus qui rampaient ou se faufilaient à leur approche. Ils se distinguaient à peine de la couleur des murs, avec des plaies que personne ne s'empressait de soigner, des bras et des jambes d'une maigreur qui effrayait même les poules squelettiques.

Il pensa à ses sœurs et ses frères de l'îlot Nat, eux qui avaient grandi dans l'idée qu'ils étaient pauvres et abandonnés. À la différence des enfants de Tsimis-Voula, ils n'avaient jamais manqué de riz, le lagon était poissonneux et l'île regorgeait de racines et de fruits en toutes saisons. Tout ce qu'il lui semblait partager avec ces ombres décharnées était qu'ils parlaient le même vawak, et qu'ils marchaient pieds nus. Même ses loques trouées et poussiéreuses faisaient de lui un nanti. La plupart de ces enfants n'avaient pas encore connu le vêtement et n'entendraient probablement jamais parler d'orphelinat. Une vraie cour des miracles, mais sans miracle.

Et pas plus de miracle dans la recherche du parrain, malgré les contacts de Jeannot et de Gédéon... Piphan' préféra mettre un terme à cette descente dans les abysses de l'humanité. Il avait trop besoin d'air, de lumière. Cependant il hésitait à se séparer des deux lascars, il avait encore besoin d'eux. Il ne se repérait pas dans cette ville où tout se ressemblait, même les noms des différents quartiers.

— C'est rapport à Voulabé, expliqua Jeannot. Pardon, à M. Fulbert Voulabé, the Big Boss! Toute la ville lui appartient, alors tout porte son nom. Ici la voule est reine.

— La voule?

— Oui, la tune, l'oseille, les cauris, les sidois… Tu vois, les quartiers autour de la Citibank c'est Voula-Tchara. Quartier des rupins. Gédéon et moi on est de Voula-Kely. Et là d'où on revient c'est Tsimis-Voula. En haut y a de la voule, en bas y en a pas, entre les deux y en a très peu, tu piges?

Ça n'était pas trop difficile à piger, mais Piphan' avait autre chose à penser après avoir entendu le nom de Voulabé. Il connaissait ce nom, et il aurait parié qu'il avait été prononcé par mère Pélagie, un jour où il écoutait à la porte de son bureau. Son ami Loki était employé chez ce M. Voulabé ; il devait absolument rencontrer l'un des deux.

Hélas, d'après les lascars, il n'était pas question d'entrer dans la Cité pieds nus et fagoté comme il l'était. Il fallait surtout un laissez-passer. Au prix annoncé, il lui restait juste assez pour se l'offrir, mais pas de quoi aligner la rallonge demandée par les filous pour leur prestation. Il ne pouvait déjà plus suivre et proposa donc qu'on arrête là les frais.

— Tranquille! fit Gédéon en aparté pour son compère. Les laissez-passer sont à meilleur prix chez ce vieux schnock d'Anselme. Kesse t'en penses?

Jeannot ne parut pas franchement enchanté, mais finit par acquiescer. Piphan' décida de suivre et ils repartirent sur le grand boulevard de la Ceinture.

Anselme Trumeau était un vaza qui tenait là un comptoir de marchandises exotiques, des raretés venues de tous les recoins de la planète. Jeannot et Gédéon avaient quelquefois été ses fournisseurs, notamment en perroquets gris. Comme on dit, ils étaient en compte. Mais si Jeannot avait quelque inquiétude aujourd'hui, c'est qu'il savait les comptes négatifs. La dernière fois qu'ils avaient livré à Anselme ses perroquets, ils n'avaient pas pu résister à la tentation de lui voler une superbe longue-vue de marine, très ancienne, qu'ils s'étaient empressés de revendre à Chen Kin, deux boutiques plus loin.

Lorsqu'ils arrivèrent en vue de l'échoppe d'Anselme, ce dernier était en train d'abaisser les rideaux de fer. D'aussi loin qu'il les aperçut, il les menaça de sa canne et leur cria pas mal de choses. C'était mal engagé. Ne voulant pas être assimilé à Jeannot et Gédéon, Piphan' décida de s'avancer seul. C'est ainsi qu'il eut droit personnellement à «vermine visqueuse», «guenille ambulante» et autres joyeusetés qui témoignaient de l'étendue du langage châtié de M. Trumeau. C'était vraiment mal engagé. Piphan' fit demi-tour pour rejoindre Jeannot et Gédéon. Trop tard : les lascars venaient de dérober des lunettes de soleil à la boutique voisine. Il les regarda prendre la poudre d'escampette et se retrouva seul tandis que tombait une nouvelle nuit.

Chapitre 6

Filus Aquarti

Il en était à penser au manger et au dormir lorsque, du haut du boulevard de la Ceinture, il vit surgir les tourbillons ocre du matin. Cette fois il n'avait pas de raison de se cacher. Il sortit le bandeau vert de sa poche et l'agita à grands gestes. En vain, les licornes filaient en rangs serrés et la mystérieuse beauté était plus que jamais dans son monde. Elle regardait toujours droit devant et maniait les rênes avec fougue, comme si elle était très en retard à quelque rendez-vous. C'était la deuxième fois de la journée que ce char fabuleux passait devant lui, et la fille ne l'avait ni vu ni aperçu. Piphan' baissa les bras et suivit du regard les tourbillons qui disparaissaient. Qu'est-ce qu'elle est belle! répéta-t-il à voix haute.

Il avait à peine lâché ces mots qu'une voix le fit sursauter. Un garçon de son âge se tenait devant lui.

— Ça alors, tu vois les licornes?

— Ben… oui.

— Tu n'es pas un moazi, alors?

— Un moisi?

Comme Piphan' lui demandait de rester poli, le garçon expliqua que «moazi» désignait simplement celui qui n'avait pas d'aptitudes magiques, et qui était donc incapable de voir des licornes puisque son regard s'arrêtait aux tourbillons qu'il appelait des tornades.

Ainsi, comme si la distinction entre vazas et vawaks ne suffisait pas, les deux pouvaient en plus être moazis ou magiciens. À vrai dire, s'il ne comprenait pas grand-chose, c'est parce que toute son attention était encore emportée par l'élan de son cœur.

— La fille qui conduisait, tu la connais?

— Non, mais tu sais, ce sont toujours les filles qui mènent les licornes. Nous, on n'a pas le droit, c'est…

Le garçon s'interrompit brusquement, fixa le bandeau que Piphan' tenait encore à la main et reprit d'un ton enjoué :

— Ah, je comprends! Tu es déjà élathéen, c'est pour ça que tu vois les licornes, tu es magicien. Moi aussi je vais bientôt partir à Élatha.

— Holà, du calme! D'abord, ce bandeau n'est pas à moi. C'est la fille sur le char qui l'a perdu et j'aimerais bien le lui rendre. Ensuite, je ne suis pas magicien et je ne comprends rien à tes histoires de moazis et d'élathéens. Je suis juste Épiphane… de l'îlot Nat.

— Épiphane? C'est toi Épiphane? C'est… c'est vraiment super qu'on se rencontre ici!

— Pourquoi, on se connaît?

— Non… enfin… maintenant oui. On fait partie du même pronaos, avec Perline et Jaufrette.

— Pronaos? Écoute, si tous les trois mots tu me sors un truc inconnu, ça va pas aller. Et ces filles, je ne peux pas les connaître puisque c'est la première fois que je mets les pieds à Lakinta. Vu?

— Euh… ne t'énerve pas! Je vais t'expliquer.

Le garçon lui apprit qu'il se nommait Kaylé Marbode et que son père, Silvius Marbode, était professeur à Élatha. Voilà pourquoi il en connaissait le nom et les bandeaux. Lui-même attendait d'y entrer comme initié. Quant à Élatha, il s'agissait d'un des plus grands centres de magie au monde, un des rares où s'enseignait la magie ancestrale, celle des origines. Chaque année, de nouveaux initiés venus des quatre coins du monde y étaient appelés, répartis en pronaos, et l'ensemble des pronaos s'appelait le Naos. Cette année, quatre jeunes d'Albaran devaient rejoindre le pronaos «Filus Aquarti». La liste d'appel que Kaylé connaissait par cœur déclinait les noms suivants : Jaufrette Dallan, Perline Sanuya, Épiphane Hardy et Kaylé Marbode. Le départ était imminent et, même si on ignorait le jour exact, on leur avait demandé de se tenir prêts.

— Ah! Tu vois bien qu'il y a erreur. Moi, personne ne m'a averti de rien du tout. Et puis je ne m'appelle pas Hardy. Juste Épiphane, et des Épiphane y en a peut-être plein.

Kaylé resta formel. Il n'était peut-être pas le seul Épiphane au monde, mais il était le seul recensé sur les registres vawaks d'Albaran ! Il n'y en avait qu'un et cet Épiphane était grandement attendu à Élatha, comme tous les Filus Aquarti.

Il songea que c'était sans doute de ça que son parrain avait parlé… Ces grands changements que la loche avait évoqués également.

— D'accord, mais comment on peut être magicien sans le savoir ?

— Ne mets pas la charrue avant les zébus. Avant d'être magicien, on n'est que de simples initiés. N'empêche que nous ne sommes pas des moazis.

— Qu'est-ce qui me le prouve ?

— C'est simple, demande à toutes les personnes sur ce boulevard combien ont vu les licornes qui viennent de passer. Allez, vas-y !

Piphan' sentit qu'il n'y avait pas que la peur du ridicule qui le retenait. Si depuis quinze ans il avait mené une vie simple de vawak, il ne pouvait plus en dire autant depuis trois jours. Une femme-serpent, une loche qui parle, des licornes… Mais tout allait si vite, et ces incursions dans l'inconnu magique étaient à chaque fois si brèves… Même cette dernière journée était passée comme un éclair. De plus, son estomac criait famine et il ne savait toujours pas où dormir. Alors ces histoires de moazis et d'initiés étaient bien belles mais il était préoccupé par d'autres urgences.

— T'as qu'à venir à la maison, dit Kaylé. Je suis seul en ce moment. Mon père est à Élatha et ma mère est en voyage. Il n'y a que Delphine, notre servante. Elle est un peu spéciale mais tout se passera bien, tu verras. Et puis… je crois que mon père m'en voudrait énormément s'il apprenait que j'ai laissé un Filus Aquarti à la rue. Alors, tu viens?

La famille Marbode n'habitait pas loin, à Voula-Tchara, le quartier résidentiel de la Ceinture. D'ici on pouvait voir la coupole. Elle ne brillait plus sous le soleil mais n'en était pas moins éclatante. Des milliers de billes lumineuses dessinaient des arches et soulignaient un dôme immense qui éclairait la nuit. Kaylé expliqua que le sommet était tout entier occupé par le bureau personnel de Fulbert Voulabé. Les étages inférieurs abritaient ceux de la Citibank, du Ministère Global et de toutes les administrations.

Des étages! Piphan' savait que ça existait dans les Pays Extérieurs, mais il n'aurait jamais pensé que des vawaks puissent avoir envie de vivre les uns au-dessus des autres. Pourtant, la villa des Marbode avait aussi un étage.

— Bonsoir Delphine! lança Kaylé sur le seuil. Qu'est-ce qu'il y a de bon à manger ce soir? J'ai un…

Il n'eut pas le temps de terminer sa phrase. La servante s'était dressée de sa chaise et, sans lâcher Piphan' des yeux, elle apostrophait Kaylé.

— Depuis quand ramènes-tu des mendiants à la maison ? Je suis sûre que ton père et ta mère n'apprécieraient guère !

— Calme-toi, ma vieille Delphine. Ce n'est pas un mendiant, c'est Épiphane Hardy. On appartient au même pronaos. Je l'ai invité parce qu'il ne savait pas où dormir.

Il en fallait davantage pour rassurer la vieille servante.

— Si ses parents étaient des gens corrects, il saurait où dormir ! Pour commencer, ils ne le laisseraient pas se promener dans cet état. Et d'abord, qui te dit qu'il n'est pas moazi ?

— Delphine… Puisque je te dis qu'il s'appelle Épiphane !

— En tout cas, il n'est pas question qu'il reste dans cet état s'il est notre hôte ! dit-elle en tournant les talons.

Elle avait raison. Piphan' était lamentable de saleté. Kaylé le conduisit à la salle de bains à l'étage.

Il s'était toujours lavé dans le lagon et rincé avec quelques gobelets d'eau douce. Alors il ne savait pas si ça faisait partie de la magie mais, ici, il suffisait de tourner un bouton pour que de l'eau coule du plafond. Un autre bouton et l'on pouvait choisir sa température ; les savons sentaient bon, les serviettes étaient moelleuses, et un miroir descendait jusqu'au sol. C'était la première fois de sa vie qu'il se voyait aussi clairement en entier. Il resta de longues minutes à s'observer sous toutes les coutures, assemblant enfin ces parties qui le constituaient. C'était comme une renaissance.

Par coquetterie autant que par curiosité, il enfila le bandeau d'Élatha ramassé sur la route et s'admira. Une douce chaleur l'envahit aussitôt. Il se sentit soulevé. Mais, très vite, le bandeau se resserra sur son front et la chaleur qu'il dégageait s'intensifia. Une vive douleur l'obligea à fermer les yeux et lorsqu'il les rouvrit… l'image dans le miroir lui arracha un cri de terreur.

Derrière lui, une forme monstrueuse avançait sournoisement, comme pour le prendre par surprise. Ça ressemblait à un énorme serpent et cependant pas vraiment. C'était plus large que long, gonflé comme une baudruche. Il y avait bien une tête, mais elle ne se situait pas à une extrémité comme chez tous les animaux. Un visage émergeait, sans emplacement précis, ondulant sur cette peau tendue à l'extrême. Ce dont Piphan' était sûr, c'est que le visage était à la fois femme et serpent, et que ses yeux fendus en amande se rapprochaient très vite de lui. Il pensa soudain à la sorcière de la pointe et arracha d'un coup sec le bandeau de sa tête.

Alerté par son cri, Kaylé arriva en courant.

— Tu es fou, toi! Tu ne sais pas qu'il ne faut jamais mettre le bandeau de quelqu'un d'autre? Ils sont personnels. Et c'est Élatha qui décide.

Mais Kaylé s'inquiétait plutôt de savoir ce que l'expérience lui avait fait, s'il avait vu quelque chose de spécial. Piphan' n'eut pas de peine à détailler sa vision.

Toutefois, au fur et à mesure qu'il la rapprochait de sa rencontre avec la sorcière expulsée, il s'apercevait qu'il ne s'agissait pas de la même femme. L'une était jeune et l'autre âgée. Les yeux aussi étaient de couleur différente. Seule la situation était identique : un serpent prêt à l'attaque. Kaylé lui fit signe de baisser le ton et le pria de ne surtout pas en dire un mot à la vieille Delphine.

Quand il sortit de la salle de bains, Piphan' était transfiguré. En le voyant luire comme un cauri neuf, la servante feignit de s'adresser à Kaylé :

— Tu es sûr qu'il s'agit du même garçon que tout à l'heure ?

Elle le regarda fixement.

— À présent, sois le bienvenu, mon garçon ! Kaylé te montrera ta chambre et le reste de la maison. Le repas sera servi dans une demi-heure. Tâchez d'être prêts.

Puis elle apostropha à nouveau son jeune maître :

— Il doit bien rester une paire de tongs à sa taille, non ? Depuis quand nos hôtes restent-ils pieds nus ?

Pour la première fois de la journée, Piphan' commença à se détendre. Ici il se sentait en sécurité.

Tandis qu'ils remontaient à l'étage, il observait Kaylé le précéder. Il avait la sensation de le connaître depuis longtemps. Comme lui, il était métissé, moins cuivré et plus café au lait, mais il avait les cheveux bouclés, ni lisses ni crépus. C'était sa mère qui était noire. Son père était un vaza blanc né aux Amériques Orientales, comme Mercurio.

Lorsqu'il découvrit la chambre de Kaylé, les yeux de Piphan' roulèrent sur les murs. C'était superbe. Les posters représentant des personnages ne lui disaient rien, mais ceux avec des dragons en relief étaient magiques. Les dragons semblaient prêts à décoller. Au demeurant, Kaylé ne possédait pas que des images de dragons : plusieurs étagères étaient remplies de figurines et c'était encore un dragon qui servait de lampe de chevet. Piphan' remarqua un objet à côté de la lampe.

— Toi aussi tu as un rhombe?

— C'est mon père qui me l'a fait passer il y a trois jours. Je ne sais pas encore m'en servir, j'ai juste essayé les deuxième et troisième nœuds.

— Y a des nœuds?

Piphan' n'avait pas pris le temps de s'intéresser à ce dernier cadeau dont son parrain avait pourtant précisé le caractère magique.

— Regarde! continua Kaylé. Tu commences par dérouler la ficelle comme un yo-yo.

Effectivement, des nœuds parsemaient la corde à intervalles irréguliers. Piphan' sortit son propre rhombe pour observer de plus près et la leçon reprit. La ficelle servait à faire tournoyer la plaquette de bois dans l'espace. Selon la vitesse, elle émettait un son différent. Deux cavités dans le bois modulaient ce son et les nœuds désignaient les emplacements où tenir la corde. Si on la tenait de court, le son était aigu, et plus on lui laissait de longueur, plus le son était grave.

— Écoute ce que ça donne au deuxième nœud, dit Kaylé.

Sitôt qu'il fit tourbillonner le rhombe au-dessus de sa tête, un son très aigu emplit l'espace. Lorsqu'il accéléra le mouvement, cela devint carrément désagréable et un sous-verre posé sur une étagère se fendit d'un trait. Kaylé arrêta.

— Tu vas voir, au troisième nœud c'est plus cool.

C'était vrai. À cette longueur de corde, la plaquette émettait un sifflement semblable au vent. Les changements de vitesse engendraient d'agréables modulations. Piphan' ne résista pas à l'envie d'essayer le sien, curieux de savoir ce que donnait une note vraiment grave.

Il saisit la corde sur l'avant-dernier nœud, leva un bras et manœuvra le rhombe comme il avait vu Kaylé le faire. Cette fois, le son était un bourdonnement continu qui enflait ou désenflait. Lorsqu'il accéléra, le bourdonnement descendit si profondément dans les graves qu'il leur oppressa le ventre. Les figurines se mirent à trembler sur les étagères avant de dégringoler les unes après les autres, même après que Piphan' eut bloqué le rhombe. Il avait généré un infrason qui ne s'arrêta qu'avec l'explosion de l'ampoule de la lampe-dragon.

— Euh… Je crois qu'on va attendre d'apprendre à s'en servir, conclut-il dans le silence subit.

— Ça vaut mieux… souffla Kaylé en mesurant l'ampleur des dégâts.

Lui si soigneux, si ordonné… Sa chambre ressemblait à un champ de bataille! Il dut rassurer Delphine qui attendait au pied des escaliers une explication à ce raffut, puis conduisit son nouvel ami à la chambre où il allait dormir. Décor et dragons en moins, ça restait une grande première : cette nuit, Piphan' ne dormirait ni dans un dortoir, ni à la belle étoile, mais dans une vraie chambre.

Le repas s'écoula dans un flot de bavardages. Kaylé et lui avaient déjà engagé un échange intarissable de souvenirs et de confidences. Quand il avait reparlé des licornes et de la vision dans le miroir, Piphan' avait ajouté la sorcière de la pointe et la mère loche. Tout y était passé.

— Ce que tu as vu dans le miroir… si tu n'étais pas aussi sûr qu'il s'agisse d'un visage de femme, ce serait presque une description de Sarpédon. Il prend souvent une forme de serpent… enfin… on dit aussi qu'il peut prendre toutes les formes.

— Qui c'est Sarpédon?

— Sarpédon? Tu blagues, là!

— Non, je t'assure. Je n'ai jamais entendu parler de ce type. C'est un magicien?

— Et comment! C'est le plus puissant magicien noir que la Terre ait jamais porté. Tout le monde tremble à l'idée de la guerre qu'il veut déclencher.

— Il va y avoir la guerre?

— C'est presque certain. C'est bien pour ça qu'Élatha renforce ses pronaos.

— Attends, Élatha c'est une école de magie ou un camp militaire? On va quand même pas aller se battre!

— Je ne crois pas, mais tu sais, la magie c'est aussi apprendre à se défendre contre les maléfices.

— Ça je peux comprendre. Mais en attendant d'avoir appris, qu'est-ce que tu veux qu'on fasse?

— Mon père dit qu'il ne faut négliger aucune force, même la plus petite.

D'après Kaylé, tout le monde devait apprendre à se défendre car les Dahals éduquaient leurs enfants dans ce sens. On appelait ainsi ceux qui suivaient Sarpédon et, si la plupart étaient des magiciens ratés, rien ne les empêchait d'être aussi cruels que leur Seigneur et Maître. De plus, ils maîtrisaient un sortilège qui faisait éclater les gens en mille morceaux. Ou alors ils faisaient des lâchers de scorterelles, un hybride de leur invention, mi-sauterelle mi-scorpion. L'avantage (ça dépendait pour qui), c'est que ça volait. Si on était piqué, on ne pouvait plus mourir mais on souffrait d'une douleur vive et sans fin.

— Tu veux dire qu'il n'y a pas de magiciens pour enrayer ça? À quoi sert Élatha alors?

— C'est pas si simple. La magie de Sarpédon est aussi ancestrale que celle de Sintonis ou de Mori-Ghenos, les plus grands maîtres d'Élatha. Chaque fois que Sarpédon détruit un magicien blanc, il récupère un pouvoir qui s'additionne au sien. Alors nous avons besoin de nouveaux sortilèges de parade. D'après Alban Sintonis, c'est parmi les jeunes qu'il y a le plus de chance de trouver des idées nouvelles. Il est persuadé que l'un d'entre nous inventera un sort que Sarpédon ne connaît pas.

— Et Sintonis, c'est un grand magicien ?

— Sans doute le plus grand. Ce n'est pas pour rien qu'il dirige Élatha.

— Au fait, où ça se trouve Élatha ? C'est au nord de l'île ?

Kaylé pensa que son nouvel ami ne savait décidément pas grand-chose. Ils allaient faire partie du même pronaos, dans le plus grand des Naos, et voilà que certains ignoraient tout de la magie !

— Élatha n'est pas sur Albaran, reprit-il.

Les yeux de Piphan' s'illuminèrent de joie. S'il n'y avait pas erreur sur la personne, il allait enfin connaître les Pays Extérieurs, le monde de son parrain, les terres de rêves et d'espoir… Mais Kaylé ne le laissa pas longtemps dans cette euphorie abusive.

— Elle se trouve sur Abracadagascar, l'île secrète.

— Abraca… secrète ?

— Oui ! A-BRA-CA-DA-GAS-CAR. Je ne sais pas où c'est exactement puisque c'est secret, mais j'en sais assez pour te dire que ce n'est pas loin d'Albaran, sur l'océan Infini.

— Mais… y a rien de marqué sur les cartes !

Il pensait à la carte du seul monde connu, celle qui montrait qu'entre les deux îles et la gigantesque couronne des Pays Extérieurs seul régnait l'océan. Certes, il y avait aussi les Seicherelles, l'archipel des

Commodores, l'île de la Division et celle de Monsieur Maurice (que Piphan' imaginait comme un autre M. Voulabé), mais elles étaient officiellement rattachées aux Pays Extérieurs.

— Évidemment qu'elle n'est pas sur les cartes! Sinon elle ne serait plus secrète. Si on ne peut pas l'apercevoir d'ici, depuis les îles Protégées, c'est parce qu'une protection la rend invisible.

— Là c'est toi qui me charries!

— Pas du tout! Toutes les îles magiques sont protégées comme ça… ma parole, on t'a rien appris!

Il était vrai que, par moments, Piphan' avait du mal à faire la part des choses, celle qui était censée distinguer les livres du réel. Et c'était la première fois qu'il parlait avec quelqu'un d'aussi bien renseigné, ce qui le fit réaliser d'un coup qu'il était précisément en train de faire ce contre quoi son parrain l'avait mis en garde : il parlait de magie avec quelqu'un. Pour se donner bonne conscience, il conclut que Mercurio avait dû faire référence aux moazis. Dans le doute, il préféra changer de sujet pour en venir à l'objet principal de sa venue à Lakinta.

Sauf que… sa quête initiale était devenue triple. Il cherchait à la fois son père, son parrain et la fille au bandeau vert. Pour cette dernière, Kaylé suggéra que si elle était élathéenne, il serait temps de la retrouver le moment venu. Mais pour son père il ne pouvait l'aider, c'était une quête si personnelle… Toutefois, le nom de Mercurio ne lui était pas étranger.

— J'ai une idée, demain nous irons voir M. Ponson. C'est un ami de la famille. Tu vas voir, il est sympa et puis il sait tout. Il détient plus de renseignements sur ce qui se passe à Albaran que Monsieur Voulabé lui-même. Crois-moi c'est pas peu dire!

L'idée enchanta Piphan'. Forcément, c'était la seule! Mais c'était enfin une piste.

En attendant, Delphine la servante vint leur faire remarquer qu'ils parlaient plus que des péronnelles et que l'heure était très avancée pour de jeunes garçons qui avaient besoin de sommeil.

Chapitre 7

D'Archimède Ponson à Fulbert Poulabé

Un petit déjeuner copieux les attendait au lever. On ne faisait pas les choses à moitié chez les Marbode. Jus frais de corossol, papaye à la menthe, chips de queues de tatangues, pain grillé et collection de confitures. Piphan' commença par celle de fourmis au gingembre, délicieuse, avant d'essayer celle de lucioles confites, absolument succulente.

— C'est aussi ma préférée, avoua Kaylé, mais c'est plus amusant d'en manger le soir parce qu'en plein jour il y a trop de lumière. On ne peut pas bien se rendre compte qu'elle nous rend la bouche toute phosphorescente.

— Dans ce cas on recommencera ce soir! Enfin… si tu m'invites encore…

— Je te lâche plus jusqu'au départ, tu veux dire! Mais si tu dois détruire tous les jours ma chambre à coups de rhombe… Ouste!

Dans cette amitié naissante, la journée s'annonçait très heureuse. S'il s'avérait que M. Ponson les aide à remonter la trace du parrain, celle-ci resterait prioritaire. Sinon, ils iraient faire un tour aux Comptoirs de la Guilde où Kaylé tenait à faire quelques achats en rapport avec Élatha. Il avait aussi une autre raison se rendre aux Comptoirs, mais il tenait cela comme un secret.

Archimède Ponson habitait le quartier haut de la Ceinture. Ancien professeur à Élatha, il avait pris sa retraite pour le plus grand bonheur des magiciens en activité. Il était en effet le meilleur archiviste que connaissait la profession. Il recensait et classait tout ce qui relevait du renseignement et sa mémoire éléphantesque en avait sidéré plus d'un. Kaylé se contenta de présenter Piphan' et tout s'enchaîna.

— Épiphane ! Ça alors ! Et tu arrives de l'orphelinat de l'îlot Nat, n'est-ce pas ? Figure-toi que ton parrain...

— Vous connaissez mon parrain ?

— Qui ne connaît pas don Mercurio Da Vita ? Toi, mon garçon, on peut dire que tu as de la chance. Enfin... relativement. Don Mercurio était ici voilà moins d'une heure. Oh, simple visite amicale.

— Alors vous savez où il se trouve ? le pressa Piphan'.

— Pas vraiment, non. Je sais seulement qu'il avait rendez-vous avec Fulbert Voulabé, mais je ne saurais te garantir qu'il s'y trouve encore.

Garantie ou pas, Piphan' conclut qu'il devait s'y rendre au plus tôt. M. Ponson confirma la nécessité d'un laissez-passer qu'il pouvait facilement lui obtenir. Mais quant à approcher le grand patron sans rendez-vous, il ne fallait pas rêver.

— Tu comprends, M. Voulabé ne traite en direct que des affaires de la plus haute importance. Les rendez-vous sont pris par une armée de secrétaires qui filtrent les demandes. Je crains vraiment que tu n'aies pas grande chance.

Cela semblait ardu mais l'archiviste ne mesurait pas bien la détermination du garçon. S'il pouvait s'occuper du laissez-passer, il ne resterait plus que le problème de son coût. Et alors que Piphan' faisait état de ses finances, il en apprit une bien belle…

— Comment ça, plus de cauris? Tu plaisantes ou tu viens d'acheter l'île? Crois-tu que don Mercurio laisserait ses filleuls sans ressources? Je doute que ton compte à la Citibank soit à sec.

— Mon compte à la Citibank?

— Bien sûr, le tien! Tous les jeunes de l'orphelinat ont un compte régulièrement alimenté par les marraines et les parrains. Cela fait partie du contrat. Mère Pélagie a bien dû te montrer les relevés, non?

— Euh… oui, dut-il mentir en pensant qu'il réglerait ça plus tard. Mais je… j'ai oublié mes papiers.

— On ne devrait pas te les demander. La Citibank garantit l'anonymat total. Ton numéro de compte suffira.

Après un mensonge, il est toujours plus difficile de s'en sortir. En général on s'enlise et, bien évidemment, Piphan' ne pouvait pas connaître le numéro d'un compte dont il ignorait l'existence une minute plus tôt. Heureusement, Archimède Ponson n'était pas tombé de la dernière pluie, ou alors un jour où il pleuvait des seaux de malice. Piphan' crut déceler un clin d'œil de sa part vers Kaylé avant qu'il ne reprenne :

— En principe, je ne devrais pas connaître les numéros de comptes clients de la Citibank. Mais comme le temps est compté, je veux bien… à titre exceptionnel… Il va de soi que je compte sur votre discrétion, n'est-ce pas les garçons?

— Affirmatif, Monsieur Ponson, dit Kaylé. Nous serons comme les trois singes ; rien vu, rien dit, rien entendu! Mais entre nous, c'est fantastique toutes ces listes que vous avez!

— Une chance que nous les ayons! Sans cela, comment contrôler les activités de tous ces vauriens qui servent… des bons à rien!

Il griffonna le numéro attendu sur un bout de papier.

— Allez, le temps presse et nous avons tous du travail. Kaylé, tu n'oublieras pas de transmettre mes amitiés à tes parents, d'accord?

Les deux garçons étaient déjà sur le seuil lorsque Piphan' posa une dernière question.

— Pardon, Monsieur Ponson, pourquoi répétez-vous que le temps presse?

— Pourquoi… pourquoi… Et pourquoi diantre ne le dirais-je pas ? Vous deux, n'êtes-vous pas pressés par le départ des Filus Aquarti ?

— Décidément vous savez tout ! s'exclama Kaylé.

— Tout, hélas non ! Mais du moment qu'il s'agit d'informations… Je peux bien avouer qu'obtenir la liste du pronaos Filus Aquarti n'a pas été très difficile…

Sur ce, il leur adressa un sourire malicieux et la porte se referma.

Kaylé conduisit Piphan' en haut du boulevard de la Ceinture. Là, un immense tunnel se perdait dans une obscurité profonde. Dès qu'ils y mirent le pied, ils furent aspirés par un trottoir roulant qui gagna de la vitesse et les recracha bientôt dans la lumière bleutée d'un grand hall. Une hôtesse leur demanda de présenter leurs laissez-passer et le monde étrange de la Cité s'ouvrit à Piphan'. Un monde tout de verre, de béton et d'acier, bien loin des cases en bambou et en falafa de son univers familier.

Sous l'immense coupole, l'ensemble du bâtiment était construit en spirale. Un large plan incliné passait par tous les étages. Il y avait bien des ascenseurs, mais Kaylé déconseilla de les utiliser car ils nécessitaient un code ou un badge réservé au personnel. Autant Piphan' était à l'aise avec les pirogues et les cocotiers, autant ce monde électronique lui était étranger. Il s'attaqua donc à la montée en spirale avec ses seules jambes.

Il tournait et retournait dans sa tête les mots avec lesquels il allait s'adresser à ce personnage qui tenait tout Albaran en respect, espérant surtout que son parrain l'excuserait de cette arrivée sans rendez-vous.

Les rares employés qu'il croisait ne lui prêtaient pas la moindre attention et il avançait plutôt rapidement, lorsqu'une porte s'ouvrit brusquement à quelques mètres de lui. Il reconnut tout de suite la silhouette dans l'encadrement et n'eut que le temps de se cacher derrière un gros philodendron en pot. De là, il surprit la fin d'une conversation. L'homme disait :

— Soyez certaine que M. Voulabé sera reconnaissant pour ces renseignements si… précieux. C'est toujours un plaisir de vous recevoir, Madame Corbett. Après vous, je vous en prie…

Mme Corbett ? À moins qu'elle n'ait une sœur jumelle, la femme qu'il voyait maintenant de face était bel et bien mère Pélagie. Sauf qu'au lieu de la robe austère de bonne sœur qu'il lui avait toujours connue, elle portait un superbe tailleur bleu marine et des chaussures à talons, assorties, qui lui donnaient l'air avisé d'une femme d'affaires. Sur le revers de sa veste, un badge indiquait : Mme Pélagie Corbett. Il n'en croyait ni ses yeux, ni ses oreilles. Même en connaissant son penchant à tout transformer en cauris et en sidois, il n'aurait jamais pensé qu'elle ne fut pas une vraie religieuse, mais il commençait à comprendre où passait l'argent versé par les marraines et les parrains. Il se mordit les lèvres en pensant à ceux qui restaient à l'orphelinat et ignoraient tout ça. Malheureusement, il ne pouvait que reporter cela sur la liste grandissante des comptes à régler plus tard.

La montée en spirale déboucha sur un hall circulaire. Un peu partout, de hautes vitrines abritaient des objets que Piphan' devinait précieux. Des tableaux, des statues d'art, une collection de coquillages rares dont un sidois géant, des cristaux et plein de bizarreries vazas qui ne lui inspiraient rien. Mais il n'avait pas remarqué la myriade de caméras de surveillance braquées sur les portes et les vitrines.

Deux vigiles de taille colossale, matraques à la ceinture et godasses en forme de chars d'assaut, furent sur lui en un clin d'œil pour lui demander de présenter son badge. Il tenta bien de dire qu'il avait rendez-vous, les vigiles connaissaient leur boulot. Ils le saisirent chacun sous un bras pour le décoller du sol et le jetèrent dans un ascenseur. Lorsque la porte s'ouvrit, Piphan' reconnut les guichets d'accueil où l'attendait Kaylé ; il était de retour à la case départ.

Sans se démoraliser il repartit à l'assaut, en courant cette fois. Une petite idée venait de germer dans sa tête, qui le réjouissait par avance…

Il retrouva le gros philodendron qui l'avait abrité. Puisque tel semblait être son rôle, il allait le cacher encore. Piphan' lui coupa sans hésiter ses plus belles feuilles, autant que nécessaire, et les fit largement dépasser de ses vêtements. Camouflage parfait, il était un philodendron et pouvait retourner au grand hall circulaire.

Il se plaça devant un autre philodendron pour parfaire son invisibilité, sortit le rhombe de sa poche et pinça la corde sur le deuxième nœud, celui qu'il avait déjà expérimenté. C'était parti! Une première vitrine ne tarda pas à éclater, puis une seconde…

Les vigiles montés sur chars d'assaut réapparurent, trop occupés pour l'apercevoir. Les vitres se fendaient les unes après les autres, elles dégringolaient en éparpillant de larges débris de verre. Toutes les portes du hall s'ouvraient, les employés sortaient de leurs bureaux mais nul ne savait que faire. Sauf lui. Il décida d'aggraver la panique, d'autant qu'elle lui donnait l'occasion d'explorer plus avant les possibilités du rhombe. Il laissa filer la corde entre ses doigts et saisit du premier coup l'avant-dernier nœud. Il devenait virtuose.

L'instrument passa sur une fréquence si basse que tous les objets du hall se mirent à vibrer. Croyant sans doute qu'ils allaient exploser comme les vitrines, les employés couraient dans toutes les directions pour tenter d'en sauver quelques-uns. C'était le moment. Piphan' s'engouffra dans la porte ouverte la plus proche et la bloqua de l'intérieur avec la première chaise à sa portée. Tandis qu'il se débarrassait de son camouflage, une voix grumeleuse se fit entendre. Un homme à lunettes rondes, ventru, perlant de sueur, lui demandait de justifier cette intrusion.

— J'ai rendez-vous avec M. Voulabé.

— Ça m'étonnerait! répondit l'homme en s'avançant.

Il n'eut droit qu'à deux pas avant que Piphan' relance le rhombe. Et comme il était curieux, il essaya le premier nœud, c'est-à-dire corde tendue au plus court. Le son sortit suraigu, strident, au point qu'il en ressentit lui-même une douleur aux tympans. Il criait qu'il voulait voir Voulabé, l'homme criait d'arrêter ça. Finalement, Piphan' obéit avant d'avoir trop mal à la tête. Sans lâcher pour autant l'homme des yeux, il prit une feuille de papier sur le bureau, la déchira en deux pour en faire des boulettes et reposa sa question.

— Alors? Vous voulez bien me conduire à M. Voulabé?

— Mais il n'en est pas question! grommela-t-il.

Piphan' s'enfonça les boulettes de papier dans les oreilles et relança le rhombe. Même fréquence. Il percevait encore le son, à la limite du supportable, et se douta que ce devait être très pénible pour les oreilles nues de l'homme grassouillet. Il le voyait cloué sur place, mains sur la tête, qui hésitait entre s'arracher les cheveux ou se gratter le cerveau, ce qui était quand même assez difficile à faire. Cependant, lorsqu'il vit le verre des lunettes se fendiller, il bloqua le rhombe et reposa sa question.

— Oui, oui! craqua enfin l'homme. Mais je vous en supplie arrêtez ce bruit!

Il n'en pouvait plus. Il avait du mal à respirer et transpirait en abondance. Ruisselant, il se dirigea vers un grand portrait en pied qui coulissa pour dégager l'entrée d'un ascenseur. Direction l'étage au-dessus.

L'homme ne voyait plus rien à travers ses lunettes et marmonnait des bribes incompréhensibles. Il finit par se racler la gorge pour demander froidement :

— Qui dois-je annoncer ?

— Épiphane !

— Épiphane comment ?

— Épiphane tout court !

Ce qu'il avait cru être une rumeur exagérée ne l'était pas. Le bureau de Fulbert Voulabé occupait réellement tout le dernier étage et baignait dans la lumière de la coupole de verre, à l'exception d'un cône d'ombre au centre.

Le Big Boss se tenait de dos, à une trentaine de mètres de l'entrée. De part et d'autre d'un bureau dégagé de tous dossiers ou téléphones, Piphan' apercevait deux sphères de la taille d'un homme. À part cela, l'immense pièce ronde était vide. Pas un meuble, pas un objet, rien. L'homme aux lunettes cassées toussota pour attirer l'attention de son patron.

— Excusez-moi, Monsieur ! Il y a là un… monsieur… qui prétend avoir rendez-vous. Il… il dit qu'il s'appelle Épiphane.

Sa voix retentit en écho sous le dôme et la réponse arriva de même.

— Encore ce M. de Sainte-Anne ! Dites à ce raseur que je le verrai plus tard.

— Il y a malentendu, Monsieur…

Pensant qu'il valait mieux se présenter en personne,

Piphan' s'élança sous la coupole. Ses pas résonnèrent comme dans un tunnel et le Big Boss se retourna brusquement.

— OKA! rugit une voix caverneuse.

Stoppé net dans sa course, Piphan' se retrouva sur le derrière sans avoir rien vu venir. Quand il réalisa qu'il avait affaire à un jeune garçon, Voulabé abaissa la main qu'il avait tendue pour jeter un sort d'arrêt.

— Qui es-tu?

— Je m'appelle Épiphane.

— Épiphane! Tiens donc!… Le jeune Épiphane, l'espoir du vieux monde! fit le Big Boss avec un rire gras que l'écho rendait assourdissant.

— Vous ne me faites pas peur! lança Piphan' à la dérobée.

Le rire s'éleva de plus belle. Fulbert Voulabé était un homme assez corpulent et très grand. Un vrai colosse duquel se dégageait une idée de force pure. D'un coup de poing il aurait pu l'écraser comme un vulgaire cafard, mais l'intrépidité d'un si jeune garçon l'amusa. Dans son univers de transactions et de hautes affaires qui l'obligeaient à être toujours sur le qui-vive, cette intrusion apportait une rare note de fraîcheur. Mais il n'y avait pas que cela…

Piphan' ne pouvait pas deviner que le Big Boss ne s'était pas toujours appelé Fulbert Voulabé, notamment lorsqu'il faisait partie d'Élatha. Il avait été un grand magicien, alors connu sous le nom de Samildanak, et fort réputé pour son sens des relations avec les moazis. Mais un jour, il avait commis une erreur qui n'avait pas laissé le choix au Conseil des Aînés. Alban Sintonis avait dû prendre la décision de l'éloigner du Naos. Samildanak s'était vu retirer tous ses pouvoirs magiques, à l'exception des sortilèges innocents qui ne feraient pas de mal à une mouche. Il aurait pu, après un temps, revenir et faire amende honorable mais… si la sagesse donne du pouvoir, l'inverse est rarement vrai. Il avait préféré ruminer son retour en termes de revanche. Blessé dans son orgueil, il s'était réfugié sur Albaran où il avait peu à peu asservi toute l'île grâce à un autre pouvoir, celui de la politique et des affaires.

Élatha s'en était inquiété au début, avant de comprendre que Samildanak, alias Voulabé, n'était qu'un roitelet des îles qu'on pouvait facilement contrôler en truffant Albaran d'informateurs. Voilà pourquoi, peut-être par dépit, le roitelet avait une si grande cage… Mais la magie lui manquait, et ça, aucun argent ne pouvait l'acheter.

C'était la raison pour laquelle il ne se serait pas risqué à écraser Piphan' comme un vulgaire cafard. Pas besoin d'expliquer la puissance d'Élatha à un magicien déchu! Bien qu'il n'aimât pas du tout don Mercurio Da Vita, ce messager des Aînés et grand empêcheur de tourner en rond, Voulabé ne se voyait pas faire le moindre mal à son filleul. La sanction eût été imminente. Aussi préféra-t-il jouer la carte d'une fausse bienveillance à son égard.

— Pas peur? reprit-il. Tu aurais bien tort de ne pas avoir peur. Mais… je ne parle pas de moi. Approche! Et prends un siège, je t'en prie.

Il lui désigna une des deux sphères. Vu de plus près, il s'agissait en fait de gros fauteuils. L'intérieur était capitonné d'un cuir souple et luisant sur lequel Piphan' prit place et attendit. Le Big Boss s'installa dans la seconde sphère.

— Alors, jeune Épiphane, que me vaut l'honneur de ta visite ?

— Je cherche mon parrain Mercurio et on m'a dit… enfin… je pensais le trouver chez vous.

— Tu peux constater par toi-même qu'il ne s'y trouve pas.

— Vous n'aviez pas rendez-vous ?

— Si, mais le temps c'est de la voule. Aussi les rendez-vous que j'accorde sont-ils très brefs. Don Mercurio ne s'est pas attardé plus que nécessaire. Désolé, mais si tu n'as rien d'autre à demander…

— Euh, si ! enchaîna Piphan'. Je crois que j'ai un compte chez vous…

— Évidemment ! Chez qui d'autre voudrais-tu qu'il soit ? Chez les bonnes sœurs ?

Voulabé repartit d'un rire narquois.

— J'ai besoin d'argent.

— Qui n'en a pas besoin ! Oui, bon, à part quelques vieux fous rêveurs. Pour les sommes courantes, les guichets clients sont au deuxième étage.

— Et si j'ai besoin de plus ? De beaucoup.

— Pourquoi aurais-tu soudain besoin d'une grosse somme ? Tu n'as jamais retiré un cauri jusqu'à présent.

D'un côté, le garçon ne voulait pas avouer qu'il

ignorait jusqu'à ce jour l'existence de son compte. De l'autre, le banquier ne pouvait avouer que ce compte faisait partie de ceux qui étaient placés sous étroite surveillance. Si le moindre mouvement s'y était produit, les services de M. Loki l'en auraient immédiatement informé. Piphan' inventa.

— Je dois faire des frais. Pour l'école.

— Pour l'école? Madame, je veux dire, mère Pélagie s'occupe de tout cela, non?

— C'est que… je vais changer d'école.

Fulbert Voulabé marqua un temps d'arrêt. Une information capitale lui aurait-elle échappé? On ne la lui faisait pas comme ça! Il avait été magicien, il savait ce qu'ils étaient quelques-uns à porter sur leurs épaules à leur insu.

— Serait-il l'heure que tu entres à Élatha?

— Oui! répondit Piphan' avec une fierté qui empêchait la prudence.

De ce qu'il avait cru comprendre, si quelqu'un connaissait le nom d'Élatha, ça voulait dire qu'il n'était pas un moazi et qu'on pouvait donc parler du monde magique. Effectivement, Fulbert Voulabé était loin d'être un moazi, mais c'était bien le seul point sur lequel Piphan' ne se trompait pas. Pour le reste, le Samildanak qui sommeillait derrière le Big Boss avait sa petite idée.

— Je comprends. Les attributs, les livres, les ingrédients… tout cela coûte cher. Je vais t'accompagner aux guichets, mon grand.

Ils quittèrent les fauteuils sphériques pour le centre du vaste bureau, sous le cône d'ombre où une rainure traçait au sol un grand cercle.

— Ascencio!

La rainure s'illumina de rouge. Voulabé s'avança dans le cercle et invita le garçon à le suivre. Il comprit qu'ils se trouvaient sur une plate-forme lorsqu'elle commença à descendre.

— Oh! Vous aussi vous faites de la magie?

— De la magie! ricana Voulabé comme s'il avait dit une énorme bêtise. Il n'y a rien de magique à cela. L'électronique et un peu d'informatique suffisent. Cet ascenseur tabulaire ne fait que réagir à ma voix. De la magie… Tu lis trop de livres…

La plate-forme s'enfonça dans une colonne d'acier, un long tube qui reliait le dernier étage aux sous-sols. Tout au long de la descente, des portes défilaient, elles aussi en acier, avec des noms incrustés dessus. M. Voulabé finit par sortir de sa poche un boîtier de télécommande et la plate-forme s'immobilisa. Six portes les entouraient et sur chacune d'elles on pouvait lire : «Épiphane Hardy». À la demande du Big Boss, Piphan' en choisit une au hasard. Voulabé manipula à nouveau la télécommande pour en faire sortir une clef bizarre, à plusieurs branches crénelées, qui s'enfonça dans l'acier de la porte aussi facilement que dans du beurre.

— Tu veux savoir si tu peux faire de grosses dépenses? À toi d'en juger!

La lourde porte s'ouvrit sur une pièce hexagonale au plafond très haut. Sur les murs couverts d'étagères s'alignaient des sidois rutilants. Même le centre de la salle était occupé par une pyramide de sidois savamment empilés, d'excellente qualité, luisant d'une céramique orangée sans aucun défaut. Une véritable fortune.

— Comme tu vois, tu pourrais t'offrir toute l'île. Malheureusement elle n'est pas à vendre, puisqu'elle est à moi! repartit le Big Boss d'un rire cette fois machiavélique.

Impossible d'évaluer ce trésor à vue d'œil, d'autant que Piphan' disposait de six salles des coffres identiques. Pour sûr, il pouvait envisager des dépenses illimitées. Il s'interrogeait juste sur la possibilité d'emporter autant de sidois que ses bras pourraient en contenir lorsque M. Voulabé lui suggéra qu'une carte de crédit serait plus pratique. Il ne tenait qu'à lui qu'il s'en occupât sur-le-champ.

— À vrai dire, don Mercurio avait envisagé cela pour tes quinze ans. À quelques jours près, je ne pense pas qu'il y verra d'inconvénient, surtout si son filleul est appelé à Élatha. À ce propos, mon grand, sais-tu à quel pronaos tu es destiné?

— Les Filus Aquarti, lâcha-t-il, toujours aussi fier.

— Les Filus… Ah! Ce vieil Arthur M sévit donc encore…

— Arthur Emme?

— Oui, euh, simple souvenir personnel. Tu comprendras

plus tard, on apprend tant de choses à Élatha ! ricana-t-il encore.

Tandis qu'ils remontaient vers les guichets, Piphan', qui ne pouvait comprendre l'allusion du Big Boss, se demandait plutôt comment un simple morceau de plastique pouvait remplacer les milliers de sidois qu'il venait de voir. Lorsque M. Voulabé lui expliqua qu'il lui suffirait de le présenter partout où il en aurait besoin, il se dit que ça, oui, c'était vraiment magique !

Il attendait dans un bureau la finalisation de sa carte de crédit lorsque M. Voulabé revint vers lui.

— Je me demandais si tu accepterais de me rendre un petit service. Vois-tu, puisque tu dois aller à Élatha, j'aimerais que tu transmettes ce courrier à un de mes amis. Il s'appelle Morien. Auguste Morien. Il enseigne l'alchimie. Peut-être sera-t-il un de tes professeurs. Auguste Morien. Inutile que je l'écrive sur l'enveloppe, tu t'en souviendras, n'est-ce pas ?

— Bien sûr ! Vous pouvez compter sur moi, Monsieur Voulabé !

Au fond de lui, Piphan' était doublement heureux. Il rendait service au plus important personnage d'Albaran et arriverait à Élatha avec quelque chose dans les mains. Il était juste très loin d'imaginer ce dont il se faisait le messager…

— Alors ? s'inquiéta Kaylé. Ça s'est bien passé ?
— Super ! Mon parrain n'était pas là mais… regarde !

fit Piphan' en exhibant sa carte de crédit. Je peux t'offrir un verre où tu veux!

— Waoh! Tu as obtenu la sidois d'or internationale?

— Ah bon? Je sais pas… mais si tu veux qu'on aille…

Il s'interrompit tout net. Il venait d'apercevoir la vaza blonde de l'aéroport et fila aussitôt la rejoindre, talonné par Kaylé.

— Tiens! Piphan' dit-elle sans surprise. Comment vas-tu?

— Ça va bien, merci! Je cherche mon parrain Mercurio. Vous ne sauriez pas où il est, par hasard?

— Si, je le sais. Mais on ne va pas déranger le hasard pour cela. Nous avons rendez-vous aux Comptoirs de la Guilde. Même s'il n'y est pas encore arrivé, tu ferais mieux de l'attendre là-bas. Je crois qu'il est très impatient de te voir.

— Merci, madame… euh…

— Tu peux m'appeler Lisa. Ce sera plus facile si nous devons nous revoir.

— Alors merci Lisa!

— Tu vois, conclut Kaylé, d'une manière ou d'une autre les Comptoirs de la Guilde étaient incontournables…

Chapitre 8

Don Mercurio
Da Vita

Ça? Les Comptoirs de la Guilde? Piphan' était perplexe en reconnaissant la boutique d'Anselme Trumeau, où les lascars l'avaient conduit la veille. L'accueil n'avait pas été très courtois. Certes, entre la guenille ambulante d'hier et le garçon resplendissant d'aujourd'hui, il n'y avait pas photo. N'empêche qu'Anselme Trumeau n'oubliait jamais un visage et Kaylé dut mettre toute son énergie pour rectifier la situation. Sur quoi M. Trumeau présenta ses plus plates excuses.

Toujours très élégant dans son costume blanc, chemise et cravate blanche quelle que fût la chaleur des tropiques, toujours sa canne en ébène blanche et son panama à portée de main, il était de cette vieille école pour qui le client est roi. Il n'aurait pas aimé commettre l'impair d'en chasser un qui avait les moyens d'acheter toute la boutique. Il n'aurait surtout pas aimé que cela remontât aux oreilles de son patron, César Pépin, Grand Commandeur des marchands.

Les Comptoirs de la Guilde avaient des entrées partout dans le monde, mais César Pépin avait particulièrement insisté pour ouvrir une succursale sur Albaran. Anselme Trumeau la faisait fonctionner pendant que lui s'occupait de la maison mère à Toliara, au sud d'Abracadagascar.

Un contrat d'exclusivité liait depuis plusieurs siècles la Guilde des Marchands aux signataires du Pacte d'Alliance d'Élatha. La Guilde et ses marchands agréés avaient seuls le droit de faire du commerce dans le monde magique. Sur Albaran, ses activités étaient la seule chose qui échappait au contrôle de Fulbert Voulabé. Un vieux compte à régler avec César… L'extraordinaire volume d'argent qu'elle amassait là ne prenait jamais le chemin de la Citibank. De plus, César en profitait pour revendre une multitude de produits qui n'avaient rien de magique, comme la soie, l'ivoire, les épices ou les bois précieux.

La succursale tenue par Anselme était donc une caverne d'Ali Baba pour les curieux et les collectionneurs qui s'y pressaient. Kaylé adorait y venir et Piphan' était déjà aux anges.

On trouvait là des clepsydres à goulou-goulou, un pentascope à miroir, une sphère à calculs tridimensionnels, un clapodion, une horloge à parsecs et une impressionnante collection de tessaracts. On ne risquait pas de se tromper, tous les noms étaient soigneusement inscrits sur des étiquettes. Ces objets attendaient gentiment le spécialiste qui en aurait l'usage ou l'amateur qui en tomberait amoureux car, pour le reste et malgré les étiquettes, nul ne savait à quoi ils pouvaient bien servir. Anselme Trumeau n'en savait pas davantage. Son rôle était de vendre et d'assurer des services, non des cours de navigation céleste ou de physique quantique. Il apprit aux garçons qu'un tessaract était un volume en quatre dimensions, ce qui les laissa quand même sur leur soif.

C'était plus facile dans le coin des tissus où sous un planisphère brodé on lisait : «Nappe-monde en soie d'araignée : 800 cauris». Un autre coupon vendu sous le nom de «fausse toile de Mider» les amusa beaucoup. Si l'épais tissu était gris d'un côté, son autre face le rendait transparent. M. Trumeau expliqua que cette toile fantaisiste ne valait cependant pas la toile véritable de Mider, très réputée pour la confection de vêtements d'invisibilité; et aussi pour son prix assez prohibitif de cinquante sidois le mètre carré. Connaissant sa fortune, Piphan' se laissa aller au gré de son imagination, du moins jusqu'à ce que Kaylé l'extirpe de sa rêverie.

— Si nous traînons trop ici, nous allons manquer de temps pour les achats et, toi, tu vas rater ton parrain.

— Ça m'étonnerait! Il n'est pas encore arrivé.

— Ça, mon vieux, tu n'en sais rien. Mais c'est normal… tu ignores que les vrais Comptoirs sont là-bas!

Il lui désignait la pièce en renfoncement à l'arrière de la boutique. Piphan' l'avait déjà repérée, mais quel intérêt? Elle ne contenait que des tapis d'Orient. Des tapis peut-être volants, mais encore?

Kaylé attendit que M. Trumeau finisse de ranger dans son coffre-caisse les trois sidois d'un client qui venait d'acheter un tétraèdre à cycles.

— S'il vous plaît, Monsieur Anselme, vous pourriez nous montrer ce tapis de plus près?

— Un instant et je suis à vous, les enfants...

Kaylé attira son nouvel ami vers le fond de la pièce et se plaça face à un grand tapis rouge et or tendu sur un mur. Anselme Trumeau ne fut pas long à les rejoindre. Il tenait à la main une boîte finement ciselée. Il vérifia avec précaution que personne ne l'avait suivi, manipula la boîte et souffla :

— Dépêchez-vous, fermeture dans dix secondes.

Kaylé regarda Piphan' et l'invita à faire comme lui. Il tendit ses mains vers le centre du tapis et avança d'un pas. Le temps que Piphan' réalise que ses mains et son pied avaient disparu, c'était Kaylé tout entier qui s'évanouissait. Il s'empressa d'en faire autant et... il se retrouva nez à nez avec son parrain Mercurio! Kaylé rigolait comme un bossu devant son air ahuri.

Une fois la surprise passée, Piphan' comprit qu'il avait été mené en bateau et se joignit à leurs rires.

Eh oui, Kaylé connaissait déjà Mercurio. C'était à la demande de celui-ci qu'il guidait Piphan' depuis la veille, manière de le mettre au courant de tout ce qu'il devait apprendre au plus vite. La rencontre sur le boulevard de la Ceinture, la visite chez Archimède Ponson, la présence de Lisa à la Citibank, tout était prévu à quelques détails près.

— Chapeau bas, Monsieur Piphan'! le salua son parrain.

— Chapeau pourquoi? Pour n'avoir rien vu venir?

— Je n'aurais jamais cru qu'en quatre jours un jeune garçon puisse crever sa bulle, partir seul à l'aventure et ouvrir les yeux sur un monde différent… Non, je plaisante! Je n'ai jamais douté de toi. À présent, il s'agit juste de ne plus perdre de temps.

— Mais enfin pourquoi tout le monde dit ça? Le temps qui presse, le temps qu'on perd…

— Oh! Peut-être pas tout le monde. Mais pour un certain monde, on peut dire qu'il y a urgence. De grands changements vont se produire et il est préférable de s'y préparer.

— C'est à cause de Sarpédon?

— Je vois que tu apprends vite.

— Kaylé m'a tout expliqué. Il paraît qu'on va partir pour Élatha, une école de magie, c'est vrai?

— Dans le sens où l'on y apprend et l'on y enseigne, on pourrait dire qu'il s'agit d'une école. Mais Élatha est tellement plus que cela. C'est un Naos… Je ne tiens pas à gâcher votre découverte. À part ça, Kaylé n'a pas menti, vous partez dans trois jours. Du moins si l'expérience te tente…

— Pourquoi tu m'en as jamais parlé?

— Ah! Tu penses bien, mon Piphan', que je l'aurais

fait si j'en avais eu la liberté. Cela dit, même s'il est compté, nous prendrons le temps nécessaire à quelques explications.

— Alors la magie existe vraiment?

— Ça, il t'appartiendra toujours d'en décider. Toi seul! La magie recouvre tant de formes… D'une certaine manière elle est partout.

— Alors les livres…

Piphan' s'interrompit en se demandant si les recommandations de la lettre s'appliquaient aussi à Kaylé, doute que son parrain lui ôta sur-le-champ. Kaylé avait eu entre les mains les mêmes livres, et si Mercurio l'avait envoyé à sa rencontre, c'était bien parce qu'il savait leurs préoccupations en résonance. La seule différence était qu'on avait pris soin qu'aucun livre en sa possession ne parlât d'Élatha, pour des raisons qu'il allait bientôt découvrir. Sinon, les livres lui avaient appris qu'il existait bien d'autres écoles de magie et de sorcellerie dans les Pays Extérieurs. Sous leur apparence anodine, ces livres étaient un moyen de révéler l'univers magique à ceux qui ne lisaient pas qu'avec les yeux. Et s'il n'avait pas toujours su lire les signes, il n'avait pas moins lu passionnément entre les lignes. Il s'était préparé sans s'en rendre compte. Juste ne comprenait-il pas pourquoi il ne fallait plus en parler.

— C'est parce qu'il y a des mots, des noms surtout, qu'il ne faut plus prononcer à la légère, expliqua Mercurio. Et des endroits où il ne faut plus se trouver. Vous en saurez plus lorsque vous serez à l'abri à Élatha.

— À l'abri de la guerre?

— Pas seulement. Kaylé a dû t'expliquer que, comme lui et comme tous ceux que tu vas rencontrer, tu n'es pas un moazi. Tu dois comprendre que cette différence du commun des mortels vous expose particulièrement.

— Il paraît que les Dahals peuvent faire exploser les gens en miettes et qu'ils ont des scorterelles!

— Oui, ce sont là des aspects terrifiants, mais il pourrait y avoir bien pire!

— Pire? s'exclama Kaylé, bouleversé. Qu'est-ce qui pourrait être pire que d'éclater en morceaux ou de souffrir toute sa vie? En plus, une vie éternelle!

Mercurio expliqua d'un ton grave que tout était relatif. Un sortilège d'éclatement nécessitait un combat rapproché. Autrement dit, on restait dans un conflit conventionnel. Quant aux scorterelles, les magiciens blancs avaient trouvé un contre-sort à leurs redoutables effets, même si, hélas, il ne fonctionnait pas sur les moazis. Ce qui obligeait encore à voir parfois souffrir des êtres chers.

— Mais oui, Kaylé, il pourrait y avoir pire. Imaginez que Sarpédon trouve des alliés encore plus puissants que lui-même, qu'une magie nouvelle et sans faille soit mise à sa disposition pour asservir la planète entière! Or, depuis quatre jours, une force s'est réveillée. Un pouvoir que nous cernons mal. Voilà pourquoi le temps presse!

Piphan' demanda à nouveau si Élatha enseignait la magie ancestrale ou les arts de la guerre.

— Vu l'urgence de la situation, vous allez surtout apprendre à utiliser ce que vous savez déjà, y compris ce que vous ignorez mais qui se trouve en vous. Pour l'instant, je crois que ce sont les Comptoirs qui vous attendent…

Oui, Piphan' savait bien que c'était pour les Comptoirs de la Guilde que Kaylé l'avait conduit jusqu'ici. N'empêche qu'il s'était mis en quête de son parrain pour une raison précise. Ignorant tout d'Élatha et de la réalité magique, il n'avait quitté l'îlot Nat que pour se mettre à la recherche de son père. Et là, Mercurio n'affichait pas un franc désir d'aborder le sujet.

— Ta préoccupation pour tes parents est bien légitime, lui dit-il simplement. Mais puisque tu me demandes mon avis, le voici : ne t'emballe pas, ne précipite rien ! Tu sais, tu n'es pas le premier à rechercher un père ou une mère qui l'a abandonné. Je dois te prévenir que bien souvent la quête n'aboutit pas ou se révèle très décevante.

— Peut-être… Mais je crois que je préférerais être déçu que de ne rien savoir.

— Je te comprends, Piphan'. Je te demande juste de revoir l'ordre de tes priorités, et je peux te promettre qu'aucune de tes questions ne restera sans réponse.

Piphan' essaya de dire combien l'absence de ses parents était soudain devenue plus douloureuse qu'elle ne l'avait été jusqu'à présent. À quoi Mercurio lui opposa une réalité qu'il ne pouvait contester. Il avait grandi heureux aux côtés de Kim, de Vouki, de Bertille ; et dans la plus totale insouciance de ce que ce bonheur était loin d'être le lot commun. Ce qu'aucun parent ne leur avait donné, ils l'avaient réinventé à leur manière et Bertille avait toujours dit que ça s'appelait l'amour. Cette force leur avait permis de tout supporter.

Maintenant, il s'apprêtait à connaître Élatha, à apprendre des choses qu'il n'imaginait même pas, et son parrain était la garantie qu'elles en valaient la peine. Piphan' savait que Mercurio avait raison ; aller au-devant de vérités importantes nécessite une préparation dont il ne disposait pas. Après tout, sa quête paternelle était tout aussi récente que sa découverte du monde magique ; alors il décida de revoir l'ordre de ses priorités.

— À la bonne heure! sourit Mercurio. Et place aux découvertes! Je crois que vous avez des achats en tête, n'est-ce pas Kaylé?

— Oui, mais à part mon bâton de magicien, je ne sais pas trop quoi acheter. Il n'y a pas de livres imposés. Ça ne renseigne pas beaucoup…

— N'en faites pas un souci! Si un livre s'avère indispensable, Élatha vous le fournira. Ne vous occupez que de vos envies et n'achetez que ce dont vous pensez avoir l'utilité. Il ne sert à rien de s'encombrer de livres qu'on ne lit pas ou d'objets dont on ne se sert jamais.

— Et si on se trompe? demanda Piphan' inquiet. Comment savoir ce qui sera utile sans connaître l'école?

— J'insiste. Ne vous attendez pas à ce qu'Élatha soit une école comme les autres. Suivez vos désirs les plus sincères car ce n'est qu'à partir de cela qu'Élatha pourra vous former dans les meilleures conditions. Ceux qui la connaissent déjà savent à quel point elle est une part d'eux-mêmes. Le matériau le plus important c'est vous, le reste n'est que support. Mais je ne dis pas qu'on peut se passer de tous les supports…

— Alors moi aussi je peux avoir une baguette magique?

Kaylé pouffa. Mercurio expliqua que rien n'interdisait à un garçon la possession d'une baguette magique, mais qu'il valait mieux la laisser aux filles ou aux fées. Les garçons avaient plutôt besoin d'un bon bâton de magicien. À condition de ne pas imaginer qu'il servirait souvent. La plupart du temps, vu leur taille, les bâtons les encombreraient. Ils n'étaient pas moins des attributs indispensables. D'abord, ils les représentaient aux yeux d'autrui, ensuite, ils pouvaient devenir un prolongement d'eux-mêmes ou de leur lignée.

— Alors? Vous vous lancez ou vous renoncez?

— On vous suit, Don Mercurio, dit Kaylé.

— Non, je ne vous accompagne pas. Un rendez-vous m'attend et vous êtes assez grands pour faire vos achats. Nous nous retrouverons plus tard dans la journée.

— Ok! On y va seuls!

Et Kaylé s'approcha d'un tapis.

— On va encore traverser un tapis?

Mais l'ami donnait déjà la réponse. D'une main, il saisit la frange d'un des quatre tapis qui les entouraient et l'écarta simplement, sans la moindre magie.

Derrière, il n'y avait pas de mur, on se retrouvait directement dans le stand d'un marchand de tapis, une boutique parmi des centaines d'autres, dans un immense souk en plein air. On n'était plus sous les Tropiques mais dans le Grand Orient.

Chapitre 9

Les Comptoirs
de la Guilde

À la différence des bas quartiers de Tsimis-Voula, il ne serait pas venu à l'esprit de se boucher les narines ou de fermer les yeux. Les épices, les encens, les parfums, les bois les plus beaux… tout se mêlait en volutes de senteurs colorées.

Ils passèrent rapidement devant les stands de soies, de teintures, d'ivoires, de pierres précieuses. L'odeur exquise des grains de musc ou d'ambre gris les flattait, la lumière des saphirs et des émeraudes les fascinait, mais rien ne les attirait assez pour qu'ils aient envie de l'acheter. Un stand de musique retint davantage leur attention. Le marchand faisait la promotion de ses articles en cristal.

— Semaine du cristal… des prix à tout casser ! Ne ratez pas l'occase ! criait-il à la volée tout en caressant les cordes d'une lyre en cristal.

À l'écouter, elle avait appartenu au dieu Apollon. Le marchand, qui sentit leur intérêt, fit la démonstration d'un orgaquatic. Les touches du clavier étaient de fines lames de cristal, de différentes longueurs et épaisseurs. Sitôt qu'on en effleurait une, un mince filet d'eau venait rebondir sur la lame et la faisait vibrer d'une note évidemment très cristalline. Ensuite il leur montra un ornithorina, une sorte d'appeau arrondi et très élaboré qui permettait d'attirer tous les oiseaux. Piphan' préféra s'essayer à l'océanophone. Le principe était identique à l'ornithorina, sauf que l'instrument ressemblait à un cornet. Il permettait d'appeler les cétacés, plus parti-culièrement les baleines à bosse. La nouveauté de ce son l'accaparait déjà et il s'y serait bien attardé si Kaylé ne l'avait tiré par le bras.

— Viens ! Il faut que je te présente.

Il l'entraîna vers un stand qui affichait « Tout pour l'envol ». Outre les classiques tapis volants et un choix impressionnant de balais, on pouvait y louer ou acheter des pégases, des hippogriffes et des gazailes. Ces dernières, un peu plus petites que les pégases, étaient des gazelles hybrides du désert, avec deux longues cornes torsadées comme celles des licornes et des ailes fines et transparentes. Leur gracilité les destinait à ne transporter que des elfes ou des enfants, en tout cas des personnes de faible poids. Mais ce n'était pas pour les gazailes que Kaylé lui expliquait tout cela. C'était juste pour attirer l'attention de la fille en train d'en caresser une. Comme elle était très absorbée, il fallut lui taper sur l'épaule. Elle s'appelait Jaufrette Dallan.

— Jaufrette, je te présente Épiphane Hardy, le quatrième Filus de notre équipe albaranaise. Perline n'est pas avec toi?

— Enchantée, Épiphane, gloussa-t-elle. Non, Perline avait des courses perso à faire, mais on doit se retrouver au stand d'attributs. On n'a qu'à y aller ensemble.

Tandis qu'ils se dirigeaient vers le stand d'attributs magiques, Piphan' observait Jaufrette. Elle, ça ne trompait pas, elle était vawak. Seule une vawak pouvait arborer une coiffure aussi traditionnelle, avec sept petits chignons répartis sur la tête. Mais entre ça, ses grosses lunettes rondes aux verres épais et sa voix aiguë, il la trouvait un peu nunuche.

— C'est là!

Chez Eb'enzéar, les baguettes remplissaient des dizaines de pots en terre cuite, et les têtes des bâtons dépassaient de hautes jarres alignées au fond du stand.

Si l'on avait la chance d'avoir son nom inscrit sur le registre, il ne restait plus qu'à faire les vérifications d'usage pour l'attribut qui nous attendait. Sinon, il fallait procéder à la mise en œuvre d'un attribut neuf et là ce n'était pas aussi simple. Car jusqu'à leur activation, les attributs n'étaient que de vulgaires bouts de bois. En principe, il suffisait de se concentrer et de passer la main près d'eux pour déclencher ce qu'on appelait «la signature», c'est-à-dire la résonance entre l'attribut et son destinataire.

Kaylé n'eut pas à se soumettre à cette épreuve. Son

nom figurait dans le registre, attestant son appartenance à la lignée des Marbode. Un bâton superbe, en
acajou, à la patine brillante qui témoignait d'une
longue utilisation. Son principe actif était tiré d'un
dragon des Karpathes, représenté sur la sculpture qui
achevait la hampe. Que le dragon soit bien son animal
totem, Kaylé ne pourrait plus en douter.

— Allez-y, lui dit Eb'enzéar, faites un essai de lévitation sur ce pot de fleurs. Vous devez l'amener sur cette
tablette, là.

Dès que Kaylé fut concentré, les ailes du dragon terminal s'ouvrirent et ses yeux s'allumèrent. Le bâton
des Marbode était réactivé, Kaylé sentait son pouvoir.
Il l'orienta vers le pot de fleurs et prononça la formule.

— Ambouny!

Le pot s'éleva avec de légères saccades dues au trac
d'avoir à faire son premier essai devant des amis qui
n'en perdaient pas une miette. Surtout Piphan', qui
apprenait au passage une première formule magique
dont il se disait qu'elle aurait été bien pratique, à l'îlot
Nat, pour déplacer les lourdes pirogues. Le pot de fleurs
n'était plus qu'à quelques centimètres de la tablette,
lorsque deux mains s'entrecroisèrent sur les yeux de
Kaylé.

— Coucou! Devine qui c'est!

Crac! Le pot tomba et éclata en morceaux au pied
de la tablette. C'était Perline. Kaylé se retourna vivement pour lui dire tout ce qu'il pensait, déçu d'avoir
raté son premier essai à cause d'une plaisanterie, et

énervé de devoir payer un pot cassé. Jaufrette et Perline riaient de bon cœur, Piphan' était mitigé, et Kaylé catastrophé s'excusait auprès d'Eb'enzéar. Mais ce dernier ne vendait pas des attributs magiques par hasard. Il n'eut qu'un geste à faire pour que le pot se reconstitue et que les fleurs y reprennent place. Il ne se priva pas néamoins de dire son ressentiment aux jeunes filles qui riaient encore.

La réflexion ramena le calme et Perline s'excusa à son tour. Elle était comme ça, de tempérament gai, joueuse autant qu'elle pouvait. Et, à présent que s'estompait la tension de cette arrivée en fanfare, Piphan' se laissait gagner par cette humeur enjouée qui lui rappelait Kimyan. Bien que sans comparaison avec la mystérieuse fille aux licornes, il trouvait Perline plutôt jolie avec son nez fin et retroussé, ses grands yeux noirs et rieurs, sa mini-queue-de-cheval et cette mèche blonde sur le front. Vêtue d'un bustier blanc et d'un jean brodé de grosses fleurs, elle se distinguait des filles vawaks qu'il avait connues jusque-là, et en particulier de Jaufrette, à qui il trouvait un côté vieillot.

Quoiqu'il en soit, nunuche ou vieillotte, Jaufrette était inscrite au registre d'Eb'enzéar. Qui plus est, elle héritait, chose extrêmement rare pour une fille, d'un bâton de druide. Il avait appartenu à un arrière-grand-père dont elle ignorait tout. Taillée dans du chêne blanc veiné de vert, la sculpture terminale de la hampe déployait une superbe gazaile.

— Toutes mes félicitations, Mademoiselle Dallan! dit

Eb'enzéar. J'ai bien connu votre arrière-grand-père, savez-vous ? Sacré Erwan ! Une vision extraordinaire des choses. J'étais jeune alors, mais je lui dois l'apprentissage de toutes ces essences de bois. À quelles lunes les récolter… il savait tout. Nous avons eu peur que votre lignée se soit éteinte avec Erwan, car aucun Dallan ne s'est manifesté depuis votre aïeul. Il n'est pas bon que les pouvoirs magiques restent en veilleuse trop longtemps ; cela les affaiblit. Mais je ne doute pas que vous sachiez les réveiller, Mademoiselle. Si vous voulez bien faire l'essai…

Jaufrette ne se fit pas prier. La gazaile battit des ailes, ses cornes nacrées s'illuminèrent et le pot de fleurs changea de place avec grâce et légèreté, comme si Jaufrette maniait ce bâton depuis toujours. Les apprentis magiciens ne retinrent pas leurs applaudissements, entraînant aussi ceux d'Eb'enzéar.

Mais pour les noms inscrits sur le registre, ça s'arrêtait là. Aucun attribut actif n'attendait Perline et Piphan'. Et si elle prit ça avec humour, sans même chercher à mettre en œuvre un attribut sous prétexte qu'elle avait bien assez de choses à transporter comme ça, Piphan' ne pouvait quant à lui abandonner cette recherche. Il ne se voyait pas arriver à Élatha sans bâton de magicien. Ce qui faillit pourtant être le cas.

Quand vint son tour de passer devant les jarres, il attira deux bâtons en bois de soanambo, c'est-à-dire d'arbre à pain. Eb'enzéar lui demanda de les replacer dans la jarre et de recommencer. Mais dès qu'il tendit à nouveau la main, les deux mêmes bâtons s'envolèrent pour venir se plaquer contre lui. De mémoire de marchand d'attributs, Eb'enzéar n'avait jamais vu ça. Il prit les bâtons, les posa à plat sur le sol et demanda à Piphan' de recommencer en se concentrant les yeux fermés. Les deux bâtons vibrèrent de la même manière, tous deux soumis à un fort magnétisme, lorsqu'un des deux fut littéralement aspiré par sa main.

— Choix difficile! souffla Eb'enzéar. Je me demande ce que cela peut bien signifier.

Piphan' le savait encore moins, mais peu lui importait ; il avait un bâton et c'était tout ce qui comptait. Hélas, celui-ci ne contenait pas de principe actif et le sommet de la hampe ne révélait en conséquence aucune forme. Un tel bâton pouvait aider à lancer des sortilèges innocents (ce qui suffisait pour passer le test de la lévitation), mais Piphan' fut mis en garde de ne surtout pas s'en servir en défense, particulièrement face à des bâtons de Dahals aux chimères terminales.

Eb'enzéar inscrivit tout de même son nom sur le registre, suivi de la mention «création en cours», et Piphan' sortit sa carte de crédit flambant neuve pour régler son achat. Lorsqu'il vit qu'il s'agissait d'une sidois d'or internationale, le marchand fut plus attentif au nom qui y était gravé.

— Épiphane Hardy, murmura-t-il. Je comprends mieux... Je pense que par sécurité nous allons mettre le second bâton dans une jarre à part. Si jamais...

— Si jamais quoi? demanda le garçon intrigué.

— Eh bien, si jamais le bâton qui vous a choisi aujourd'hui se révélait défectueux, vous en auriez un de rechange. Il est extrêmement rare que cela se produise mais disons que c'est… une simple précaution.

L'air légèrement soupçonneux de Piphan' obligea le marchand d'attributs à lui en dire davantage.

— Monsieur Hardy, laissez-moi vous dire deux choses. D'abord, vous ne devriez pas être long à découvrir le principe actif qui finalisera votre bâton. Ensuite, je doute que vous vous en serviez souvent. Il semblerait que les énergies qui vous sont propres soient bien supérieures à la plupart des principes actifs. Nous en reparlerons lors de la finalisation. D'ici là, je vous souhaite bonne chance à tous.

Sur ce, ils décidèrent d'aller fêter cette première rencontre des Filus sous le chapiteau de maître Di Donatucci, réputé pour être le meilleur glacier et confiseur du souk.

Kaylé et Piphan' s'essayèrent au brûlot de liqueur d'ambre tandis que Perline craquait pour un jus de bananarire et Jaufrette pour un grand verre d'onirine. Maître Di Donatucci leur offrit un assortiment de pètembouches des quatre-saisons, sa dernière création. Sous une fine nougatine, une pâte onctueuse avait le goût d'un événement saisonnier. On pouvait se geler la bouche en tombant sur un hiver rigoureux ou se régaler des saveurs mordorées d'un été indien. Jaufrette tomba du premier coup sur un pètembouche d'automne monotone qui se mariait à la perfection avec l'onirine.

— Je lève mon verre au pronaos Filus Aquarti! dit Kaylé en élevant son brûlot encore en flammes.

Ainsi les verres s'entrechoquèrent au nom de ce pronaos auquel ils étaient déjà fiers d'appartenir, sans finalement rien en savoir.

— Ce qu'il me tarde d'être dans trois jours, trépignait Perline.

Piphan' lui demanda si elle savait comment ils partaient, vu qu'on ne pouvait se rendre sur Abracadagascar ni par bateau, ni par avion.

— Qu'est-ce que j'aimerais y aller en gazaile, rêvait Jaufrette.

— Qui sait? Ou peut-être qu'on prend un tapis collectif, émit Perline. Il faut pouvoir emporter nos affaires.

Piphan' mesura quelle différence cela faisait d'avoir été prévenu un peu tard. Pour l'heure, à part un rhombe et un bâton, il ne voyait pas ce qu'il allait bien pouvoir emporter. Il s'inquiéta de savoir si les filles avaient choisi des livres. Perline avait trouvé une encyclopédie sur les grigris et les amulettes ; elle espérait que ça suffirait. Jaufrette emporterait l'*Antre sibyllin* et *Le Voile d'Isis*, râlant de n'avoir pu trouver l'*Histoire de la sorcellerie dans les quatre cents derniers siècles.*

Alors qu'ils achevaient brûlots, bananarire et onirine, la voix forte d'un camelot attira leurs regards vers un stand de l'autre côté de l'allée.

— Vente exceptionnelle de la tunique de Nessus! Achetez ma tunique, elle est unique! Promotion sur les tissus à écosser ! Grand choix de chemises à boutons fleurissants !

Soudain, la vue perçante de Piphan' focalisa sur un coupon de tissu qui émergeait d'une pile de peaux de zébus. Il fit du coude à Kaylé. À cette distance, ce dernier ne pouvait lire le petit écriteau que Piphan' lui montrait, mais il reconnut le gris tramé du tissu. C'était de la toile véritable de Mider.

— Bon, les filles, je crois qu'on va se séparer là pour l'instant. Nous avons plein de choses à voir.

— Hou, les cachottiers, plaisanta Perline. Ça tombe bien, je dois aller voir si je trouve un pentacle pour ma protection. Ce sera moins encombrant que vos bâtons... Rendez-vous demain même heure même endroit ?

C'était entendu.

Le marchand de tissus se nommait Eb'enzéra et ressemblait étrangement à Eb'enzéar.

— C'est normal, nous sommes jumeaux, expliqua-t-il. Nous avons dû modifier nos noms pour ne pas porter préjudice à nos négoces respectifs. Mon frère fait dans les attributs et moi dans les tissus. Que puis-je pour vous, les jeunes ? Des chemises à pois à écosser vous-mêmes ? Ou ces nouvelles chemises à boutons fleurissants ? C'est la grande mode dans les îles Rattachées. C'est très rigolo, on ne peut pas deviner sous quelle fleur vont éclore les boutons.

Kaylé souffla à voix basse que c'était effectivement

rigolo mais qu'il ne tenait pas à prendre le risque d'arriver à Élatha avec un tournesol à chaque boutonnière…

— Euh, merci, mais en fait on voudrait en savoir plus sur la toile de Mider, dit Piphan'.

— Ah, je vois! On veut jouer à l'homme invisible. Alors je dois vous prévenir qu'il n'est pas question de marchander. Je ne peux pas faire de promotion sur cet article, ce qui le réserve à des magiciens… plutôt fortunés.

— Ne vous inquiétez pas! coupa-t-il avec assurance en exhibant sa sidois d'or.

— Fort bien, fort bien! Qu'est-ce qui vous intéresserait? Des capes à capuchons? C'est ce qui se vend le mieux.

— Il paraît qu'on peut faire de vrais habits. Est-ce qu'on peut faire des jeans, des sweat-shirts?

— Bien entendu, cher Monsieur. On peut tout faire. C'est une toile protéiforme de haute qualité. Et tenez, touchez cette souplesse!

La toile était très douce au toucher, extrêmement légère et n'avait plus grand-chose à voir avec la toile vue chez Anselme Trumeau. En plaçant le coupon à l'envers, elle n'était plus transparente mais bien invisible. La seule chose qui les rebutait était sa couleur en position visible. S'habiller de gris ne faisait ni très gai, ni très jeune.

— Ne vous y fiez pas. La toile de Mider est d'un gris neutre par défaut, mais elle peut prendre toutes les teintes et toutes les textures que vous invoquez, coton, satin ou soie, percale ou organdi… Ses limites sont celles de vos souhaits.

Dans ce cas, il ne restait plus que la limite du porte-monnaie. Kaylé doutait de pouvoir s'offrir une simple capuche et redoutait l'engueulade de ses parents s'il dilapidait ses économies dans un gadget. Alors Piphan' décida de lui offrir un équipement complet : sweat-shirt à capuche, pantalons, gants et recouvre-chaussures. Il ne voyait pas qui aurait pu lui reprocher la dépense. Sans doute pas mère Pélagie.

Eb'enzéra fit venir sa couturière pour prendre des mesures exactes. L'ensemble serait prêt le lendemain pour les retouches finales et l'identification, car les vêtements permettant l'invisibilité devaient être déclarés à la direction de la Guilde.

Kaylé était à la fois ravi et gêné qu'un ami qu'il connaissait depuis à peine deux jours puisse lui faire pareil cadeau. Quant à Piphan', il aurait préféré que Kimyan fût là lui aussi ; il aurait commandé trois équipements complets.

Ils continuèrent à sillonner les stands tout en se dirigeant, par acquit de conscience, vers ceux des bouquinistes. Kaylé aurait regretté d'avoir sauté cette étape : il tomba sur la dernière édition mise à jour du *Grand Livre holographique des dragons.* Tous les spécimens répertoriés s'y trouvaient. Ses derniers sidois allaient y passer mais ce serait la plus belle pièce de sa collection.

Piphan', qui avait plus de mal à trouver un livre

attirant, laissa finalement son intuition l'emporter en passant devant un gros bouquin qui l'interpellait. C'était une édition nouvelle des *Archétypes*. Le mot ne lui disait rien mais la curiosité conclut l'affaire. Mercurio avait suggéré qu'ils laissent aller leurs envies, c'était fait, et leurs envies avaient un poids. Sans le faire exprès, ils avaient sans doute acheté les deux livres les plus grands et les plus lourds de l'échoppe.

— Chargés comme ça on ferait mieux de rentrer, tu crois pas ? fit Kaylé.

— T'as raison. Et puis, franchement, je ne vois pas ce qu'on pourrait acheter d'autre. On a nos bâtons, des bouquins… S'ils ne sont pas contents à Élatha, la prochaine fois ils nous donneront une liste.

Chapitre 10

Premières révélations

De retour dans l'arrière-boutique d'Anselme Trumeau, ils surprirent une conversation à mots couverts. Mercurio et son amie Lisa s'entretenaient avec Anselme.

— C'est invraisemblable! Qui a pu voler six licornes sans se faire repérer?

— Il s'agit plutôt d'un emprunt, rectifia Anselme, puisqu'elles ont été remises à leur place. Sauf qu'à présent c'est un nautile qui a disparu!

— Pas possible?

— Comme je vous le dis, Don Mercurio. Galibot manque à l'appel depuis hier soir. Un grand nautile de première classe! Pensez-vous que les deux emprunts soient liés?

— Probablement, intervint Lisa. Si les licornes ont été soumises à un charme elles ne nous apprendront rien. Mais nous en saurons davantage sur la coupable si nous retrouvons Galibot.

— Pourquoi *la* coupable?

— Les licornes ne se seraient pas laissé atteler par un homme. Ou alors un très grand magicien. N'y pensons pas! Mais il y a cette femme, Échidna…

— La sorcière que nous avons fait expulser de l'îlot Nat?

— Tout est possible! s'exclama Anselme en levant les bras au ciel. Ces temps sont troubles, vous savez bien. Des disparitions, des apparitions… Notre ami Archimède Ponson me le confirmait encore ce matin, il semblerait qu'il y ait un dysfonctionnement dans le réseau des couloirs-seuils. Lui-même a du mal à savoir en temps réel qui entre dans nos îles Protégées et qui en sort.

Piphan' et Kaylé restaient interdits. Ils ne comprenaient rien à la disparition d'un nautile, par contre ils avaient bel et bien aperçu les licornes sur le boulevard de la Ceinture. De plus, Piphan' ne risquait pas d'oublier le visage de la conductrice. Kaylé lui demanda s'ils devaient en parler ou non, et Piphan' apprécia cette complicité. Finalement ils conclurent que, les licornes ayant été restituées, il était peut-être précipité de dénoncer une élève d'Élatha, si du moins le bandeau lui appartenait bien. Cette décision soulageait Piphan'. Il n'aimait pas mentir, mais de là à dénoncer celle qu'il souhaitait rencontrer de tout son cœur…

Ils firent un peu de bruit pour s'annoncer.

— Holà! Mais c'est qu'on a l'intention de s'instruire, dit Mercurio à la vue d'énormes bouquins qui étiraient leurs bras.

— Et ce n'est pas tout! Regarde!

Piphan' était bêtement fier de mettre son bâton de magicien en avant, même s'il ne valait encore rien de plus qu'une branche de soanambo. Il ne parla pas de leurs acquisitions en toile de Mider, laissant seulement entendre qu'ils avaient commandé une autre chose qui ne serait prête que le lendemain.

— Très bien! Cependant je dois vous informer que demain nous aurons une visite importante et qu'il vous faut réserver du temps pour cela. Nous allons regrouper le pronaos Filus Aquarti. C'est pourquoi je vous invite à ne rien prévoir au-delà de demain matin. Il se pourrait bien que votre départ soit avancé.

Kaylé paniqua un peu, un sentiment que Piphan' ne pouvait que partager. Partir avant trois jours sans savoir quand pour autant… pourquoi pas tout de suite. Il ne se sentait pas du tout prêt. Mercurio l'entraîna pour un aparté dans l'arrière-boutique. Lui qui rêvait d'une partie de pêche sur le lagon devait se contenter d'un aparté entre des tapis! Son parrain avait beau lui dire qu'il allait découvrir tant et tant de choses, il ne trouvait rien d'autre à répondre que tout ça commençait à lui foutre sérieusement la trouille. Au contraire, Mercurio était stupéfié par sa rapidité d'adaptation et d'apprentissage.

— À propos, lui dit-il, tu n'étais pas obligé de tout casser chez Fulbert Voulabé…

— Il est en colère?

— Penses-tu! À l'heure qu'il est, tout doit être réparé. Je dois reconnaître que tu as vite saisi le maniement du rhombe et je n'ose imaginer le moment où tu en connaîtras toutes les possibilités. Mais bref! Ce que je tenais à te dire, c'est que les grands changements dont je t'ai parlé ont libéré d'extraordinaires puissances. Parmi ces puissances sont celles que nous devrons affronter, mais également celles qui sommeillaient en toi. C'est l'heure de la révélation, Piphan'. Tu dois savoir que tu es un grand magicien.

— Tu parles… Je n'ai même pas réussi à trouver un bâton actif.

— Et alors? Je te l'ai dit, les attributs ne sont que des supports. Avec de l'entraînement tu verras que les forces qui t'animent sont bien plus efficaces. Crois-tu que Sarpédon serait si puissant s'il ne comptait que sur un bâton? Tiens, regarde…

Mercurio s'interrompit et ferma les yeux. Il tendit une main vers un pouf en cuir qui s'éleva aussitôt, décrivit un cercle dans la pièce et vint se reposer à sa place.

— Pourquoi tu m'as pas dit que tu étais magicien? demanda Piphan' un peu vexé.

— Pour trois raisons. Il n'était pas l'heure, je n'en avais pas le droit, et je ne suis pas magicien. Je connais à peine quelques enchantements innocents. Mon rôle est celui d'ambassadeur et mon vrai pouvoir celui de la parole. Chacun doit être à sa place. La mienne est de veiller aux intérêts d'Élatha dans le monde, tout comme il m'appartenait de veiller sur toi et sur Kimyan.

— Sauf que Kim n'a jamais eu de parrain…

— Si l'on veut. Mais dans les faits, a-t-il manqué de quelque chose ? N'as-tu pas tout partagé avec lui ? L'as-tu connu malheureux ?

— Non, mais il se retrouve seul. Enfin, y a Vouki, mais c'est pas pareil.

— Tu dois leur manquer, c'est certain. Je maintiens tout de même ma visite prochaine à l'îlot Nat. Je verrai Kimyan. Et je crois qu'il y a un certain nombre de choses à régler avec mère Pélagie.

— Tu veux dire Mme Corbett ? asséna Piphan' pour vérifier qu'elle n'ait pas une sœur jumelle.

— Ah, tu sais aussi cela… Eh bien, c'est exact !

Gêné que son filleul le devance dans ses explications, Mercurio dut révéler qu'à une certaine période de sa vie Pélagie Corbett était réellement entrée dans un couvent. Elle avait pris le voile pendant plusieurs années, à vrai dire pour des raisons plus personnelles que religieuses. Pour ces mêmes raisons, elle avait fini par quitter le couvent et créer cet orphelinat où on l'avait placé.

C'est le « on » qui interrogea farouchement Piphan'. Qui l'avait placé là si sa mère était morte ? Son père ? Qui avait pris la décision ?

— Je ne vais pas t'apprendre que, plus que mère Pélagie, c'est surtout Bertille qui vous a élevés. Tu comprends, à la mort de ta mère il fallait agir vite. Tu n'avais pas de famille proche et c'est Élatha qui a dû décider.

— Élatha? Quel rapport avec mes parents?

— Pardonne-moi d'être abrupt, Piphan', mais si nous savions quel magicien tu étais appelé à devenir, c'est bien parce que ta mère était des nôtres. Une grande magicienne, respectée de tous. Une femme admirable en tout point, qui tenait sa place au Conseil des Aînés. Sa mort, crois-moi, nous a profondément bouleversés. Elle était tellement plus qu'une magicienne...

C'était la première fois qu'on abordait la vérité sur ses origines. Mais ces bribes ne suffisaient pas à étancher sa soif.

— Et mon père, il est magicien?

Mercurio marqua un silence. Dans le rôle qui était le sien, il lui incombait d'apporter tout ce qui pouvait être nécessaire au bien-être et à la réalisation de son filleul. Pour cela, il avait carte blanche d'Élatha. Cependant, la situation lui interdisait le moindre faux pas. L'objectif numéro un était de mettre Piphan' en lieu sûr, ce qui, à quelques heures près, était presque gagné. Il restait le risque qu'une information déclenchât chez le garçon une de ces colères qui l'obligeraient à fuir qui sait où. Tout comme Bertille, Mercurio connaissait bien cette colère fondamentale qui l'habitait. Mais cette fois, un faux pas aurait eu des conséquences bien trop graves.

— Pour faire court, oui, ton père appartient aussi au monde magique. Mais ne revenons pas sur la promesse que je t'ai faite. Il y a des choses que tu n'apprendras qu'à Élatha. Tu n'as plus longtemps à attendre.

— Dis-moi juste une chose : mon père… il s'appelle Hardy, n'est-ce pas ?

— Non. Hardy était le nom de famille de ta mère. Ton père ne t'a en quelque sorte pas reconnu, alors tu as gardé le nom de ta mère. Sauf à l'orphelinat, mais pour d'autres raisons. Allez ! Assez parlé de ça ! Je suppose que tu restes l'invité de Kaylé pour cette nuit ?

— Oui, on s'entend vachement bien. Il sait plein de choses sur la magie. Tu vois, lui il a un bâton actif, avec un dragon…

— Avoir un bâton te travaille à ce point ? Tu as vu s'envoler le pouf, n'est-ce pas ? Avais-je un bâton ?

— Non, mais moi je ne sais pas faire voler les poufs !

— Comment peux-tu préjuger de tout ce que tu n'as pas expérimenté ? Tiens, non seulement tu vas essayer, mais pour te prouver que ce n'est pas le pouf qui est ensorcelé, tu vas faire voler ton gros bouquin. Allez !

Piphan' balança plusieurs fois son regard du livre à son parrain, se demandant si c'était une plaisanterie. Mais comme il ne lisait rien de tel dans ses yeux, il joua le jeu.

Dès qu'il eut les yeux fermés, il sentit une vibration parcourir son bras droit. Au bout de quelques secondes il eut l'impression qu'une crampe allait le raidir et pensa que le livre était bien trop lourd pour s'élever.

Lorsque soudain la vibration céda la place à une sorte de fluide continu. Ses muscles se décontractèrent et il comprit que son parrain ne plaisantait pas. Yeux fermés, le livre lui apparaissait clairement! Le décor n'était plus l'arrière-boutique d'Anselme Trumeau mais une pièce vide aux murs gris argenté. Il ne distinguait ni sol ni plafond, uniquement le livre qui trônait au milieu de l'espace. D'abord amusé, il traça de la main un chemin imaginaire que le livre suivit, docile, aussi léger qu'une plume dans un courant d'air. Il était surpris par sa propre performance quand tout à coup il prit peur de son pouvoir. Il se déconcentra. Il fallait qu'il retourne au réel, aux repères, qu'il voie son parrain.

Il le vit, en effet, un temps masqué par le gros bouquin qui retombait en lui rasant le bout du nez. Les *Archétypes* s'arrêta net à deux centimètres au-dessus de ses orteils avant d'aller se poser comme une feuille morte sur un lot de tapis.

— Ah! Tricheur! éclata Piphan'. Je me doutais bien que ce n'était pas moi qui faisais ça!

— Détrompe-toi! Je t'ai juste aidé au début, pour le faire décoller. Et un peu à la fin pour ne pas le recevoir sur les pieds. Ce que nous pensions se vérifie, tu as du pouvoir, Piphan'. Il va falloir prendre cela très au sérieux. Je t'assure que c'est important. Ce n'est pas par fantaisie qu'Élatha vous appelle avec trois jours d'avance sur la date prévue. Comme tu ne sauras ce que tu dois savoir qu'une fois rendu là-bas, je veux que tu me promettes d'être très attentif à tout ce qui va se passer autour de toi.

— Qu'est-ce qui va se passer de spécial?

— Tout le sera! Tu viens d'entrer dans l'univers de la magie, ton univers. Tu vas découvrir que ce que je dis est vrai, que tu es un grand magicien en puissance. C'est ce dernier mot qui compte, Piphan'. En puissance seulement. C'est pour cela que tu as besoin qu'Élatha te forme. Tu dois comprendre que des pouvoirs prodigieux viennent d'être libérés et qu'il te reste à les contrôler si tu ne veux pas qu'ils te contrôlent. J'ai senti ta crainte…

Piphan' était obligé de reconnaître que c'était vrai. Il avait ressenti une peur inhabituelle, comme une peur de lui-même, ou plutôt d'une part de lui-même. Et cette part inconnue lui foutait la trouille, même si son parrain lui certifiait qu'il allait apprendre à contrôler tout ça.

Il avait peur mais il était heureux d'avoir fait voler les *Archétypes*. Il se mit à rire en repensant au dernier instant où le livre était en suspension.

— C'est vrai que j'ai failli t'écraser les orteils?

— Tu es un vrai danger public, mon jeune ami. Quoique à choisir, il vaut mieux recevoir ces *Archétypes* sur les pieds que sur la tête. J'espère que le bouquiniste ne te l'a pas vendu au poids… Allez, rejoignons les autres. Kaylé t'attend et M. Trumeau veut fermer boutique.

Chapitre 11

Mori-Ghenos

L e réveil fut difficile sous les secousses de la servante Delphine. Ils avaient passé une bonne partie de la nuit à commenter leur visite aux Comptoirs de la Guilde et à feuilleter leurs livres holographiques. En fait, ils avaient passé plus de temps sur celui de Kaylé car les *Archétypes* se révélaient ardus. La plupart des pages ne déployaient dans l'espace que des ombres ou des formes difficiles à interpréter sans méthode précise. Dans l'état de leurs connaissances, seuls quelques monstres mythologiques les avaient amusés. Ils avaient cru déceler des Hécatonchires, des manticores, des basilics, mais tant d'autres n'étaient pas identifiables. Les représentations semblaient inachevées ou en perpétuel mouvement. C'était plus facile avec les dragons, l'érudition de Kaylé en la matière lui permettait de commenter presque toutes les pages.

— Lui c'est Yspadadden… et celui-là c'est Penkawr… ils étaient irlandais, ils appartenaient à un géant de Cornouailles. Lui, c'est Mizir, il vivait en Perse.

Piphan' écoutait, admiratif. Il savait qu'existaient différentes espèces de dragons, mais il n'aurait jamais pensé que chaque spécimen avait son petit nom.

Bref, la nuit avait été courte.

Lorsque les deux garçons arrivèrent à la boutique d'Anselme Trumeau, Perline et Jaufrette les attendaient dans la salle aux tapis. Anselme les laissa un instant à leurs retrouvailles puis les rejoignit avec la boîte ciselée.

— Avant de vous ouvrir le passage je dois vous informer, surtout vous, Monsieur Épiphane, que don Mercurio et Mme Lisa ont un empêchement de dernière minute. Ils ne pourront pas vous assister dans l'entretien que vous allez avoir. Votre point de rendez-vous de l'autre côté est la terrasse de maître Di Donatucci, le glacier. Ne me demandez pas où elle se trouve, les stands changent de place chaque saison.

— Nous savons où c'est, dit Jaufrette, nous y étions hier.

— Dans ce cas, vous en savez plus que moi, et il ne me reste qu'à vous souhaiter une bonne journée.

— Merci! À vous aussi, bonne journée, Monsieur Anselme, cacophonèrent-ils tous.

— À présent mettez-vous en file indienne. Vous êtes quatre et je vous rappelle que les ouvertures de ce couloir-seuil sont limitées à dix secondes. Dès que j'aurais appuyé sur la boîte, il ne faudra pas lambiner.

Ce fut donc sans lambiner qu'ils allèrent droit à la terrasse du glacier, avec pour première surprise de ne trouver personne au rendez-vous. À vrai dire, en l'absence annoncée de Mercurio et de Lisa, ils ne savaient pas qui ils devaient rencontrer.

En attendant, ils commandèrent trois jus de bananarire, un verre d'onirine et un plateau de pètembouches des quatre-saisons. Le serveur venait à peine d'enregistrer la commande quand une voix s'éleva.

— Pour moi ce sera également un verre d'onirine.

Un homme plutôt grand, au visage rieur derrière une courte mais large barbe mordorée, s'assit à leur table. Il portait une robe légère d'un vert émeraude qui scintillait au gré de ses mouvements, et un bandeau fait de petites plumes ornait son front, se distinguant à peine de la couleur de sa peau.

— Bonjour les jeunes, Jaufrette, Perline, Kaylé et Épiphane! les salua-t-il en les regardant tour à tour dans les yeux. Je m'appelle Mori-Ghenos et…

Le seul nom les fit réagir tous les quatre. Même Piphan' avait déjà appris que Mori-Ghenos était un grand parmi les grands. Il se colportait que sa magie était aussi puissante que celle d'Alban Sintonis. Dans les faits, tous savaient que le Conseil des Aînés reposait sur un triumvirat dont les trois têtes étaient Alban

Sintonis, Élia Grandidier et Mori-Ghenos. Ils étaient de ceux qui, très rares, avaient affronté Sarpédon plusieurs fois et étaient encore vivants.

— J'espère que ce n'est pas mon nom qui vous fait peur, dit le maître.

— Ce n'est pas la peur, résuma Jaufrette, c'est qu'on ne s'attendait pas… à un si grand honneur.

— Laissons l'honneur à de plus grandes circonstances, voulez-vous ? Du reste l'honneur vous revient. À votre âge, j'étais bien incapable de mettre en lévitation une plume dans un courant d'air ! Ce n'est pourtant pas le maître qui vous parle aujourd'hui, mais l'accompagnateur. Je suis simplement venu vous chercher.

— Alors c'est vrai, nous partons plus tôt que prévu ?

— Sauf objection de l'un d'entre vous, nous partons ce soir même. Toutefois votre destination première n'est pas Élatha et c'est de cela que nous devons parler.

— On ne va pas à Élatha ? commença à s'inquiéter Piphan'.

Rien n'avait encore commencé et il y avait déjà du changement.

— Si, bien entendu. Mais vous n'y allez pas directement. Voici comment les choses devraient se passer. Ce soir, nous nous rendrons à la pointe nord d'Albaran d'où nous embarquerons pour Abracadagascar. La traversée ne devrait nous prendre guère plus de deux heures et notre port d'arrivée sera Maro-Ancêtre.

— Je croyais que les bateaux ne pouvaient pas accoster sur Abracadagascar, objecta Kaylé.

— C'est exact, mais je n'ai pas dit que nous y allions en bateau.

— Super! s'emballa Jaufrette. On va y aller avec des gazailes et des pégases?

— Pas vraiment, non. J'avoue cependant qu'il y a de l'idée…

Piphan' lança les hippogriffes, Perline avança les balais de sorcière, Kaylé tenta les tapis volants, et les yeux de Mori-Ghenos brillèrent chaque fois d'un peu plus de malice.

— Puisque tout le monde a perdu, ne comptez pas sur moi pour donner la réponse. Ce sera une surprise. Revenons plutôt à notre programme, car une fois que vous serez rendus à Maro-Ancêtre je ne serai plus là pour donner des explications. Ni personne d'autre d'ailleurs que ceux à qui vous voudrez bien faire confiance. C'est ainsi que commence votre apprentissage. Il y a près de quatre cents kilomètres entre Maro-Ancêtre et Élatha, et vous devrez les faire seuls.

— Quatre cents bornes tout seuls!

— Pour des raisons de sécurité, nous ne pouvons ouvrir d'entrée plus proche en ce moment. Pour ces mêmes raisons, je ne vous accompagnerai pas plus loin car ma présence est requise ailleurs. Prenez cela comme… une première épreuve! Découvrir Élatha par vous-mêmes est la meilleure façon d'aborder son enseignement. Votre unique objectif est de rejoindre le Centre au plus vite. Sommes-nous bien d'accord?

Il y eut un silence. Les paroles de maître Mori-Ghenos étaient claires mais le temps s'accélérait. Hier encore ils disposaient de trois jours de préparation et voilà qu'ils partaient en avance, sans savoir par quel moyen, pour se retrouver seuls sur une île inconnue. C'était brusque.

— Ah, détail important, reprit le maître. Maro-Ancêtre est le point de rencontre avec les autres Filus Aquarti. Les filles se nomment Joa Pernety et Nive de Lancroy, et le garçon Melys Joret. Ainsi vous serez sept pour faire la route. L'union faisant la force…

— Pardon, Maître, coupa Kaylé très renseigné. Je croyais que les pronaos comptaient toujours huit membres.

— C'est exact, Kaylé. Et Filus Aquarti ne déroge pas à la règle. Mais votre huitième camarade vous rejoindra plus tard, à Élatha. Voilà pour l'essentiel. D'autres questions?

— Vous n'avez pas dit à quelle heure nous quittons Albaran, fit remarquer Perline.

— Disons 5 heures de l'après-midi, devant la boutique d'Anselme Trumeau. Avec vos affaires. Nous partirons en taxi-brousse jusqu'au phare d'Albaran.

— Et après? On va porter nos bagages sur quatre cents kilomètres ou bien il y aura d'autres taxis-brousse?

Mori-Ghenos ne répondit pas tout de suite. Il était en train de déguster un pètembouche et se régalait les yeux fermés.

— Hum! Orage d'été. Très rafraîchissant! Il faudra que je félicite Di Donatucci. Tu disais, Perline?

— Nous parlions des bagages…

— Ah oui! Eh bien non, ils vous attendront dans vos chambres lorsque vous arriverez à Élatha. Pour la traversée de ce soir, ne vous encombrez de rien qui ne puisse tenir dans vos poches, à votre ceinture ou dans un petit sac à dos. À part votre rhombe et votre attribut si vous en avez un, je ne vois pas ce qui pourrait vous être utile. Vous avez tous reçu un rhombe, n'est-ce pas?

— C'est ce truc avec de la ficelle? demanda Perline. Je n'ai pas compris à quoi ça servait.

— Pas d'inquiétude, tu vas apprendre. Je crois même qu'il y a déjà des spécialistes parmi nous, assura le maître en reprenant un pètembouche.

Piphan' se sentit légèrement visé mais il ne lut aucun reproche dans le regard pétillant du maître. Il s'étonna plutôt de ce qu'un aussi grand magicien fût si bon enfant. Un rien semblait le divertir et pourtant sa seule présence dégageait une impression de sécurité et d'extrême puissance.

Mori-Ghenos se leva tranquillement en reprenant un dernier pètembouche.

— Excellent! Je vais de ce pas féliciter Di Donatucci. Ce sirocco du désert était un vrai délice. Dommage que je ne l'ai pas mangé avant l'orage d'été. Il faut absolument que je fasse goûter ça à Alban… Alors c'est entendu, 5 heures, boutique de M. Trumeau, et on n'oublie pas son rhombe.

Il s'éloigna en direction du laboratoire du maître confiseur, sa robe émeraude lâchant à chaque mouvement des traînées scintillantes de minuscules étoiles.

Les jeunes Filus restèrent un moment interdits, chacun essayant de mettre en place le programme de la journée dans sa tête. Ce départ précipité ne laissait que quelques heures pour finir les achats, plier bagages et dire au revoir aux proches. Les filles quittèrent sur-le-champ les Comptoirs tandis que Kaylé et Piphan' filaient voir où en était la confection des équipements d'invisibilité.

— Tout est fin prêt! Je vous attendais pour l'essayage, dit Eb'enzéra.

Piphan' entra sans tarder dans la cabine prévue à cet effet et commença par enfiler les pantalons. Ainsi qu'il le souhaitait, la toile imita aussitôt le coton indigo des jeans. Quant au sweat-shirt, il le voulut blanc, ample et léger comme il aimait que soient les vêtements. Il sortit très impatient de montrer son nouveau look à un Kaylé qui n'avait de cesse d'essayer ses propres habits.

Piphan' relut le contrat de vente et de déclaration avec le marchand. Tout paraissant correct, il s'apprêtait à signer lorsqu'une main se posa sur son épaule ; mais une main toute seule, à rien reliée, qui le fit sacrément sursauter avant qu'il ne comprenne.

— Bon, d'accord, j'aurais dû aussi enfiler les gants, fit la voix de Kaylé sortant du vide.

Celui-ci n'avait pas résisté à l'envie d'essayer les habits

directement à l'envers. Il souleva sa capuche et son visage hilare apparut dans l'espace.

Eb'enzéra savait qu'il avait affaire à des jeunes, mais il les invita quand même à plus de discrétion dans un lieu public et, selon le code d'honneur de la magie, à réserver leur acquisition pour des occasions moins futiles. Toutes formalités remplies, ils repartirent avec leurs équipements secrets, roulés dans des sacs invisibles en toile de Mider qu'ils pouvaient porter en bandoulière. Un cadeau de la maison Eb'enzéra.

Le reste de la journée passa très vite. Un dernier repas préparé par Delphine et des bagages d'autant plus vite faits que, vu que leurs nouveaux vêtements étaient variables et insalissables, ils ne voyaient pas pourquoi en emporter beaucoup plus. Piphan' fourra seulement son gros livre, les *Archétypes,* dans son sac à dos. Kaylé fit de même avec son ouvrage sur les dragons et y ajouta deux romans d'aventures qu'il n'avait pas eu le temps de lire, *Le Saigneur des agneaux* et *Histoires à lagons.* Une fois les sacs invisibles garnis des derniers menus objets, il ne restait qu'à empoigner les bâtons de magicien…

Chapitre 12

Cap sur le phare
d'Albaran

Devant la boutique d'Anselme Trumeau, quatre grosses malles de voyage et deux sacs à dos s'empilaient déjà sur le trottoir. Jaufrette et Perline étaient en grande discussion, émoustillées par le départ. Les petits sacs que Kaylé et Piphan' posèrent à côté des autres, attirèrent la réflexion de Perline.

— Vous n'avez pas de bagages? Vous n'emportez pas de livres?

— Si! répondit Kaylé en désignant les sacs.

— Alors vous ne prenez pas de fringues, pas d'objets?

— Mais si! Tout est dedans.

Ce petit mensonge leur permettait de ne pas dévoiler qu'ils avaient chacun un sac invisible sur l'épaule.

— Vous avez tout miniaturisé? demanda Jaufrette perplexe.

— Non, dit Piphan', mais nous n'emportons pas

grand-chose. On n'a pas trouvé de quoi on pourrait manquer à Élatha…

— C'est bien les garçons, ça! fit Perline. Vous ne comptez pas vous changer?

— C'est prévu! répliqua Kaylé plus sèchement pour ne pas entrer dans les détails de leurs vêtements protéiformes.

Et pour éviter une autre question, c'est lui qui prit les devants.

— Mais vous, franchement, vous avez besoin de deux grosses malles chacune?

Jaufrette s'empressa de dire qu'une seule malle lui appartenait, ce qui, par déduction, fit tourner les regards vers Perline.

— Ben oui! rétorqua-t-elle sans se démonter, il faut bien se changer, et moi j'adore ça! Vous avez pensé aux fêtes, aux sorties, aux cérémonies rituelles?

Elle n'eut pas le temps de continuer. Deux coups de klaxon d'un autre âge vinrent couvrir sa voix et un minuscule taxi-brousse déglingué se rangea au bord du trottoir.

— Vous êtes à l'heure, c'est parfait!

Mori-Ghenos claqua la portière et se dirigea vers l'arrière du véhicule pour ouvrir le coffre.

Intrigués, les quatre échangèrent de rapides regards avant que Kaylé ne se décide à poser la question qu'ils avaient tous en tête.

— Euh, Maître, vous pensez vraiment que tous les bagages vont tenir dans ce mini-coffre?

À première vue, le coffre ne pouvait accueillir qu'une seule malle.

— Bien sûr, que tout va entrer! Allez, ne perdons pas de temps. Les malles en premier.

Pendant que Perline et Piphan' apportaient la première malle, Mori-Ghenos s'approcha de Kaylé et lui chuchota:

— C'est un truc que je tiens d'un ami anglais. Un sacré bricoleur et grand inventeur. Grâce à son système, ce coffre pourrait contenir dix fois plus de bagages que vous n'en avez là. Tu gardes ça pour toi, n'est-ce pas? Je ne voudrais pas ruiner l'économie des transporteurs d'Albaran…

Effectivement, dès qu'une nouvelle malle entrait dans le coffre, la précédente disparaissait dans le plancher. Lorsqu'ils eurent tout chargé, il ne restait de visible que les quatre petits sacs à dos à l'arrière du taxi-brousse. Ils embarquèrent tous d'un même mouvement et le véhicule s'ébranla dans un cliquetis de ferraille qu'on déplie.

Pas besoin d'être expert en divination pour se rendre compte que Mori-Ghenos s'amusait comme un lutin fou au volant du tacot. Il donnait des petits coups de klaxon pas franchement utiles, jouait avec l'unique essuie-glace, ajustait le rétroviseur et manipulait sans cesse le levier de vitesses tout tordu qui sortait du volant. Sur le siège avant, Piphan' pouffait en silence en observant ce magicien dont la joyeuse humeur était si communicative. Seule ombre dans son esprit, il n'avait pas revu son parrain avant le départ et ne savait donc ni où, ni quand ils se retrouveraient. C'est alors que Mori-Ghenos (à croire qu'il lisait les pensées) sortit un petit paquet de sa robe et le lui posa sur les genoux.

— Je te prie de m'excuser, Épiphane, j'ai failli oublier de te remettre ceci de la part de ton parrain.

Et tandis que maître Mori-Ghenos klaxonnait de bon cœur une poule qui essayait d'expliquer la route à ses poussins, Piphan' ouvrit le paquet pour y découvrir une lettre et une boîte recouverte de velours rouge. Il commença par la lettre qu'il déplia avidement.

Mon très cher Piphan',

C'est pour moi une immense déception de ne pouvoir être à tes côtés pour ton départ. Les événements continuent de nous bousculer. Nous nous retrouverons à Élatha, mais je ne peux avancer de date précise. D'ici là tu auras commencé ton apprentissage et le magicien en toi aura sans doute pris ses marques. C'est en tout cas le plus grand de mes souhaits.

Tu trouveras avec cette lettre un petit cadeau qui te sera aussi utile qu'agréable. Inutile que je t'explique à quoi il sert puisque tu devines tout…

Prends soin de toi. Je t'embrasse très fort. Ton Mercurio.

Piphan' embrassa machinalement la lettre avant de la replier et souleva le couvercle de la petite boîte en velours. Elle contenait un ornithorina en cristal qui lui arracha un large sourire. Mori-Ghenos, qui le surveillait du coin de l'œil depuis le début, fit mine de découvrir l'objet et poussa un sifflement émerveillé.

— Oh, oh! Très belle facture! Dans ma jeunesse, j'en avais fabriqué un moi-même. En bois, pas en cristal. Mais je n'ai jamais été très doué pour la musique et quand je voulais appeler des mésanges, il n'arrivait que des pies ou des corbeaux…

Toute la voiturée éclata de rire. Jaufrette se pencha pour voir l'ornithorina de plus près.

— Je peux l'essayer?

— Oui, bien sûr.

Elle porta l'instrument à sa bouche et joua quelques notes d'une grande pureté. Peu après, plusieurs colibris virevoltaient autour du taxi-brousse et essayaient de pénétrer à l'intérieur. Jaufrette changea de tonalité et des cardinaux de feu vinrent tenter de les envahir.

— Magnifique! applaudit Mori-Ghenos. Jeunes gens, vous avez une ornithoriniste de talent parmi vous. Félicitations, Jaufrette!

Surpris, ils l'étaient tous, surtout Piphan' qui découvrait que la nunuche ne l'était pas tant que ça. Elle rangea l'ornithorina dans son étui et le lui rendit, proposant de lui apprendre à l'utiliser. Ça, il n'allait pas refuser, c'était enfin un point d'accroche.

Reuh! Reuh! Entre les canards, les oies, les zébus, les nids-de poule et la traversée des villages, Mori-

Ghenos donnait des coups d'avertisseur enroué à qui mieux mieux. Il s'amusait toujours autant et aurait bien continué de la sorte si son chronospace à gousset ne s'était mis à vibrer dans sa poche.

— Holà! Déjà 5 heures! Il va falloir mettre le turbo si nous ne voulons pas rater l'embarquement. Accrochez-vous les jeunes, ça va décoiffer.

Aucun d'eux ne voyait comment ce vieux tacot pourrait aller plus vite que ne le permettait sa mécanique usée jusqu'au dernier boulon, mais si maître Mori-Ghenos disait de s'accrocher…

Il serra le volant entre ses mains et lança la formule «Fulgur!». À ce mot, le taxi-brousse eut une accélération qui les plaqua tous contre leurs sièges. Par les vitres, ils découvrirent que les roues s'étaient transformées en tourbillons ocre qui enveloppaient la voiture et la soulevaient dans les airs. Ils ne roulaient plus mais volaient à quelques mètres au-dessus d'un village où des gens affolés mettaient tout à l'abri, sans doute en criant «Les tornades! Les tornades!»

— Est-ce que ça fait partie des choses qu'on va apprendre? demanda Piphan' très intéressé.

— Apprendre n'est pas sorcier. En revanche, le savoir-faire dépend de chacun. Rien ne t'empêche d'essayer.

— J'aimerais bien, Maître, mais à part «Ambouny!», je n'ai pas encore appris de formules.

— Taratata! Tu en connais plus que tu ne le crois, pour la bonne raison que tu es vawak. Or il se trouve que le vawak est une des langues ancestrales les plus utilisées en magie. Tiens, première leçon! La formule pour donner de la vitesse à un objet déjà en déplacement est «Fulgur!». Si on utilise un attribut, la formule seule suffit ; la baguette ou le bâton fait le reste. Sans attribut, il faut choisir un enchantement et se concentrer sur l'objet à enchanter. Au début, vous pouvez compter jusqu'à quatre en vawak avant de lâcher la formule. Compter facilite la concentration. Tu veux essayer?

Piphan' ne se le fit pas dire deux fois. Il avait tardé à découvrir qu'il était magicien, mais tout ce qu'il essayait depuis dépassait ses espérances. Il se concentra et compta jusqu'à quatre en vawak.

«Arek… Arou… Tello… Ef'tra… FULGUR!»

Il entendit à peine le son de sa propre voix sur la fin de la formule. Le tacot déjà mis en turbo partit à la vitesse d'un avion de chasse. La barbe mordorée et les longs cheveux de Mori-Ghenos furent emportés vers l'avant puis vers l'arrière, tous furent aplatis contre les banquettes, les yeux à peine entrouverts et les bouches closes sous la pression de l'air.

Le taxi-brousse s'éleva en volutes, gagnant une telle altitude que les gens sur la route apparurent bientôt comme des fourmis. Piphan' avait surpris Mori-Ghenos, qui avait toutes les peines du monde à ramener le véhicule à une allure et à une altitude raisonnables. À force de manœuvres, il parvint cependant à redescendre et à stabiliser le tacot à quelques mètres au-dessus du sol. Il s'appliquait à suivre la route mais la vitesse ne diminuait pas et le feuillage des arbres sur les côtés faisait un long et horizontal rideau vert.

— Mora! Mora! s'égosillait-il pour tenter de ralentir.

Un crissement aigu s'éleva du moteur, une épaisse fumée sortit du capot, aussitôt aspirée par les tourbillons. Les «Mora!» de Mori-Ghenos ne suffisaient pas. Et soudain, un long cri de Perline retentit, anticipant ce qu'ils voyaient tous : ils allaient percuter le phare d'Albaran. Le maître lâcha le volant, avança ses deux mains et prononça un mot d'une voix tonitruante qui se répercuta en écho. Le véhicule s'arrêta net, projetant tout le monde vers l'avant. La joue collée contre le pare-brise, Piphan' vit passer et rebondir les lunettes de Jaufrette ; Perline se retrouva sur le dos du maître et Kaylé disparut entre les sièges.

Dans le grand silence qui s'installa, Piphan' regarda à l'extérieur. Il s'en était fallu de peu. Moins d'un mètre séparait l'avant de la voiture et les pierres du phare.

— Attention! Accrochez-vous! lança encore Mori-Ghenos.

L'avertissement était généreux mais personne n'eut le temps de s'accrocher à quoi que ce fût. Mori-Ghenos avait bien stoppé la course folle du tacot, mais celui-ci était resté à sa hauteur de vol, à trois mètres du sol. Il parcourut ces trois mètres en une fraction de seconde mais, faute de temps pour la moindre magie, ce fut à la verticale que se conclut le parcours. Le taxi-brousse retomba sur ses roues dans un fracas de ferrailles concassées. Cette dernière secousse envoya heurter les têtes au plafond avant que tout un chacun ne s'aplatisse comme une crêpe dans un profond silence.

Piphan' sentait une bosse pousser sur son front, Kaylé s'était cogné durement un genou mais tout allait bien. Ils n'eurent aucun mal à s'extraire du tacot, il suffisait de pousser légèrement les portières pour les voir tomber toutes seules aux côtés des autres débris.

— C'est ce qu'on appelle une arrivée fracassante ! constata Mori-Ghenos en aidant Perline à descendre de son dos. Ce qui est sûr, c'est que nous avons regagné du temps sur l'horaire. Nous allons nous occuper des bagages, puis nous prendrons le temps d'achever cette première leçon car, si besoin était, vous venez de mesurer le pouvoir mais également le danger des formules magiques…

Il s'éloigna pour aller ouvrir la porte du phare pendant que Kaylé commençait à extraire les sacs à dos de la carcasse. Piphan' s'empressa de ramasser la boîte rouge de son ornithorina sous la pédale de frein. Ouf ! L'écrin avait bien protégé l'instrument de cristal, mais quand il voulut le ranger, il se rendit compte qu'il n'avait plus son sac en toile de Mider autour du cou. C'était bien la première fois qu'il était confronté à la recherche d'un objet invisible. Il en fit part à Kaylé qui se tâta avant de faire un bond. Lui aussi avait perdu le sien.

— On s'affole pas ! Ils sont forcément dans la voiture !

S'il vous plaît, les filles, vous pouvez porter les sacs à dos dans le phare? Nous, on s'occupe des malles.

C'était tout ce qu'il avait trouvé pour les éloigner un instant. Ils entreprirent les recherches à tâtons et Kaylé retrouva les sacs sous un siège.

— Tu crois pas qu'on devrait mettre la toile dans l'autre sens? suggéra Piphan'.

— T'as raison, c'est plus prudent. Imagine qu'on les perde dans l'eau en traversant.

À cette idée ils vidèrent les sacs, ce qui leur révéla un autre inconvénient de l'invisibilité des choses. Piphan' était en train de sortir les affaires de Kaylé et réciproquement.

— Raison de plus pour remettre la toile côté visible. Magne-toi, les filles sont de retour avec Mori-Ghenos.

— On dirait que «Fulgur» marche mieux pour emballer les voitures que pour transporter des malles, dit Perline. Vous n'en avez même pas sorti une seule?

— On… on regardait la mer. On avait cru voir une baleine à bosse, inventa Piphan' décontenancé.

Pour tenter de se rattraper, les deux garçons empoignèrent la première malle avec vigueur et la reconnurent sans peine. C'était celle qu'ils avaient chargée en dernier avant de quitter Lakinta. Un poids pareil, c'était signé Perline.

— Dis donc, demanda Kaylé, tu as bien dit que tu t'intéressais à l'alchimie?

— Oui, pourquoi?

— Parce que je crois que tes fringues se sont transformées en plomb!

— Ah c'est malin! minauda-t-elle avec un haussement d'épaules.

— Vous savez, intervint Mori-Ghenos, vous avez le droit d'utiliser les enchantements mineurs et vous connaissez la formule «Ambouny!». C'est l'occasion de vous entraîner…

Aucun d'eux ne s'était fait à l'idée que leur apprentissage était déjà en train. Jaufrette commença. Sauf qu'avec une malle bourrée de vêtements et de qui sait quoi d'autre, ce n'était pas aussi facile qu'avec un bouquet de fleurs dans un vase. La malle s'éleva à peine de quelques centimètres avant de retomber de tout son poids. Perline et Kaylé n'y parvenant pas davantage, Piphan' essaya à son tour mais avec aussi peu de succès. De rage, il jeta son maudit bâton au sol et fixa la malle. Il tendit une main vers elle et hurla «Ambouny!» si fort qu'elle s'envola et partit s'écraser dix mètres plus loin dans les rochers.

— Tu… tu… Touche plus à rien! balbutia Jaufrette. Tu aurais pu nous tuer…

Les yeux ronds aussi grands ouverts que la bouche, Perline attendait la suite en silence. Kaylé espérait plutôt un commentaire du maître mais ne lâchait pas son ami du regard, partagé entre l'admiration et la peur.

— Étonnant! souffla Mori-Ghenos pour lui-même.

Il s'approcha de Piphan', qui avait encore les yeux

envahis de colère et le bras tremblant. Le maître posa sur son cou une main qui lui fit recouvrer aussitôt le calme.

— Tout va bien, dit-il en s'adressant aux autres. Je me charge de cette malle capricieuse ! Occupez-vous du reste ! Et toi, suis-moi, il faut que nous parlions un peu.

Pendant que Piphan' s'éloignait avec le maître, les autres reprirent leurs essais de lévitation, sans trop de mal cette fois, et les malles passèrent du taxi-brousse à l'intérieur du phare sans toucher le sol. Celle que Mori-Ghenos était allé récupérer suivit le même chemin, tout en douceur.

— Tu vois, j'ai pourtant fait le même geste que toi et utilisé la même formule. Alors ? Que s'est-il passé ?

— Je… Je crois que j'étais trop en colère.

— Exactement ! Tu as deviné et ça me rassure. La colère peut être un outil, c'est tout un art. Mais en règle générale, elle est mauvaise conseillère. Dans la magie, bien utilisée, elle peut devenir redoutable. L'inconvénient, c'est qu'elle est aveugle.

Ça, Piphan' le savait. Lui aussi était aveugle chaque fois que sa colère fondamentale faisait surface. Tout comme son gros bouquin avait failli casser le nez de son parrain ou lui écraser les orteils, cette malle aurait pu fracasser la tête de l'un d'entre eux. Il n'avait rien pu contrôler, ses émotions l'emportaient sur la patience et l'apprentissage. Mais comment tordre le cou d'un démon viscéral ? Il ne pouvait plus nier qu'une force inconnue était en lui, mais il avait du mal à s'y faire. Tout allait si vite.

— On dirait que quelque chose en toi cherche à rattraper le temps perdu, confirma Mori-Ghenos. Pour en revenir à ta colère, je crois qu'elle a pris naissance dans un cumul d'événements. Tu as quitté ceux que tu aimes à l'îlot Nat, tu es déçu de n'avoir pas revu ton parrain avant ton départ, tu te poses des questions sur ton identité, tu es inquiet parce que tu ne sais pas encore où tu vas… Je reconnais que cela fait beaucoup de choses. Et la petite goutte qui a tout fait déborder, c'est que tu t'es senti coupable d'avoir un peu emballé notre taxi-brousse, non ?

— Ben… Oui. J'aurais pu tuer tout le monde !

— Non. C'est moi qui ai fait une grave erreur en te sous-estimant. Ton pouvoir est bien plus grand que nous ne l'imaginions. Les formules prennent dans ta bouche une puissance considérable. Il va falloir raisonner ton apprentissage. De ton côté, fais très attention. S'il t'arrive d'être en colère, abstiens-toi de toute magie, attends que ton calme revienne. Et tant que ton bâton est vide de tout principe surnaturel, ne t'en sers pas.

— Facile à dire… chuchota le garçon qui se connaissait bien.

— Tu m'en vois désolé, mais la magie a ses propres limites. Nous pourrions t'apprendre comment te métamorphoser en aigle ou en crapaud… mais pas en homme véritable. Cela ne peut relever que de ta volonté, pas de la magie. Ce serait contraire au libre arbitre, à l'honneur d'homme libre. Il y a des chemins qu'on ne peut faire que seul avec soi-même. Tu vas y arriver!

Piphan' récupéra son bâton et ils rejoignirent les autres dans le phare.

Il comprit à leurs regards que les commentaires avaient dû aller bon train. Gêné, il s'approcha de Perline.

— Je m'excuse pour ta malle. S'il y a des choses abîmées, je te les remplacerai.

— C'est gentil mais je ne crois pas que ce sera nécessaire. La malle s'est même pas ouverte. Et puis… je n'ai pas emporté de robe en cristal!

— Bien! coupa Mori-Ghenos. Nous allons grimper. La vue est magnifique de là-haut.

— Nos bagages restent là? s'inquiéta Jaufrette.

— Oui. Nos amis les nains s'occuperont de vos malles en temps utile. Comme je vous l'ai dit, elles vous attendront à Élatha.

— Vous avez bien dit les nains? le pressa Kaylé.

Tout en empruntant l'escalier de pierre en colimaçon, Mori-Ghenos expliqua que les nains étaient de précieux alliés depuis l'aube des temps, et qu'en l'occurrence ils se chargeraient de faire passer les bagages d'Albaran à Abracadagascar dès cette nuit.

— Si je comprends bien, vous êtes en train de nous dire qu'un souterrain relie les deux îles…

— C'est exact! En fait, tous les phares sont connectés par un réseau souterrain, et donc parfois sous-marin.

— Mais alors, pourquoi ne pas passer par là au lieu de traverser l'océan?

— Parce que nous ne sommes pas des nains et que, sauf cas de force majeure, nous respectons à la fois leurs secrets et le Pacte d'Alliance. Mais tu sais, les souterrains ne sont pas des allées de promenade. Il arrive qu'ils soient si étroits par endroits que même une malle ne peut y passer. Alors, il y a des puits, des monte-charges, des aspirateurs, tout un circuit aussi ingénieux que labyrinthique dont seuls les nains ont les clés. Et je ne parle pas du froid, de la chaleur, des nappes phrénétiques, des créatures chthoniennes…

Au sommet du phare, une allée circulaire entourait un imposant mécanisme de lentilles de Fresnel qui n'avait pas dû servir depuis des lustres. Les bateaux ne s'aventuraient plus dans les parages et tous les phares de l'océan Infini étaient laissés à l'abandon.

— Qu'est-ce qu'on attend?

— Le rayon vert! dit doucement Mori-Ghenos en scrutant l'horizon.

Il les fit s'approcher des grandes vitres derrière lesquelles l'océan s'étirait à perte de vue, puis leur expliqua que le rayon vert serait le signal d'embarquement. C'était le moment d'être attentif car le rayon ne durait qu'une poignée de secondes, si fin et si fugace que la plupart des gens ne le voyaient jamais. Pour les aider à patienter, il conclut la leçon commencée dans le taxi-brousse.

— Vous avez eu la frousse, n'est-ce pas? Eh bien, attendez-vous à ce que ce ne soit ni la dernière fois, ni la pire. Tout d'abord, je réclame votre indulgence à l'égard de votre ami Épiphane qui ne saurait être responsable d'une leçon inachevée. Je vous ai dit qu'on n'a besoin que d'une formule simple lorsqu'on utilise un attribut comme support. C'est parce que les principes actifs contenus dans les attributs nous aident à contrôler l'action. Vous savez que ces principes actifs proviennent de créatures réputées pour leur immense sagesse. Il y a les pégases, les licornes, les phénix, les chouettes…

— Les gazailes, enchaîna Jaufrette.

— Les dragons, ajouta Kaylé.

— Oui, les gazailes, les dragons, et cætera. Lorsqu'on n'utilise pas d'attribut, le support c'est l'homme. Nos mains, nos yeux, notre bouche finissent par être suffisants pour exprimer les énergies qui sont en nous. Ce qu'il faut savoir, c'est que sauf cas très particuliers, on ne doit pas doubler les formules. Les effets d'une formule ne s'additionnent pas à ceux d'une autre mais ils se multiplient. Nous en avons eu un exemple concret et presque… percutant!

Ils écoutaient avec attention, heureux que les cours commencent de cette manière informelle, hors salle de classe, au moment où le savoir était nécessaire. Élatha était une bien singulière école et pour rien au monde ils n'auraient voulu rater ça.

— Voyez-vous, j'avais donné une certaine vitesse à notre taxi. Épiphane l'a multipliée par une vitesse certaine.

Il aurait pu choisir de nous transformer en calèche, ou en sous-marin de poche à carreaux jaunes et verts, que sais-je! Il a préféré nous transformer en fusée!

Tous éclatèrent de rire, Piphan' le premier, soulagé que personne ne lui en veuille.

— Sachez de plus que si l'un d'entre vous avait prononcé «Fulgur!» à sa place, l'effet aurait été différent car nous sommes tous différents. Bref, retenez qu'on ne double pas les formules magiques sans connaissance préalable de l'effet produit. Et de toute façon, si vous en avez besoin dans les jours qui viennent, servez-vous uniquement de vos attributs, ne lancez aucun sort à mains nues. Ah!… je crois que nous y sommes…

Mori-Ghenos cessa de les regarder pour se concentrer sur l'horizon. Il ne s'écoula que quelques secondes avant qu'il baisse la voix pour les obliger à se concentrer à leur tour :

— Le rayon vert… Vous le voyez? Il est là, au centre des rayons orangés, perpendiculaire à l'horizon. Attention, hop! C'est fini. Descendons vite, il est l'heure!

Perline et Kaylé froncèrent les sourcils, ils n'avaient rien vu d'autre qu'un soleil couchant. Mais si pour sa part Piphan' avait bien aperçu le fameux rayon vert, il n'était pas le seul. Malgré ses énormes lunettes qui laissaient à penser qu'elle était myope comme une taupe, Jaufrette avait pareillement profité du spectacle. Décidément, la nunuche avait bien des qualités et Piphan' résolut de ne plus la considérer comme telle.

Chapitre 13

La traversée

Mori-Ghenos se plaça au bout de l'éperon rocheux qui terminait l'île d'Albaran. Il sortit un rhombe de sa poche et le fit tournoyer au-dessus de sa tête, corde pincée sur le troisième nœud. Ainsi que Kaylé l'avait vaguement expérimenté, le son était celui du vent, un zéphyr agréable et régulier, légèrement chargé d'infrasons.

Tout d'un coup, une sorte de carapace zébrée d'orange surgit de l'eau puis disparut pour réapparaître plus près des rochers. Elle pivota vers les jeunes en découvrant une multitude de courts tentacules surmontés d'une paire d'yeux. C'était un nautile géant ; sa coquille devait avoisiner les trois mètres de diamètre.

— Galimatias, quelle agréable surprise ! fit Mori-Ghenos à l'adresse du céphalopode. Tu as donc repris du service ? Anselme Trumeau ne m'en a rien dit…

— L'ami Anselme aura oublié… mais il fallait bien reprendre du service! répondit le nautile. À vrai dire, je m'ennuyais à la retraite. Et puis c'est un tel plaisir que de vous servir, Maître Morghen. D'autant qu'il semblerait que vous ayez quelques ennuis du côté des forces obscures en ce moment…

— Ah! ça fait plaisir de pouvoir compter sur les alliés! Les jeunes, je vous présente Galimatias, coursier émérite et vieil ami. Je vous avais promis une surprise, la voici : nous allons traverser sous sa direction.

La surprise les laissa bouche bée jusqu'à ce que Perline se décide à vérifier qu'elle avait bien compris.

— Vous voulez dire qu'on va traverser l'océan tous les cinq sur ce mollusque?

— Tous les cinq, n'exagérons pas! Moi je vais traverser avec Galimatias. Vous, vous partez avec les autres. Chacun sa monture. Je crois savoir que tu disposes d'une escadre nouvelle, non? vérifia-t-il auprès du nautile.

— Bien obligé! Tous les adultiles sont mobilisés par les transferts entre les îles Rattachées et les îles Protégées. Mais soyez sans crainte, mes nautilescentes sont déjà d'excellentes coursières!

— Bien! Ne perdons pas de temps. Deuxième leçon : petit cours de rhombe. Espacez-vous d'environ cinq mètres les uns des autres et positionnez-vous face à l'océan. Pincez la corde sur le troisième nœud et faites tournoyer l'ensemble. Bras tendu en conservant de la souplesse. Bien… C'est pas mal… Vous entendez le souffle? Il ne doit plus être saccadé, c'est une question de bonne vitesse. Perline tu ne fais pas tournoyer assez vite. Kaylé, c'est un peu trop rapide, descends dans les graves, doucement! Jaufrette et Épiphane c'est parfait! Perline et Kaylé, synchronisez-vous sur eux!

Après une cacophonie de départ, les rhombes vinrent vite à l'unisson. Un halo sonore enveloppa l'espace et un zéphyr se leva qui faisait frémir la portion d'océan à leurs pieds. C'est alors que jaillirent simultanément quatre autres coquilles blanches zébrées d'orange et les présentations commencèrent.

Celle de Piphan' se nommait Galipante, celle de Kaylé Galipyge, celle de Perline Galimera et celle de Jaufrette Galibelle. Galimatias s'enfonça un peu dans l'eau pour que le maître puisse prendre place à califourchon sur le sommet de sa coquille, puis il s'éloigna des rochers et lança :

— À mon commandement! Présentez… Selles!

Les quatre nautilescentes se positionnèrent dans un ensemble remarquable pour permettre aux jeunes de les enfourcher à leur tour. La coquille formait un léger creux dans sa partie supérieure, parfaitement adapté pour recevoir les fesses d'un cavalier. De plus, une légère granulation à cet endroit la rendait antidérapante. Tout cela faisait de ces destriers des mers des montures idéales.

— À mon commandement! Ouvrez les siphons… Gaz!

Tous alignés de front derrière Galimatias, la propulsion commença. C'était parti pour une chevauchée fantastique.

Le soleil finissait de disparaître à l'horizon, illuminant d'un dernier feu l'océan qui les entourait. Ils avaient l'impression de glisser sur une immense nappe d'or liquide. Dans cette lumière faiblissante, le vert émeraude de la robe de Mori-Ghenos devenait presque noir, ce qui rendait encore plus brillantes les étoiles minuscules qui s'en échappaient à chacun de ses mouvements. Il avait l'air de s'amuser tout autant qu'au volant du taxi-brousse et la brise persistante ramenait ses éclats de rire vers les jeunes Filus. Audiblement, le maître et le nautile se connaissaient de longue date et avaient beaucoup de choses à rattraper.

Mais le rire du maître était loin d'être seul à retentir sur cette vaste étendue qu'ils avaient toute pour eux. Ils étaient si contents de cette traversée! Même Jaufrette avait fini par penser qu'au fond ça valait bien les gazailes. En moins d'un mile, chacun d'eux avait sympathisé avec sa monture.

— Est-ce que par hasard tu connaîtrais Galibot? demanda Piphan' à Galipante.

— Oh le pauvre Galibot! Nous sommes très inquiètes pour lui. Il n'est pas rentré à la base depuis deux jours. C'est incompréhensible, il est l'un des meilleurs de son escadrille. Tu le connais?

— Heu, non, j'en ai juste entendu parler. Il... il a peut-être été mobilisé, pirouetta-t-il.

— Nous le saurions. Non, j'ai bien peur qu'il ne lui soit arrivé quelque chose de grave.

Piphan' n'insista pas et préféra changer de sujet avant que la discussion ne l'oblige à avouer qu'il savait peut-être quelque chose en rapport avec la disparition de Galibot.

Non loin, Kaylé essayait de se faire expliquer par Galipyge les tenants et les aboutissants de cette chevauchée, pourquoi il avait fallu attendre un rayon vert qu'il n'avait même pas vu, pourquoi on utilisait un rhombe pour appeler les nautiles, pourquoi, pourquoi...

Mais Galipyge n'avait pas réponse à tout, loin s'en fallait. Peu avant, elle nageait encore librement dans les eaux calmes et profondes de l'archipel des Commodores. Encore en pleine nautilescence, elle venait juste d'intégrer cette escadre, par honneur et nécessité. Tout ce qu'elle savait à propos des rhombes c'est qu'ils avaient le pouvoir d'appeler Zéphyr et que ce dernier calmait les eaux sur son passage. Sans cela, même des nautiles couraient le risque d'être avalés par les nombreux maelströms qui protégeaient l'île secrète.

— Quant au rayon vert, d'après ce que tu m'en dis, il doit s'agir d'un signal. Toutes nos missions sont chronométrées. Si l'objectif de la mission n'a pas pu être atteint dans le délai imparti, alors il faut abandonner car les couloirs d'entrées-sorties de l'île secrète se referment.

— Pourquoi Élatha ne les maintient pas ouvertes le temps qu'il faut?

— Parce que ce n'est pas Élatha qui gère cela. Les mécanismes spatio-temporels sont contrôlés par les frères Chronocator et Cosmocrator. Faut pas m'en demander plus.

Dans la nuit maintenant bien installée, un maigre croissant de lune montante éparpillait ses pâles reflets d'argent. Dans cette pénombre bleutée retentit soudain la voix de Mori-Ghenos.

— Mora!

— Réduisez les siphons! ajouta Galimatias à l'adresse des nautilescentes.

Elles diminuèrent aussitôt leur vitesse et flottèrent en tanguant légèrement comme des bateaux amarrés. À une encablure de l'escadre se dressait une sorte de barrière. Les jeunes ne comprenaient pas s'ils étaient arrivés ou s'il s'agissait d'un passage difficile, mais ils pressentaient à travers les voix de Galimatias et de Mori-Ghenos qu'il se passait quelque chose d'anormal.

— Approche lente! ordonna Galimatias d'une mi-voix qui n'avait plus rien de militaire.

Au fur et à mesure qu'ils approchaient de la barrière, Piphan' distinguait de mieux en mieux de quoi elle était faite. Ce n'était pas des pieux et ça semblait vivant.

— Qu'est-ce que c'est, Maître?

— Des homméduses.

Des homméduses… Ça ne le renseignait guère, mais à chaque mètre gagné il détaillait davantage ces étranges créatures. Elles ressemblaient à des méduses d'une taille et d'une forme quasi humaine, certaines étaient même en apparence des enfants ou des jeunes de leur âge. Leur large chapeau en ombrelle abritait deux yeux lumineux d'un bleu profond, éclairés de l'intérieur. Le reste du corps était constitué de filaments bleutés, à l'exception de deux, presque blancs, sur lesquels ils prenaient appuis pour se maintenir à la surface de l'eau. Entre l'ombrelle qui gonflait et dégonflait sous l'effet de contractions et l'aspect visqueux des filaments, ils n'inspiraient vraiment pas confiance.

— On dirait que ce ne sont pas des amis, vérifia Piphan'.

— Ce sont des mercenaires. Ils n'ont jamais signé le Pacte d'Alliance. Mais je me demande… S'ils n'ont pas attaqué, c'est qu'ils veulent négocier quelque chose.

Les nautiles resserrèrent les rangs. Aucun Filus n'en menait large. Maintenant qu'ils n'étaient plus qu'à une cinquantaine de mètres, la barrière d'homméduses décrivait un vaste arc de cercle en face d'eux. Ils devaient être environ deux cents. Mori-Ghenos déduisit que celui qui venait de se détacher devait être le chef.

— Je pense qu'ils veulent discuter. Ne craignez rien mais restez sur vos gardes. Préparez vos bâtons mais ne vous en servez pas sans mon signal. Avez-vous entendu parler du sortilège terminal?

Devant l'absence de réponse, il oscilla de la tête et estima qu'il avait le temps de se lancer dans une explication.

— Le sortilège terminal, c'est «Maty-bé!». Il provoque une mort foudroyante et définitive. Mourir sous ce sortilège ne permet plus aucune réincarnation dans aucun univers. Autrement dit, pour l'utiliser il faut être à la fois en danger de mort et en état de légitime défense. Ce sort ne peut être lancé qu'à l'aide d'un attribut actif, avec précision et rapidité. Vu les circonstances, cela ne s'adresse qu'à Jaufrette et à Kaylé. Mais vous pouvez tous essayer le sortilège innocent «Exitagua!».

«Exitagua!» était un sort qui chassait l'eau. En visant sous les tentacules on pouvait créer une dépression sous les homméduses, ou alors on pouvait les viser puisqu'ils n'étaient constitués que d'eau. Sauf qu'il s'agissait d'une eau polymère à mémoire de forme. Détruits, ils se reconstituaient dans les minutes suivantes.

— Empêchez-les de vous toucher avec leurs filaments et tout ira bien. Quoi qu'il en soit, ne paniquez pas et attendez mon signal. Nous sommes bien d'accord?

Évidemment, ce n'était pas le moment d'exprimer le moindre désaccord. Les cœurs battaient à cent à l'heure. L'aura si rassurante de Mori-Ghenos s'estompait devant la supériorité numérique des homméduses. Seul, il aurait pu se transformer et disparaître, ou choisir de les affronter en combat singulier. Mais il devait avant tout assurer la sécurité de ces quatre initiés qui n'en étaient qu'au b.a.ba de la magie et commençaient à se dire que ce premier jour d'apprentissage était particulièrement chargé. À la troisième leçon, ils en étaient déjà au sortilège terminal!

Le temps de ces brèves mais palpitantes recommandations, l'homméduse qui s'était détaché était arrivé une vingtaine de mètres. Il attendait que Mori-Ghenos approche, ce que fit le maître.

L'homméduse inclina la tête en signe de salutation, le magicien répondit de même, et une conversation s'engagea. Les quatre Filus tendaient les oreilles autant qu'ils le pouvaient mais le son était trop faible. Par moments, ils captaient une bribe en provenance de Mori-Ghenos mais ne comprenaient rien aux propos de l'homméduse. Il parlait une langue inconnue, faite de chuintements rauques. Perline râla à voix basse.

— Chut! souffla Galimera. Nous, les nautiles, nous comprenons. C'est du sélacien, une langue ancienne encore pratiquée dans les abysses.

«… allianche… Hypochéros… attak… leinabosh… Dahals… Toliarh'…»

Bien que Mori-Ghenos ne donnât aucun signe d'agitation, les quelques mots qui leur parvinrent n'étaient pas faits pour rassurer. Ils n'avaient retenu que «attaque» et «Dahals». Piphan' ne tenait plus en place sur sa monture et derrière son impatience commençait à poindre sa colère.

— Ho! Vous pouvez nous dire ce qu'il se passe? lâcha-t-il à l'adresse des nautiles.

— Maintenant oui! répondit Galipante. Je crois que vous pouvez ranger vos défenses. Il semblerait que les homméduses soient entrés dans le Pacte d'Alliance. Leur chef Hypogéros dit qu'ils sont là en amis et qu'ils peuvent assurer la protection de la côte Est. Mais il semblerait qu'il y ait d'autres problèmes sur la côte Ouest d'Abracadagascar. Des Dahals auraient réussi à franchir un couloir-seuil et seraient entrés dans la baie de Toliara.

— Les Dahals! crièrent-ils en chœur.

— Vous n'avez rien à craindre, les rassura Mori-Ghenos de retour. Les homméduses sont devenus nos alliés et vont renforcer notre protection. Malheureusement, je ne vais pas pouvoir vous accompagner jusqu'à Maro-Ancêtre car nous avons… une petite urgence.

— C'est à cause des Dahals? questionna Piphan'.

— Rien n'est certain. En principe, il leur est impossible de poser un pied sur Abracadagascar. Mais d'après Hypogéros, il y a eu un dysfonctionnement dans le contrôle des ouvertures spatio-temporelles. Maro-Ancêtre n'est plus très loin et vous êtes sous bonne escorte. Je dois m'absenter mais vous conservez vos objectifs. Dès que votre pronaos des Filus Aquarti est au complet, vous filez sur Élatha sans perdre de temps. Nous nous retrouverons là-bas.

— Et… et si… et si on rencontre des Dahals? s'affola Jaufrette.

— Impossible! La baie de Toliara est à plus de mille kilomètres de Maro-Ancêtre et notre Conseil a dépêché les meilleurs éléments. Vous n'avez pas à vous inquiéter.

Sauf qu'il n'était pas si simple de ranger l'inquiétude au placard. S'ils avaient tous rêvé de faire de la magie, ils découvraient maintenant que ce n'était pas de tout repos et languissaient d'arriver en lieu sûr.

— Garde-à-vous! fit Galimatias d'une voix forte. Galipante, c'est toi qui prends le commandement de l'escadre. Sous celui du lieutenant Cœlacanthos, un détachement de soixante homméduses fermera votre marche et vous escortera jusqu'à la limite territoriale. Rendez-vous à la base d'Albaran. N'acceptez aucune mission jusqu'à mon retour. C'est clair?

— Cinq sur cinq! répondit Galipante pendant qu'un groupe d'homméduses venait se placer derrière eux.

Le chef Hypogéros plongea et resta sous l'eau. Seuls ses yeux lumineux signalaient son emplacement dans la noirceur de l'océan. Dès que Galimatias eut remis les gaz, la barrière d'homméduses se désagrégea peu à peu, chacun plongeant à son tour pour former un fantastique bouclier sous-marin devant leur chef. Les lumières bleues de leurs yeux dessinèrent une chenille luminescente qui s'éloigna sous la surface. Quant aux étoiles lâchées par la robe de Mori-Ghenos, elles scintillèrent de plus en plus loin ; le maître disparut dans la nuit et Galipante prit le relais.

— Allez! Nous sommes presque arrivés.

Les soixante homméduses d'escorte plongèrent à leur tour et l'escadre reprit sa route.

— Je les trouve pas très beaux mais ils n'ont pas l'air si méchants que ça... dit Piphan' en reprenant la conversation.

— C'est bien le paradoxe de la guerre ! Il arrive qu'elle rapproche les êtres vivants. Mais gardez quand même vos distances. En temps normal, les homméduses ne s'associent avec personne, ils vivent en hordes sauvages.

— Alors pourquoi ont-ils signé le Pacte d'Alliance avec Élatha ?

— Par intérêt. Je pense qu'ils auront vu dans les Dahals des concurrents sérieux.

— Pourquoi des concurrents ?

— Ah ! On voit que tu ne les connais pas ! Les homméduses ont besoin des enfants pour survivre, de leur sang, de leurs organes vitaux... S'ils peuvent tomber sur des enfants potentiellement magiciens c'est encore mieux ; ça leur transfère des pouvoirs qu'ils auraient été bien incapables de développer seuls. Or les Dahals sont en train d'exterminer ces enfants-là. Alors ça met en danger la survie de leur espèce.

Comme Piphan' ne comprenait pas, il se fit expliquer que leur première particularité était d'être dépourvus d'organes reproducteurs. Non seulement il n'y avait chez eux ni mâle ni femelle, mais de plus ils ne pouvaient pas se reproduire autrement qu'en euxmêmes. Ils étaient d'origine postatlantidéenne, et quand on les avait découverts, on avait cru qu'ils étaient voués à disparaître rapidement. Fatale erreur.

Les homméduses ne pouvaient pas se multiplier mais ils avaient le pouvoir de se régénérer, de revenir à l'état d'enfance et de continuer leur vie. Il leur suffisait de capturer un enfant et de le vider de sa substance. De le boire, en quelque sorte! Ils prenaient alors son apparence physique, avec des vrais bras, des vraies jambes. Ce n'était qu'au fil des ans que leurs membres dégénéraient. Les bras devenaient des filaments urticants et les jambes des tentacules absorbeurs. Mais chaque fois qu'un homméduse buvait un enfant il remettait son compteur à zéro, et son horloge biologique repartait pour plus ou moins cent vingt ans. Certains les considéraient comme des vampires des mers. Récemment, ils avaient fait un véritable carton sur les plages des îles Rattachées et toutes les disparitions d'enfants n'étaient pas à mettre sur le dos des Dahals…

— Est-ce qu'on est sûr qu'ils sont vraiment devenus nos alliés?

— Je crois qu'en tout cas nous pouvons faire confiance à maître Mori-Ghenos. Leur présence dans la zone d'approche d'Abracadagascar tend à prouver que le Conseil des Aînés a donné son accord.

— Alors ils existeront tant qu'il y aura des enfants? On ne peut pas s'en débarrasser?

— Certains ont essayé mais les homméduses sont rusés, agiles! Et puis, tu peux leur couper vingt ou trente filaments, ça repousse! Ah! J'aimerais bien qu'il en soit de même avec nos tentacules, pauvres nautiles que nous sommes. Leur tête c'est pareil, même asséchée par sortilège, elle se reconstitue!

— Ça, maître Mori-Ghenos nous l'a dit.

— Alors que veux-tu faire contre de l'eau? Ils en possèdent le secret. Ils la polymérisent jusqu'à ce qu'elle devienne cette substance dont ils sont faits. Ils pourraient prendre n'importe quelle forme, ils seraient toujours faits d'eau…

— Et quand ils redeviennent enfants, ils ne sont pas plus faciles à détruire?

— Nous, les nautiles, nous pensons que si. Tandis que vous, les humains, vous ne voyez dans les enfants de toutes les espèces que des êtres purs et innocents. Le moindre bébé vous rend stupides d'admiration. Pour nous, la nature est tout autre et l'enfant d'un monstre est déjà un monstre potentiel. Vous, vous croyez qu'avec un peu d'éducation vous pouvez tout résoudre…

— Et personne n'a essayé de…

Piphan' n'eut pas le temps de terminer sa phrase. Une masse humide et noire comme la nuit avait surgi de l'eau, lui frôlant le cou avant de disparaître dans l'obscurité. La chose avait soulevé une immense gerbe d'eau qu'il était en train de prendre sur la tête.

— Qu'est-ce que c'était?

— Je… Je ne suis pas sûre… balbutia Galipante.

Ils n'eurent pas à se poser la question bien longtemps. La même masse, luisante sous les reflets lunaires, venait de rejaillir dans un bond de plusieurs mètres, puis une deuxième masse, et une troisième… Au moment où Galimera criait «Attention, des marlous!», ils étaient plus d'une dizaine à jaillir des ténèbres et à croiser en tous sens. Kaylé évita de justesse une longue corne effilée qui n'avait eu d'autre objectif que de lui transpercer la tête.

— Des marlous, des marlous! répétait Galipante.

— C'est quoi, des marlous?

— Des requins lutins! À croire qu'en ce moment tout remonte des abysses!

Redoutables pirates des mers, les marlous avaient développé leur corne nasale d'une manière on ne peut plus guerrière. Un rostre long de plus d'un mètre, solide comme l'acier, triangulaire et torsadé, coupant comme du verre, une sorte de lame qui s'enfonçait dans le corps de l'ennemi à la manière d'une vis auto- perceuse. Pour affiner le tout, ce rostre était truffé de capteurs de champs magnétiques qui leur permettaient de repérer tout être vivant à plusieurs lieues.

Après Kaylé, ce fut à Perline d'esquiver in extremis une de ces cornes meurtrières. Jaufrette brandissait son bâton druidique, mais trop peu sûre d'elle pour essayer le sortilège terminal, elle lançait des «Exitagua!» qui rataient leur but tant les marlous se déplaçaient rapidement. Après quelques essais infructueux, elle eut la chance d'en frapper un sous le ventre. L'eau monta en gerbe en créant une forte dépression qui aspira un instant le marlou vers le bas. C'était suffisant pour laisser à trois homméduses le temps de plonger sur lui et de l'immobiliser. En quelques secondes, sa peau commença à boursoufler, de grosses bulles de cuir qui éclatèrent dans un bruit sec avant que le poisson ne sombre dans les profondeurs. Les derniers doutes s'effondraient dans les têtes des Filus et des nautiles, les homméduses se battaient vraiment comme des alliés, Cœlacanthos en tête.

Ce singulier combat naval dura une dizaine de longues, très longues, minutes de bruits, de cris et de fureur. L'eau bouillonnait sous les plongeons incessants et imprévisibles. Un marlou venait de faire un bond prodigieux avec deux homméduses empalés sur sa corne épée. La bataille faisait rage sans que les jeunes puissent vraiment y participer. Seuls Jaufrette et Kaylé, munis d'attributs à principe actif, pouvaient jeter des sorts sans trop de risque mais faute d'entraînement, ils avaient peur à présent de blesser des homméduses qui redoublaient d'efficacité. L'un après l'autre, sous la pression des tentacules absorbeurs, tous les requins lutins explosaient comme des pastèques au soleil.

C'est dans ce brouhaha déclinant que s'éleva soudain un cri. C'était Jaufrette. Un marlou venait de lacérer un de ses mollets, et surtout de transpercer Galibelle de part en part. Une bonne dizaine d'homméduses s'occupèrent du marlou dans l'instant mais il était trop tard pour Galibelle. Sitôt la corne retirée de sa coquille, elle se mit à tourner en tous sens avec une

Jaufrette cramponnée dessus, qui improvisait un rodéo. Hélas, la blessure était mortelle et la jeune nautile s'immobilisa bientôt, penchée comme un navire qui prend l'eau. Jaufrette n'eut d'autre ressource que de se laisser glisser dans l'eau noire.

— Tiens bon, Jaufrette! cria Piphan' en demandant à Galipante de le conduire.

— Tiens bon, Galibelle! criaient Galipyge et Galimera à leur compagne.

— Il est trop tard, dit Galibelle dans un souffle étouffé. Vous ne pouvez plus rien pour moi. Mon siphon est crevé, je perds de l'azote et mes ballasts embarquent de l'eau… Finissez la mission sans moi et… sauvez ces jeunes… sauvez l'espoir que demain…

Tous les marlous étaient morts, mais le dernier n'avait pas manqué son coup. Les hommeéduses s'écartaient déjà pour reformer le bouclier en position de protection. Leurs blessés flottaient par-ci par-là, pareils à des taches d'huile d'un bleu luminescent. Dans quelques minutes ils seraient reconstitués. Les nautiles n'avaient pas cette chance. Leur perte était plus sévère et c'est dans un silence recueilli que tous assistèrent à la descente de Galibelle dans les profondeurs de l'océan Infini.

— Allez, ne traînons pas! se ressaisit Galipante en reprenant le commandement. Nous ne sommes plus très loin. Pourvu que nous arrivions avant la fermeture du sas…

Privée de monture, Jaufrette prit place derrière Piphan'

qui n'avait nul besoin de se retourner pour deviner ses pleurs.

— C'est fini, essaya-t-il de la consoler. Ne t'inquiète pas, nous nous en sommes bien sortis…

— Nous oui, mais c'est pour Galibelle que je pleure. Elle était si gentille. Et si jeune! Elle m'a expliqué plein de choses… Ce n'est pas juste!

Il ne savait que répondre. La vie, la mort… il savait déjà que les deux sont injustes à leurs heures. Mais à part ce constat, qu'aurait-il pu faire d'autre? Galibelle avait manqué de chance, voilà tout. À une minute près, tous les marlous seraient morts et rien de dramatique ne serait arrivé.

Toutes les discussions étaient closes. Les quatre Filus, les trois nautiles restants et la chenille bleue des homméduses, tous avançaient en silence sur cette nappe maintenant noire comme le deuil.

Le ciel s'obscurcit soudain, comme pour mieux s'accorder à l'eau. Un gros nuage bas passait devant la lune. Il ne s'écoula qu'une paire de minutes avant que tombe une de ces pluies tropicales dont ils avaient l'habitude, à la différence que, d'habitude, ils ne se trouvaient pas juchés sur des nautiles au milieu de l'océan. Le grain s'intensifia, limitant la visibilité à deux mètres. Un nouveau brouhaha s'éleva, né de la rencontre des deux eaux. Piphan' sentit Jaufrette lui serrer la taille et se plaquer dans son dos. Derrière ses grosses lunettes ruisselantes, elle ne voyait plus grand-chose mais ne disait rien, pas plus que Kaylé, pas plus que Perline.

Simplement tous pensaient la même chose : cette journée avait assez duré.

Alors ce fut comme si en partageant la même pensée ils avaient conjuré le sort. L'île d'Abracadagascar apparut devant eux. À travers le rideau dense de la pluie se dessinait une haute montagne, plus noire que le ciel mais scintillante d'humidité. Ils venaient d'entrer dans le sas de sécurité lorsque Cœlacanthos vint se positionner devant Galipante.

— Notre contrat s'achève ici, dit-il. Nous ne sommes pas autorisés à aller plus loin. Je voulais vous dire que nous sommes désolés pour votre amie et… nous vous souhaitons bonne chance pour rentrer à votre base.

— Merci pour la protection et les condoléances, répondit Galipante avec émotion.

Cœlacanthos plongea et tous les homméduses suivirent, pour s'évanouir dans la direction où Mori-Ghenos avait disparu un peu plus tôt. L'averse faiblissait, Abracadagascar n'était plus qu'à une petite encablure. Ils entraient dans une crique sablonneuse. Entre les cocotiers de la plage, ils apercevaient les lumières blafardes de quelques lampes à pétrole qui s'agitaient.

L'escadre accosta pour une dernière et mauvaise surprise. Sur le rivage de sable blanc gisait la coquille d'un nautile.

— Galibelle!

L'espoir les fit penser qu'elle avait trouvé la force de venir jusqu'au rivage où ils auraient pu la soigner, mais il fallut se rendre à l'évidence : ce n'était pas le corps de Galibelle mais celui, bien mort, de Galibot. Trois trous dans sa coquille laissaient deviner ce qui avait dû se passer. Les lampes à pétrole s'approchèrent et un garçon de leur âge s'adressa à Kaylé. Il s'appelait Melys Joret. Les autres membres du pronaos Filus Aquarti étaient déjà arrivés et, derrière les lampes, ils découvraient aussi Joa Pernety et Nive de Lancroy.

— Nous avons été attaqués par des marlous, expliqua Melys en montrant la coquille sans vie de Galibot.

— Vous aussi ? Personne n'a été blessé ?

— Non. À part Galibot… Nous nous en sommes plutôt bien tirés. Et vous ?

— Jaufrette s'est fait taillader la jambe. On pense que ce n'est pas trop grave, elle peut marcher. Mais comme vous, nous avons perdu une nautilescente.

— En tout cas, quelle fichue trouille ! résuma Joa.

Quoi qu'il en fût, cette mission était accomplie et il était l'heure pour les nautiles de rejoindre leur base. Les adieux furent humides, pas seulement de la pluie, mais des larmes qui montèrent aux yeux de tous les Filus. Quelques heures avaient suffi pour découvrir que les nautiles étaient bien plus que de simples mollusques. Leur prière pour que Galibelle et Galibot se retrouvent dans l'éternité témoignait d'un sentiment que les jeunes magiciens n'auraient cru propre qu'aux humains. À l'avenir, ils ne pourraient oublier que l'amour n'a pas de frontières.

— Venez, dit Melys. Il y a une grande case où on peut tous dormir. On a préparé une grosse marmite de riz. Vous n'avez pas faim ?

Faim ? Le seul mot fit gargouiller les estomacs. Ils étaient affamés, oui. Ils savaient même qu'il n'y aurait pas de veillée après le repas, pas même pour parler de dragons ou d'archétypes. Maintenant que la tension retombait, ils n'avaient plus qu'une féroce envie : s'affaler.

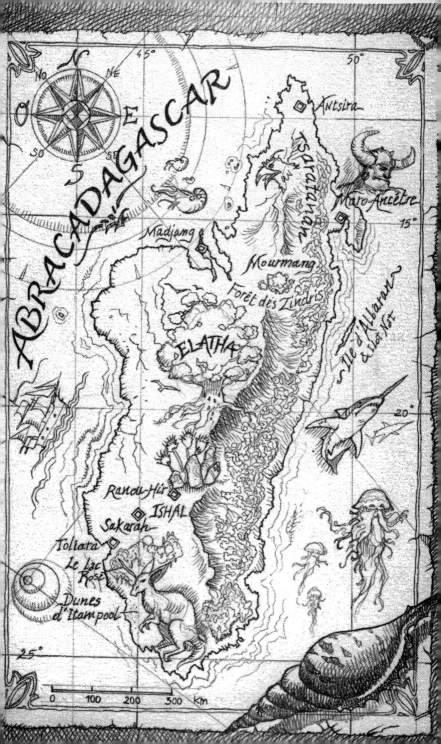

Chapitre 14

Maro-Ancêtre

C'est le ronronnement de la pluie sur le toit de la case qui les réveilla les uns après les autres. Il avait plu toute la nuit et le ciel d'un gris uniforme n'annonçait pas de changement pour la journée. En regardant par l'unique fenêtre, ils pouvaient voir ce que l'obscurité leur avait caché. Le village de Maro-Ancêtre était niché au creux d'une immense baie. Loin à l'horizon, elle débouchait sur l'océan Infini. Tout autour, les cocotiers du rivage laissaient vite place à une jungle luxuriante, et derrière eux commençaient les contreforts de l'imposante montagne du Tsaratanan. Ils étaient dans une enclave. La moiteur de l'air y était permanente, comme dans une étuve. Nul doute que c'était elle qui avait provoqué leurs mauvais rêves.

Jaufrette avait gémi plusieurs fois pendant la nuit et Kaylé s'était réveillé en sursaut d'un cauchemar.

Il avait revu un marlou foncer sur lui et cette fois le rostre acéré ne le manquait pas. Piphan' avait rêvé d'homméduses, sauf que dans le rêve ils oubliaient d'être des alliés…

— Faudra pas s'attarder ici, dit Melys.

— D'accord, mais on ne peut quand même pas partir sous cette pluie, répondit Nive très soucieuse.

Kaylé suggéra qu'on pouvait attendre un peu mais que si la pluie ne s'arrêtait pas, il faudrait prendre une décision. Maître Mori-Ghenos avait insisté sur le fait que le seul objectif était de rejoindre Élatha au plus vite.

Quelques instants plus tard, sans cesser pour autant, la pluie devint très fine et les garçons décidèrent d'aller explorer les abords du village.

— Ne vous éloignez pas trop, dit Nive. Bien que… je ne pense pas qu'on puisse repartir aujourd'hui.

Son regard désignait la natte sur laquelle Jaufrette était encore couchée. Perline se tenait à ses côtés, une main posée sur son front.

— Je crois qu'elle a beaucoup de fièvre.

Jaufrette gardait les yeux mi-clos. De petites billes de sueur perlaient sur son visage. L'estafilade que le marlou lui avait faite était en train de s'infecter. Autour de la coupure, un hématome verdâtre avait fait enfler la jambe depuis la cheville jusqu'au genou.

— On ne peut pas la laisser comme ça, dit Joa. Je vous accompagne au village. On trouvera peut-être un peu d'alcool et peut-être même qu'il y aura un médico-mage ou un troumba.

Derrière la plage où se situait la grand-case dans laquelle ils étaient installés, le village de Maro-Ancêtre comptait une centaine de cases qui s'enfonçaient dans les grands arbres. Les premières sur leur chemin étaient inhabitées. Ils avancèrent plus profondément dans la jungle avant d'arriver à un endroit dégagé qui devait être la place principale. Une trentaine de cases formant un vague cercle acheva leur doute. Il n'y avait personne. Le village était désert. Le plus curieux était les nombreuses portes ouvertes, les ustensiles et objets familiers restés en place comme si la population avait dû partir précipitamment. S'il n'y avait eu les chants d'oiseaux et les bruissements de feuillage, un silence de mort aurait plané sur le lieu. Resserrés à la queue leu leu, ils marchaient à pas feutrés par crainte d'un piège, mais il devint vite évident que cela ne servait à rien. Ils étaient vraiment seuls à Maro-Ancêtre et l'objectif restait de ne pas s'y attarder.

Ce fut Joa qui découvrit les fanafouds utiles à tout soigner, preuve qu'avant sa désertion le village comptait au moins un troumba. Il n'y avait que les troumbas pour soigner avec des fanafouds. La plus souvent il s'agissait d'insectes séchés, de racines ou d'écorces, de morceaux de minerais, d'ossements divers. Passionnée depuis son plus jeune âge par les philtres et les potions, Joa comptait se perfectionner dans ce domaine à

Élatha, et elle tint à retourner aussitôt auprès de Jaufrette pour mettre ses connaissances en pratique. Kaylé se dévoua pour l'accompagner tandis que Melys et Piphan' préférèrent continuer d'explorer les alentours afin de s'assurer que tout allait bien.

Et parmi ce qui s'annonçait bien, il y avait cette amitié naissante. Svelte, brun aux yeux vert sombre, Melys avait grandi aux Seicherelles. Comme le père de Kaylé, le sien enseignait dans une petite école de magie spécialisée dans la recherche des fantômes errants. Des magiciens du monde entier venaient y apprendre les méthodes de traque les plus efficaces. En somme, autant un métier de détective que de magicien.

Un instant plus tard, parlant d'attributs magiques, ils se découvrirent un point commun. Le bâton de Melys n'était pas plus doté d'un principe actif que celui de Piphan', ce qui les incita à ne pas trop s'aventurer dans cette jungle qui devenait de plus en plus dense.

— Et les filles, leurs baguettes sont actives ? questionna Piphan'.

— Oui, tu parles… Joa et Nive descendent de grandes lignées. En Nouvelle Europe, les Pernety sont connus depuis plusieurs siècles comme des maîtres de l'alchimie et des magistères. Pour Nive, c'est la même chose. Un de ses ancêtres, Simon de Lancroy, est connu depuis les Âges Sombres. J'ai lu qu'un jour, il a dû affronter Hadès pour pouvoir traverser un pont.

Ça, dès qu'il s'agissait de mythologie, Piphan' connaissait bien. Mais à ses yeux, il s'agissait plus d'histoires que de l'Histoire. Aussi avait-il du mal à comprendre comment un être de chair et de sang, tel Simon de Lancroy, avait pu affronter un personnage mythologique. Melys n'avait pas de réponse, mais il savait par son père que les fantômes apparaissent sous forme de spectres tant qu'ils sont errants, c'est-à-dire tant qu'ils n'ont pas trouvé le chemin de la paix définitive. Ils sont prisonniers de quelque chose et s'ils parviennent à s'en libérer, seulement alors ils deviennent des entités libres. Hadès, en tant que dieu, était sans doute plus qu'une simple entité, mais Melys ne doutait pas que toutes ces «choses» puissent se manifester.

— Peut-être… concéda Piphan' pas très convaincu. J'ai toujours trouvé bizarre que des entités aient besoin d'affronter de simples humains comme nous. Dans les bouquins, elles sont tellement puissantes… Et puis en général, ce sont plutôt des monstres, non ?

— Tu sais, les monstres ne sont souvent que des êtres égarés, habités… déchirés par des forces plus puissantes qu'eux. Ils attendent que quelqu'un vienne les secourir.

Piphan' marqua un temps. Mine de rien, cette dernière phrase lui semblait relever d'une belle sagesse. D'un côté ça lui rappelait l'éducation béni-oui-oui qu'il avait reçue de mère Pélagie, mais de l'autre, il n'avait jamais supporté que des gens souffrent. Et cet amour des autres, pour autant que Bertille en fût la grande initiatrice, c'est à Kimyan qu'il le devait. Son ami pardonnait toujours tout à tout le monde de manière spontanée, tandis qu'il lui avait fallu des années pour comprendre le pardon. Sans cela, il n'aurait probablement jamais eu envie de retrouver son père et n'en serait pas là aujourd'hui. Il laissa un instant son esprit vagabonder avant de demander à Melys :

— Mais alors, pourquoi ce serait pas pareil pour Sarpédon ? C'est peut-être quelqu'un qui souffre.

— Je crois qu'il ne faut pas exagérer, objecta Melys plutôt pris de court. Sarpédon... on ne peut pas vraiment considérer qu'il souffre. Il n'est pas prisonnier du mal, il EST le mal. Ce n'est... pas pareil... Chut ! T'as entendu ?

Il s'interrompit brusquement. Piphan' avait lui aussi entendu un bruit de feuillage et ressenti une vibration du sol. Par instinct vawak, il savait qu'il s'agissait du choc de sabots sur la terre.

— Il doit y avoir des zébus dans le coin.

Il tendit l'oreille et avança d'un pas dans la direction d'où était venu le bruit. Il aperçut bien deux cornes à travers les feuillages, mais quelque chose clochait. Si ces cornes appartenaient à un zébu, alors il devait être colossal.

Au moment où le feuillage s'écarta et qu'il découvrit sous les cornes une tête humaine, Melys poussa un cri d'effroi. Lui aussi faisait face à une de ces créatures cornues. Figés comme ils l'étaient, ils pouvaient

détailler ce qui était à l'évidence une espèce de centaures, à la différence que leur pelage était d'un noir
sombre et luisant, et que de leur large front sortait
une paire de cornes qui n'avaient pas l'air conçues
pour chatouiller. En même temps, c'était sans doute
pour ça qu'ils n'avaient pas peur. Si ces créatures
avaient eu l'intention d'attaquer, ils seraient déjà
empalés. Celle qui se trouvait devant Piphan' rompit
le silence.

— C'est nous que vous traitez de zébus?

Piphan' mesura que le ton n'était pas foncièrement
agressif.

— Excusez-nous, on ne savait pas… Vous… vous êtes
des centaures, c'est ça?

— Décidément, vous tenez à nous vexer!

— Non… non! Je ne… j'en ai jamais vu… enfin…
en vrai!

— Premièrement, il n'y a jamais eu de centaures sur
cette île! Deuxièmement, s'il y en avait, ils seraient
nos ennemis car les chevaux ont toujours été des
traîtres envers les taureaux. Nous sommes des bucentaures, ne vous déplaise! Mais vous, je ne vous
demande pas qui vous êtes parce que vous êtes transparents comme de l'eau de roche. Vous êtes de la
graine de sorciers et vous allez à l'école de la grande
illusion. Je me trompe?

Melys et Piphan' échangèrent un rapide regard
interrogateur. Ils ne savaient plus sur quel pied
danser. Ils ne trouvaient pas leurs interlocuteurs

farouches, mais ils sentaient qu'il ne fallait pas faire un faux pas.

— Vous parlez d'Élatha? reprit Piphan'.

— Élatha! La grande école des sauveurs du monde! Vous avez vu dans quel état il se trouve, le monde? Et vous croyez que des minus dans votre genre vont rétablir l'équilibre? Bah! Ça vous regarde, humains!

— Alors… vous n'êtes pas des alliés?

— Alliés pour quoi faire?! Nous avons signé le pacte de non-agression, mais ça s'arrête là! Et c'est sans doute déjà trop! S'il n'en tenait qu'à moi…

— Calme-toi! intervint l'autre bucentaure. Ton attitude n'est pas correcte. Ce n'est pas le moment de cracher dans la soupe.

Il s'approcha pour leur tendre la main en signe de paix.

— Je m'appelle Albuceste. Lui, c'est Bucifère. Il ne faut pas lui en vouloir. En ce moment, nous sommes un peu sur le qui-vive. Nos troupeaux sont assez divisés quant à la politique à adopter vis-à-vis du Conseil des Aînés. Je crois sincèrement que vos maîtres font tout ce qu'ils peuvent, mais il faut reconnaître que cette terre qui était la plus sûre depuis notre exil est devenue plutôt incertaine. Jamais des Dahals n'avaient réussi à fouler le sol d'Abracadagascar. Et là où peuvent entrer les Dahals, le Sarpédon dont vous parliez n'est pas loin.

— Qu'avez-vous à craindre? demanda Melys. Pourquoi

les Dahals vous attaqueraient-ils si vous n'avez pas signé le Pacte d'Alliance?

— Tu veux vraiment le savoir? dit Bucifère en lui lançant un regard noir.

Il y eut un silence très chargé qui laissait deviner que la réponse n'était pas bonne à entendre. Même Albuceste, qui paraissait plus sage, semblait répugner à la dire. Finalement, il lâcha :

— Tout simplement parce que nous sommes délicieux.

Melys et Piphan' n'étaient pas sûrs d'avoir bien compris, mais sentaient pourtant qu'il ne pouvait guère y avoir d'équivoque sur le mot «délicieux».

— Vous avez bien entendu, reprit Albuceste. Les Dahals ont trouvé que nous faisions une excellente viande. Hier, lors du combat dans la baie de Toliara, l'un des nôtres a été tué… et mangé! Ils l'ont fait rôtir comme un vulgaire zébu!

Le silence retomba comme une chape. Les deux Filus ne pouvaient que compatir à cette horrible détresse des bucentaures. Comment pouvait-on manger un être doué d'intelligence et de parole, même si son corps offrait des similitudes avec certains animaux?

Et si Albuceste conservait la sagesse de croire encore en l'humanité, tel n'était pas le cas de Bucifère. Même si ces deux garçons se confondaient en excuses au nom de leur espèce, il n'avait que faire d'entendre que «tous les humains ne se ressemblent pas». Puisque certains d'entre eux étaient capables de manger du bucentaure,

sa condamnation du genre humain n'était plus discu-
table.

Heureusement, Albuceste tenait à tirer sa révérence
sur une meilleure impression.

— Mais vous ? demanda-t-il, que faites-vous si loin de
votre Naos ?

— C'est que… nous venons juste d'arriver, expliqua
Melys. En fait, on attendait que la pluie s'arrête, mais
maintenant on va devoir attendre qu'une de nos amies
soit en état de marcher.

— Si vous attendez la fin de la pluie, vous ne parti-
rez jamais. Vous êtes à Maro-Ancêtre. Il n'y a que
deux saisons ici, la saison des pluies et la saison où il
pleut, c'est une question de nuances. Pour votre
amie, c'est une simple foulure ou quelque chose de
plus grave ?

Piphan' raconta l'attaque des marlous et la découverte des fanafouds qui devraient tout résoudre
rapidement. Il ignorait que les bucentaures étaient
d'excellents guérisseurs, qu'ils étaient même à l'origine de la médecine. C'étaient eux qui les premiers
en avaient révélé les secrets aux hommes, malgré la
légende colportant que l'honneur revenait aux centaures.

— Alors vous ne devez pas rester une minute de plus
ici, dit Albuceste gravement. Vous n'arriverez pas à soigner une blessure de marlou par vous-même. Le
rostre des marlous contient un poison assez lent mais
très puissant. Il n'y a qu'une plante qui puisse servir

de contrepoison et elle ne pousse pas dans cette zone, je peux vous l'assurer. Vous devez trouver du cornus sanguinea, c'est un cornouiller sauvage. Sa sève est un autre poison mais, à ma connaissance, c'est le seul antidote. L'un annihile l'autre. Je vous conseille de ne pas perdre de temps.

— Qu'est-ce qu'on peut faire ? s'affola Piphan'. Où on va le trouver, votre cornus… machinéa ?

— Les cornouillers les plus proches sont en bordure de la forêt des Zindris. C'est à environ soixante-dix lieues d'ici mais puisque vous allez à Élatha c'est votre direction, ça ne vous rallongera pas.

Soixante-dix lieues ! Si sa mémoire était bonne, ça représentait environ trois cents kilomètres. Là, ils s'affolèrent pour de bon. En d'autres circonstances, ils auraient pu avaler une cinquantaine de kilomètres par jour, marcher dix ou douze heures si nécessaire. Mais ici ! Ils ne connaissaient aucun chemin et la jungle était bien plus dense que ce qu'ils avaient connu jusqu'à présent. Et quand bien même ils arriveraient à se relayer pour porter Jaufrette, il leur faudrait une semaine entière pour atteindre la forêt des Zindris.

Le bucentaure sentit leur embarras. Il parut hésiter à parler devant Bucifère puis finit par dire :

— Si vous voulez bien me conduire à votre malade, j'aimerais examiner sa blessure. Peut-être pourrions-nous ralentir l'action du poison.

Désemparés comme ils l'étaient, ils n'allaient pas

refuser un coup de main. Leurs têtes recommençaient à s'oxygéner.

— Moi, j'en ai assez entendu, se fâcha Bucifère. J'ai autre chose à faire que de sauver des cannibales !

Ils tressaillirent à ce mot, Albuceste haussa les épaules, mais aucun des trois ne commenta cette intervention et ils continuèrent vers la grand-case.

Un lourd silence y régnait, dans lequel ne se détachaient que les gémissements de Jaufrette. En voyant revenir les garçons, Joa éclata en sanglots.

— Je ne comprends pas, j'ai fait comme j'avais lu. J'étais sûre que c'était comme ça… Et c'est le contraire qui se passe. Regardez sa jambe, elle est devenue toute verte…

— T'affole pas, Joa, dit Melys. On est venus avec un ami. Il s'y entend en médecine, il va nous aider.

— On doit juste vous prévenir qu'il n'est… pas comme nous.

Piphan' s'était senti obligé d'adoucir la rencontre mais n'eut pas à entrer dans les détails. Albuceste avait déjà posé ses sabots sur le seuil de la porte et vérifiait que ses cornes n'allaient pas arracher l'encadrement. Il y eut quelques mouvements de surprise mais, par-delà son arrière-corps de taureau, Albuceste était bien trop humain pour engendrer la moindre peur, et c'est ainsi que, dans un silence quasi religieux, le pronaos Filus Aquarti accueillit un bucentaure.

Il s'approcha de la natte sur laquelle Jaufrette était

étendue et s'agenouilla pour renifler la plaie. Puis il se redressa et resta pensif un instant, les yeux rivés sur le visage livide et perlant de fièvre. Il réfléchissait. Sa manière de balancer doucement la tête traduisait un dilemme. Du côté des jeunes, chacun attendait en silence un diagnostic.

— Voici ce que je vous propose. Si vous avez confiance, je peux me charger de votre amie. Vu l'état de sa blessure, je ne crois pas que vous arriverez à temps à la forêt des Zindris. Sans traîner, vous êtes à six jours de marche. Vous allez attacher Jaufrette sur mon dos et je vais la conduire où il sera possible de la soigner. Si tout va comme je l'espère, vous la retrouverez bien portante au village de Mourmang. Vous demanderez à voir Oucoulouncoulou. Il est l'Aîné des Zindris, vous n'avez rien à craindre. Si ma proposition vous convient, je vous suggère de faire vite.

Pendant un instant, ce fut une véritable pagaille. L'urgence était bien de sauver Jaufrette, mais chacun aurait eu tellement de questions à poser. Ils se connaissaient à peine, il n'y avait pas de chef entre eux et chacun hésitait à prendre une décision qui engageât tout le pronaos. Albuceste dut finalement organiser les choses d'autorité. Il leur indiqua où trouver des cordes, comment sangler correctement Jaufrette sur son dos, et par où partir lorsqu'ils se mettraient en route.

Quand ils proposèrent de payer les cordes pour ne pas léser les habitants du coin, ils apprirent que l'argent n'existait pas sur Abracadagascar. On ne pouvait rien vendre ni acheter. Toute chose existante était au bon usage de celui qui en avait l'utilité. La nature pourvoyait aux besoins essentiels, la magie et les relations s'occupaient du reste. Le seul endroit sur l'île où la monnaie avait cours était le Comptoir de la Guilde, tenu par César Pépin à Toliara. Piphan' pouvait ranger sa sidois d'or internationale, son immense fortune n'avait tout à coup plus aucune valeur… Les cordes, Albuceste se chargerait simplement de les rapporter.

La pluie restait fine mais tombait en continu. Sur le pelage luisant du bucentaure, Jaufrette ligotée paraissait plus sereine et dormait d'un sommeil profond. Ils ne savaient comment remercier Albuceste.

— En temps normal, j'aurais pu décider quelques-uns de mes frères pour vous accompagner jusqu'à Élatha, dit-il. Mais vous savez les circonstances… J'en suis navré. Quand reviendront les jours meilleurs, j'espère que nous serons toujours là pour partager la joie d'une grande fête. Cette île mérite la plus grande attention, je n'en connais pas de plus extraordinaire. Soyez grands et elle vous le rendra au centuple !

Dommage ! Après les nautiles, une cavalcade à dos de bucentaures ne leur aurait pas déplu. Seule Jaufrette y avait droit, sauf qu'aujourd'hui elle n'avait pas la force de dire qu'elle aurait préféré voyager sur une gazaile.

Zindris, Mourmang, Oucoulouncoulou, tout fut récapitulé en un éclair et Albuceste disparut au galop.

Chapitre 15

Passage en Avalon

Ils n'avaient pas traîné après le départ du
bucentaure et de leur amie. Mais depuis trois
jours qu'ils suivaient le même sentier, ils
n'avaient traversé aucun village, rencontré aucun
humain ni aucune créature. Au fond, ça valait mieux
que des mauvaises rencontres.

Plusieurs fois par jour, ils arrivaient dans de belles
clairières où tout était organisé. Il y avait des bancs et
des tables en pierre, des fruits inconnus mais savoureux à profusion, une eau fraîche et limpide courait
dans des bassins avant de disparaître dans la forêt et
des myriades d'oiseaux et de papillons finissaient d'enchanter le décor. Parfois le sentier passait devant des
falaises sculptées d'habitations troglodytes tout aussi
désertées. C'est là qu'ils dormaient ou s'abritaient des
averses. Du reste, celles-ci se faisaient plus rares au fur
et à mesure qu'ils progressaient vers Mourmang. Le

couvert des arbres était si dense que l'eau des pluies fines n'atteignait pas le sol. Elle s'évaporait en créant une atmosphère chaude et feutrée qui exhalait un délicieux mélange d'odeurs de fleurs, de feuilles et de fruits.

Cette terre d'Abracadagascar était un délice. L'île s'appliquait à leur bien-être. Les longues heures de marche ne leur pesaient pas le moins du monde tellement tout se déroulait sans problème. Ils commençaient à trouver que rallier Élatha par leurs propres moyens était un bon départ pour leur pronaos. Ce long trajet leur permettait de mieux se connaître les uns les autres.

Melys se révélait d'un tempérament calme et posé. En plus d'être expert en calculs mentaux, il maniait l'humour avec dextérité, pour le plus grand plaisir de Perline et de Joa qui ne rataient pas la moindre occasion de rire. Nive était plus réservée, mais la tendresse et l'attention qu'elle portait à chacun d'entre eux en faisaient la plus agréable des compagnes. Elle était dans une écoute permanente. Comme Melys et Joa, elle habitait aux Seicherelles mais, originaire de la Nouvelle Europe, elle songeait à s'y installer après ses études, du moins si la guerre le permettait.

Il faut dire que les De Lancroy y formaient une lignée de magiciens ininterrompue depuis près de vingt siècles. Dans les temps les plus sombres de l'Ancienne Europe, ils avaient maintes fois affronté les Armées Noires de Scorticore et débarrassé le pays des hydres rouges. Aujourd'hui, la situation était différente sans que rien ait vraiment changé. Il n'y avait plus de dragons multitêtes mais les nuées de scorterelles ne valaient guère mieux. Les Armées Noires à présent s'appelaient les Dahals, et Scorticore avait laissé la place à son fils Sarpédon.

D'après Nive, les Dahals avaient gagné en puissance magique sur leurs prédécesseurs, mais surtout en autonomie. Dans la phase actuelle, c'était ce qui déroutait autant les magiciens blancs que les moazis. Parfois, les Dahals ne semblaient pas mener d'actions concertées. Le Maître des Ténèbres leur avait laissé carte blanche, et pour eux cela signifiait que chacun pouvait agir à sa guise, quand il le voulait, où il le voulait, et que tous les coups étaient permis. Le plus grave était que Scorticore ne s'était pas contenté de transmettre le pire de lui-même à Sarpédon. Il s'était fait aider par Hécate pour assurer à son rejeton des pouvoirs supérieurs à ceux des magiciens de simple lignée humaine.

— Hécate, la déesse des Enfers? vérifia Piphan'.

— Elle-même! confirma Nive.

— Elle n'a pas le droit! explosa Melys. Les dieux n'ont pas le droit d'intervenir dans les affaires humaines!

— Ce n'est pas normal, mais Hécate siège pourtant au Panthéion, au même titre que les autres dieux et déesses. S'il n'y a pas eu de contestation, ça veut dire qu'elle est dans son bon droit. Ou alors elle mijote un coup à l'insu du Panthéion. Mais pour le savoir il faudrait être dans le secret des dieux.

— En tout cas, même avec ce sacré coup de main, Sarpédon ne semble pas plus avancé que ses ancêtres, observa Kaylé. Magie noire ou magie blanche, c'est toujours le statu quo. Sarpédon n'a trouvé le moyen ni de nous soumettre, ni de nous faire disparaître.

— Pas si vite! lui rappela Piphan'. Souviens-toi de ce que nous a dit mon parrain. Il y a urgence quelque part, et une force nouvelle vient d'apparaître. En plus, personne n'a l'air de savoir vraiment ce qui se passe.

Ils ne le savaient pas encore mais cela viendrait assez tôt. Chacun d'eux possédait au moins une information, un souvenir, une lecture, une chose entendue, apprise ou vécue. Par ces petits savoirs personnels, ils étaient comme les brins qui tissent une natte, et peu à peu les bribes dessinaient un dessein. Il allait se passer un événement dans lequel ils seraient impliqués, et visiblement on cherchait à les mettre à l'abri. Ils étaient certes volontaires pour apprendre la magie ancestrale mais, déjà, ils devinaient qu'elle ne se limiterait pas aux enchantements…

Ce fut encore Nive qui fit faire un pas à leur pronaos en révélant ce qu'elle tenait de sa famille: Sarpédon était en train d'obtenir l'aide d'une autre entité.

— Une entité dont on ne connaîtrait pas le nom? interrogea Melys pour qui ces choses étaient familières.

— Oh, si! Elle s'appelle Lilith. Mais elle reste difficile à définir car elle n'est pas incarnée.

— Alors elle n'est pas forcément dangereuse ; elle n'existe pas dans la même réalité que nous.

— Pour l'instant! Dans ma famille, on raconte qu'elle n'attend que le moment favorable pour ça. Et comme elle est soutenue par Hécate…

— Encore! réexplosa Melys.

— Tu sais, comme elle est déesse des Enfers, toutes les créatures chthoniennes et reptiliennes relèvent de sa juridiction. Si Lilith est, comme on dit, une entité chthonienne, alors les autres dieux ne peuvent pas s'opposer. Hécate reste dans son droit divin.

Piphan' réalisa combien il avait été protégé en grandissant à l'îlot Nat. Sarpédon, les Dahals, la guerre… il découvrait depuis à peine une semaine ce qui était le quotidien de certains depuis des mois, des années, et pour d'autres des siècles… Et face à cela, il se sentait minuscule. Si les plus grands magiciens n'arrivaient pas à se débarrasser de Sarpédon, si c'était comme ça depuis si longtemps, qu'avaient-ils de plus, eux, des ados, même Filus Aquarti?

— Ou de moins… laissa entendre Melys.

— Qu'est-ce que tu veux dire?

— Peut-être que d'avoir moins de méchanceté, moins de soif de pouvoir, ça donne plus d'autre chose…

— Et alors? Tu trouves que c'est un avantage? Être moins méchant que l'ennemi, c'est le plus sûr moyen de se faire bouffer.

— Et la ruse? suggéra Kaylé.

— Et la connaissance? surenchérit Nive. Connaître

notre ennemi mieux qu'il nous connaît, c'est déjà un début de victoire. Il est peut-être impossible de tuer Sarpédon, mais pourtant ses ancêtres ont tous été soumis. Chez les Lancroy, nous pensons qu'il n'y a que par l'esprit qu'on peut atteindre un autre esprit.

À l'évidence, Nive avait eu l'occasion de réfléchir à la question. Selon elle, il y avait de nombreuses techniques mentales à découvrir si l'on s'en donnait la peine, et c'était ce qu'elle allait chercher à Élatha.

Ces techniques mentales intéressaient bien Piphan' mais il ne fallait pas trop lui parler de spirituel. La spiritualité, il estimait en avoir soupé avec mère Pélagie et, à vrai dire, il n'avait jamais trouvé ça spirituel. Pour l'instant ça restait abstrait. Quand on lui disait que les Dahals faisaient exploser des enfants en mille morceaux, quel que soit son effort d'imagination, il ne se représentait que mille petits bouts de chair et d'os éparpillés dans des mares de sang. Il y ajoutait la douleur de ceux piqués par des scorterelles, il pensait au bucentaure rôti, et il ne voyait pas comment on pourrait vaincre tout ça avec de l'abstrait.

— Tu feras comme tu voudras, conclut Nive. Mais il est fort possible que ça renforce Sarpédon chaque fois qu'on tue un de ses Dahals.

Un peu avant midi, le groupe déboucha sur un plateau rocheux à l'aplomb d'une gorge profonde. Un site panoramique merveilleux. Depuis leur départ, ils n'avaient cessé de grimper insensiblement en s'éloignant de la mer. C'était la première fois qu'ils réalisaient qu'ils avaient pris de l'altitude.

— On fait une pause ? réclama Perline. Je commence à avoir les jambes en coton.

— Ok ! dit Melys qui avait pris la tête. Ces grands rochers plats au soleil nous changeront du sentier humide. Après tout, on peut se prendre un moment cool.

— Tiens, y a pas de fruits par ici… remarqua Joa en arrivant sur le plateau.

Depuis Maro-Ancêtre, vu qu'ils n'avaient traversé aucun autre village, ils s'étaient nourris exclusivement de ces fruits qui les attendaient dans les clairières organisées. En leur absence, cette pause ne pouvait être que du pur farniente. Piphan' sortit son ornithorina et s'essaya à quelques notes, sans succès. Il pensa à Jaufrette. Si elle était là, une flopée d'oiseaux serait déjà en train de voler autour d'eux.

— Je peux essayer ? lui demanda Perline.

— Bien sûr. Et si tu comprends comment ça marche, tu n'hésites surtout pas à m'expliquer.

— C'est simple. Soit tu connais par cœur les notes de l'oiseau, soit tu écoutes bien et tu rejoues le même air.

De fait, il ne s'écoula pas cinq minutes avant qu'ils soient entourés de colibris. Fière de son succès, Perline se concentra sur un autre chant qu'on entendait au loin ; un chant mélodieux, si peu répétitif que le nombre de notes paraissait impossible à retenir du premier coup. Pourtant, au hasard des tâtonnements…

Un oiseau rouge feu d'une bonne soixantaine de centimètres d'envergure vint planer au-dessus du groupe. Son immense beauté fit jaillir des cris d'admiration. Il avait une longue queue du même rouge flamboyant, arrondie au bout, qui se déployait en éventail comme celle des paons. Son bec et ses serres jaune vif étaient ceux d'un oiseau de proie.

— Superbe! s'exclama Kaylé. Surtout ne t'arrête pas de jouer.

Guidée par l'oiseau, Perline finit par trouver la modulation exacte et ils furent bientôt une dizaine à tournoyer au-dessus d'eux. Ils ne s'approchaient pas du sol mais gardaient leur distance et une hauteur suffisante pour exécuter de magnifiques figures aériennes, géométriques, parfaitement coordonnées. Leur chant devint un puissant concert polyphonique qui emplit tout l'espace du plateau rocheux. Le pronaos Filus Aquarti était subjugué par autant de perfection.

Les uns après les autres, ils s'étaient dressés sur les grands rochers pour suivre de plus près cet incroyable ballet. Perline en oubliait même de souffler dans l'ornithorina sans que cela arrête le concert ou le tournoiement des oiseaux rouges. Ils volaient à présent moins haut, s'étaient décalés pour surplomber la gorge et semblaient s'éloigner progressivement. Peut-être Perline avait-elle cessé trop tôt de jouer. En tout cas, vint le moment où plus personne ne parla et, tous, les yeux rivés sur le ballet éblouissant, avançaient vers le précipice comme des somnambules.

Sans doute Piphan' aurait-il suivi ses camarades si autre chose ne l'avait éveillé. Il était resté en arrière car il avait ressenti sous ses pieds une vibration qu'il identifia sans peine, celle de sabots martelant le sol. Le son encore étouffé laissait deviner que l'animal arrivait au galop. Piphan' songea spontanément à Albuceste : il reporta toute son attention dans la direction d'où il pensait le voir surgir.

Deux cris retentirent, multipliés en écho par le ravin. Le premier était celui d'un oiseau rouge et n'avait plus rien de mélodieux. Le second venait de Kaylé que l'oiseau tenait par les cheveux et tentait de faire basculer dans le vide. Les autres Filus Aquarti ne bronchaient pas, aveugles et sourds à ce qui se passait, envoûtés, ils continuaient d'avancer vers le précipice.

Les griffes qui pénétraient son front firent sortir Kaylé de l'enchantement. Piphan' le vit se débattre et chercher à saisir les pattes de l'oiseau, mais les serres puissantes tenaient maintenant sa tête dans leur étau. Au moindre faux mouvement, il risquait de tomber dans le vide. Piphan' fut tenté d'utiliser la magie. Il pouvait essayer de jeter un sort à mains nues, mais tout s'embrouillait dans sa tête ; il ne trouvait pas de formule et craignait que sa magie n'envoie définitivement Kaylé dans le précipice comme il avait envoyé valdinguer la malle de Perline. La colère l'envahit aussitôt, comme chaque fois qu'il se sentait en échec. Il poussa un cri à déchirer l'espace et démarra en trombe. Au diable la magie !

Cet oiseau allait voir de quel bois se chauffe un vawak en colère!

Au même instant, un bâton tournoya en sifflant au ras de sa tête et partit frapper celle de l'oiseau. Piphan' fit volte-face pour découvrir qu'il avait pensé juste : Albuceste était de retour. C'était lui qui avait lancé le bâton. Cependant, malgré un coup d'une extrême précision, ce n'était pas fini pour Kaylé. Les serres de l'oiseau lui avaient entaillé le crâne et des filets de sang ruisselant l'empêchaient d'ouvrir les yeux. Mais ce fut surtout le brusque changement des forces en jeu lorsque l'oiseau lâcha prise qui fut fatal. L'absence soudaine de résistance déséquilibra Kaylé. Il parut vouloir s'appuyer contre un mur devant lui. Sauf qu'il n'y avait pas de mur… et ils furent deux, cœurs serrés, impuissants, à le voir disparaître.

Un grondement puissant s'éleva de l'abîme. Il y eut une déflagration suivie d'une telle compression de l'air que tous, même Albuceste, ressentirent un choc sur leurs poitrines. Ceux qui se trouvaient encore au bord du ravin furent projetés en arrière, sortant en même temps de l'enchantement, mais pas encore assez conscients pour réaliser ce qui venait de se passer et se passait encore. Les oiseaux rouges, pris de panique, avaient du mal à choisir par où s'enfuir. Une masse énorme, d'un rouge sombre et irisé, venait de surgir du précipice. Avant qu'aucun jeune ne puisse comprendre, le ciel s'assombrit au-dessus d'eux. Un souffle chaud les inonda et un bec géant déposa devant Piphan' un Kaylé tout chancelant, presque inconscient mais vivant.

En un seul et rapide mouvement le ciel redevint clair. Il n'y avait plus un seul oiseau à l'horizon et Kaylé s'effondra en silence dans les bras de son ami. Albuceste accourut aussitôt pour aider à l'étendre sur un endroit d'herbe verte.

— Je pense qu'il n'a rien de cassé. Mais les grandes peurs ont souvent des effets secondaires. Il faut qu'il se repose.

— Il est tout en sang… couina Joa qui découvrait la situation.

— Ce n'est rien, rassura Albuceste. Il y a toutes les plantes qu'il faut ici pour soigner ses blessures. Elles ne sont pas profondes, même si elles saignent beaucoup. Trouvez un peu d'eau et aidez-le à se nettoyer pendant que je m'occupe des plantes.

Il tourna la croupe pour se diriger vers la forêt mais s'arrêta au bout de quelques pas et interpella Piphan'.

— Je vais avoir besoin de ton aide. Il me faut une orchidée épiphyte qui a la fâcheuse habitude de pousser en haut des troncs. Dois-je avouer que je ne sais pas grimper aux arbres?

C'est avec une joie non dissimulée que Piphan' suivit le bucentaure. Il le trouvait tellement sympa. Et puis, ça lui faisait plaisir de pouvoir enfin rendre un service en retour, pour le remercier de son empressement à s'occuper de Jaufrette et maintenant de Kaylé. Vaine

prétention de sa part puisque c'était encore Albuceste
qui allait l'aider.

— Qu'est-ce que c'était comme oiseaux? demanda
Piphan' chemin faisant.

— Les premiers étaient des voluptéryx. On peut dire
que vous l'avez échappé belle.

— Au début pourtant c'était magnifique. S'il n'y en
avait pas un qui était devenu fou…

— Tsss! Ces oiseaux sont tout sauf des fous. N'importe lequel d'entre eux aurait pu attaquer. Ils attendaient juste que vous soyez au bord de la falaise. Ce
sont les pires charognards d'Avalon. Leur tactique était
de vous attirer au bord puis de vous faire basculer dans
le vide avant de se partager vos cadavres en bas. Magnifique, dis-tu?

Piphan' souffla en réalisant ce à quoi les Filus venaient
d'échapper. C'était trop beau pour ne pas cacher quelque chose. Difficile de faire plus charmeur qu'eux, les
voluptéryx agissaient comme les sirènes de mer qui
attiraient les bateaux sur les écueils. Et ils étaient tom-
bés dans le panneau.

Puis il revit en pensée l'immense bec qui avait déposé
Kaylé entre ses bras.

— Je vais t'en parler, dit Albuceste, mais auparavant je
tiens à m'excuser d'un petit mensonge. Je n'ai pas
besoin d'orchidée pour soigner ton ami.

Ne voyant pas où le bucentaure voulait en venir,
Piphan' hocha simplement la tête.

— L'autre oiseau est un sîmorgh. Comme tu as pu

t'en rendre compte, il est particulièrement grand. Celui-ci devait faire ses quarante coudées d'envergure.

— Euh…

— Disons une vingtaine de mètres. Mais ce n'est pas le fait qu'il soit le plus grand oiseau du monde qui est important. C'est sa rareté, et surtout celle de ses apparitions. Pour tout te dire, je n'en avais jamais vu et je dois te remercier de m'en avoir offert l'occasion.

— Ben… j'y suis pour rien, je ne savais même pas que ça existait.

— Peut-être, mais sans ton cri je ne pense pas que le sîmorgh serait intervenu. Or, ce faisant, c'est bien toi qu'il a désigné. Tiens! Ceci t'appartient…

De l'abondante toison noire et feu qui courait le long de son échine, Albuceste tira une plume cramoisie qu'il lui tendit.

— Je l'ai ramassée quand j'ai compris que tu ne l'avais pas vue.

— C'est une plume du sîmorgh?

— Exact! Tu as gagné le cœur de l'ami le plus fidèle qui puisse exister et, crois-moi, c'est un privilège dont peu d'humains peuvent se prévaloir. Pour la bonne raison qu'il ne peut y en avoir qu'un à la fois.

Une plume, un ami, un Élu… Évidemment, Piphan' ne comprenait pas encore et Albuceste commença par lui expliquer que toutes les créatures magiques considèrent les sîmorghs comme de très grands maîtres mystiques. Leur manifestation est quasi divine. En général, ils vivent au sommet des hautes montagnes, entourés des démons qu'ils ont vaincus et soumis au fil des âges.

— Ici, sur Abracadagascar, le sîmorgh vit en haut du mont Tsaratanan, non loin de là où nous nous sommes rencontrés.

— Mais… il ne peut quand même pas voler aussi vite! Il était déjà dans le coin, non?

— Rien n'est moins sûr. La magie des sîmorghs est très puissante et subtile. Ce que je peux te dire, c'est que le rôle d'un sîmorgh est de protéger son héros et cette plume atteste qu'il t'a choisi comme tel.

Piphan', un héros. Il ne manquait plus que ça, un héros sans attribut actif, sans connaissance de formules et qui ne sait même pas quelle est sa quête… D'après Albuceste, cette plume confiée était réputée pour guérir les blessures. Il n'allait tout de même pas devenir médicomage?

— À présent, tu sais pourquoi je n'ai pas besoin de plantes pour soigner ton ami Kaylé. C'est à toi de le faire…

Pour la première fois, Piphan' ne dit pas qu'il ne savait pas.

Quand il saisit la plume qu'Albuceste lui tendait, il ressentit une vague de chaleur l'inonder de calme et de bien-être. Impossible de douter une seconde du pouvoir magique de cette plume. C'était ce qu'il avait touché de plus réconfortant depuis fort longtemps. Il ne connaissait rien de tel, à part serrer dans ses bras un être qu'on aime de tout son cœur. Albuceste avait raison, cet oiseau devait être bien exceptionnel pour que la moindre de ses plumes procure une pareille sensation…

— Et si je veux le revoir ? Il faudra que j'aille en haut du Tsaratanan ?

— Non. Tu ne le pourrais pas sans son aide. C'est encore cette plume qui te servira. Lorsque tu voudras le revoir, il te suffira de la brûler et c'est lui qui viendra à toi, où que tu te trouves. Bien sûr, tu comprends qu'il te faudra une bonne raison à cela. Mais pour l'heure, je crois que cette plume doit servir pour Kaylé.

L'ami avait récupéré ses esprits. Son visage nettoyé ne laissait plus que quelques sombres empreintes là où les griffes du voluptéryx avaient pénétré. Piphan' appliqua doucement la plume du sîmorgh sur les blessures et vit les chairs se refermer aussitôt sans laisser la moindre cicatrice.

— Comment tu fais ça ? demanda Joa ébahie.

— Je ne fais rien. C'est la plume qui est magique ! répondit-il en espérant échapper aux questions.

Albuceste le tira encore d'affaire.

— J'ai cru comprendre, dit-il à Joa, que tu t'intéressais aux vertus des plantes. S'il te plaît d'en découvrir une assez particulière, je t'invite à venir la cueillir toi-même. Vous allez en avoir besoin. Tu peux venir aussi, Perline. Bien sûr, ce n'est pas une plante que vous trouverez souvent, puisqu'elle ne pousse qu'en Avalon, mais sait-on jamais… Le pronaos Filus Aquarti semble promis à tant de découvertes…

Au mot d'Avalon, Nive tendit l'oreille.

— Vous avez dit Avalon? Est-ce que ça veut dire que nous sommes en Avalon?

— Selon toutes les apparences…

Albuceste avait répondu sans répondre. Nive le regardait s'éloigner vers la forêt, flanqué de Perline et de Joa, quand il se retourna pour achever sa phrase.

— Comme je ne crois guère à la chance et pas du tout au hasard, je préfère penser que vous êtes bénis. J'ignore quelle force vous anime pour que cette île vous offre déjà le meilleur d'elle-même, mais je comprends que vous soyez attendus à Élatha. Pour répondre à ta question, Nive, oui, nous sommes bien en Avalon.

Et pendant que Perline et Joa allaient cueillir des plantes avec Albuceste, Nive raconta le peu qu'elle savait d'Avalon. Elle était la seule à en avoir entendu parler, ce qui n'était pas surprenant vu ses origines.

D'après elle, peu de livres mentionnaient Avalon, sinon pour dire que cette vallée était en rapport avec la quête du Graal. S'y retirant après avoir passé le flambeau de son règne, le roi Arthur y aurait été accueilli par la Dame du lac et y aurait coulé des jours heureux jusqu'à la fin de sa vie. Mais si le bon roi appartenait à l'histoire des chevaliers de la Table ronde, Avalon ne semblait relever que de la légende. D'autres textes, d'ailleurs, ne présentaient pas du tout Avalon comme un paradis perdu ou caché. Le grand lac qui s'étendait au milieu des vallées ne pouvait être traversé qu'au prix de mille dangers. Quant au château qui se dressait en son centre, soit il était de nature divine, soit il appartenait au Seigneur des Ténèbres, selon la pureté d'âme du voyageur. Autrement dit, si on ne portait pas déjà le paradis en soi, Avalon pouvait très bien être un enfer.

Nive s'interrompit. Albuceste était de retour avec Perline et Joa. Ils avaient les bras chargés de petits fruits ronds, de couleur jaune paille avec des veinures vertes.

— Tenez, dit le bucentaure à l'ensemble du groupe. Je vous conseille de manger ceci. Ce sont des myrobolanes. Vous n'allez pas les trouver très bons car ils sont très amers, mais c'est un excellent antidote aux fruits que vous mangez depuis plusieurs jours.

C'est ainsi qu'ils apprirent que les fruits savoureux dont ils s'étaient régalés contenaient une substance peu recommandable. Sans être vraiment un poison, elle les aurait peu à peu privés de tout sens critique et de discernement. De jour en jour, ils seraient devenus plus mous, plus paresseux, et tout désir de lutte aurait disparu de leur esprit. C'était un autre des pièges d'Avalon ; ces fruits avaient mesuré leur résistance à la tentation facile.

— On ne pouvait pas faire autrement, expliqua Melys, c'est tout ce qu'on a trouvé à manger. En trois jours de marche on n'a pas vu un seul village…

— Le problème, c'est que vous n'auriez pas dû vous

trouver ici, dit Albuceste. S'il n'y a pas de village, c'est parce qu'il n'y a aucune vie sociale en Avalon. Celui qui a la chance d'y être ne s'y trouve que pour lui-même et, en général, son but est précisément de se trouver lui-même. Spirituellement. Il est assez curieux qu'Avalon se soit ouverte à d'aussi jeunes gens, qui plus est en groupe…

— Vous voulez dire qu'on est dans un autre sas ? demanda Kaylé, pensant à un couloir-seuil comme ceux des Comptoirs de la Guilde.

— Pas vraiment. Un sas permet au moins de passer d'un endroit à un autre. Tandis qu'Avalon…

Le bucentaure ne termina pas sa phrase. Il s'apprêtait à leur dire que parfois Avalon n'avait pas de sortie ou que, du moins, ceux qui s'y aventuraient trop long-temps ne la trouvaient jamais. Sa structure de tessaract en faisait davantage un séjour pour les âmes plutôt que pour les vivants. Seules les créatures magiques pouvaient le traverser sans trop de problème. Lui-même, c'était la seconde fois qu'il s'y trouvait. Quant à expliquer la nature d'un tessaract, il en était bien incapable. Avalon existait ou n'existait pas. Elle appa-raissait à tel endroit mais rien n'empêchait qu'elle soit en même temps à un autre. Rien n'indiquait qu'on venait d'y pénétrer, si ce n'était une flore et une faune spéciales, comme ces fruits, comme les voluptéryx, et cette atmosphère feutrée qui vous endormait peu à peu. De même, on savait qu'on en était sorti lorsqu'on retrouvait ses repères du monde habituel.

Certes, Albuceste eut la tentation d'en dire davantage mais il pensa qu'il était inutile d'affoler ces apprentis magiciens. Il savait que ce parcours faisait partie de leur initiation. Toutefois, en mettant bout à bout leur récit sur l'attaque des marlous et la scène avec les voluptéryx, il trouvait que la direction d'Élatha faisait courir beaucoup de risques à ses nouvelles recrues. Mais d'un autre côté, la guerre mijotée par Sarpédon n'aurait rien d'une partie de plaisir. Sans doute le Naos des magiciens blancs avait-il raison de soumettre ses jeunes à rude épreuve. Si l'on ne s'en sortait pas avec de simples voluptéryx, il devenait vain de penser affronter Sarpédon et ses Dahals. N'empêche qu'il fallait sortir d'ici au plus vite.

— Imaginez plutôt Avalon comme une bulle flottant à son propre gré dans un espace-temps singulier. Je sais que ce n'est pas très facile à se représenter, mais c'est comme ça. Peut-être découvrirez-vous un jour comment et pourquoi vous avez pu entrer en ce lieu. Ou peut-être ne le retrouverez-vous plus jamais. Sachez que cet endroit peut disparaître d'un instant à l'autre, ce que je ne nous souhaite pas, qui sait où nous nous retrouverions?

— Alors le décor pourrait changer d'un coup? demanda Nive.

— Hélas, non. Tout resterait identique à nos yeux un certain temps, mais en sortant de cette bulle… nous ne serions probablement plus sur Abracadagascar. Avalon se déplace hors de notre perception. C'est pourquoi, si Kaylé est remis de ses émotions et si vous vous sentez tous capables de reprendre le chemin, je vous conseille de ne pas traîner ici.

— Si ça ne tient qu'à moi, on peut repartir tout de suite, fit Kaylé qui ne voulait pas endosser davantage de responsabilités.

Après les propos d'Albuceste, il n'était question pour personne de traîner plus longtemps ici.

— Quand je pense que tant de gens cherchent Avalon... soupira Nive.

Aucun de ses ancêtres n'y était jamais parvenu. Et si l'on exceptait l'épisode fâcheux des voluptéryx, Avalon avait quand même tout d'un paradis. Mais voilà, il faut savoir quitter les paradis avant qu'ils ne se transforment en enfers.

Pendant que Piphan' rangeait son ornithorina et la plume de sîmorgh dans son sac, Melys, toujours très pragmatique, poursuivait son interrogation.

— Si on ne peut pas distinguer la jonction de ce monde avec l'autre, comment va-t-on faire pour trouver la sortie ?

— Je ne vois qu'une solution, répondit Albuceste. Suivez l'empreinte de mes sabots. Sur cette terre humide, ce ne doit pas être trop compliqué. Je suis arrivé par ici, je ne me suis pas arrêté en chemin... Les traces devraient être encore fiables...

Il les accompagna jusqu'au sentier pour vérifier que ses empreintes étaient toujours visibles, ce qui rassura tout le monde. Enfin, juste avant de les quitter, il dit :

— Il y a quand même une chose pour laquelle je ne vous félicite pas. Aucun d'entre vous n'a demandé des nouvelles de Jaufrette!

Le brouhaha fut total. Tous aussi penauds les uns que les autres, ils cherchaient à parler en même temps. Mais Albuceste savait très bien que leur attention avait été dispersée entre l'attaque de Kaylé, l'absorption des fruits douteux et la magie envoûtante d'Avalon.

— N'ayez crainte, rassura-t-il. Elle se porte comme un charme et vous attend. D'ailleurs, elle n'est pas la seule… vous êtes très attendus. Allez! Et soyez grands!

Ce furent les derniers mots d'Albuceste, ce qui ne le fit pas disparaître de leur conversation. Tout en suivant ce fil d'Ariane qu'il avait laissé au sol malgré lui, ils se racontaient leur bonheur d'avoir rencontré un être pareil. Rien que pour lui, pour cette amitié et cette générosité sans faille, ça valait le coup de venger les bucentaures. Quand l'heure serait venue, les Dahals n'auraient qu'à bien se tenir… ou rôtir!

Chapitre 16

La forêt
des Zindris

L'idée de remonter les empreintes de sabots se révéla excellente. Au bout d'une petite heure de marche, ils sortaient d'Avalon. C'est Melys qui s'en rendit compte le premier, grâce à Perline et Joa. Appliquant les conseils du bucentaure, elles s'étaient attardées un peu pour refaire le plein de myrobolanes. Albuceste avait dit qu'il ne fallait pas hésiter à en manger plusieurs fois, que ça ne pouvait pas faire de mal, qu'au contraire c'était une sécurité.

À un moment, Melys, qui marchait toujours en tête, se retourna pour voir si tout le monde suivait. Du premier coup d'œil, il s'aperçut de l'absence des deux filles et c'est en suivant son regard que tous virent Joa sortir du vide. Comme si elle quittait subitement une cape d'invisibilité et se matérialisait dans l'espace.

— Qu'est-ce que vous avez à me regarder comme ça? demanda-t-elle.

— Tu peux reculer un peu, s'il te plaît?

Joa ne comprit pas pourquoi, mais elle s'exécuta et ils la virent disparaître dans le néant. Elle réapparut quelques secondes plus tard avec Perline et ce fut le début d'un grand jeu qui les amusa beaucoup. Avalon avait une limite précise. En quelques centimètres, on passait d'un monde à un autre et le raccordement des deux était d'une stupéfiante perfection. Melys observa de plus près et trouva un point de jonction de cette double nature. Son attention s'était portée sur un grand arbre qui bordait le sentier. Du côté d'Avalon, il regorgeait de ces fruits savoureux qu'il ne fallait pas manger, mais, sitôt qu'on repassait du côté d'Abracadagascar, ce même arbre était un manguier comme ils en connaissaient tous. Ils découvrirent alors qu'il en allait de même pour la moindre plante ou le moindre caillou à cheval sur cette barrière invisible.

Mais si tout cela était aussi passionnant qu'amusant, Nive n'en rappela pas moins le groupe à l'ordre. De ce qu'elle avait retenu des propos d'Albuceste, Avalon pouvait se déplacer à n'importe quel moment, et elle ne se voyait pas rester prisonnière d'une bulle spatiotemporelle. Eux non plus. En outre, elle rappela qu'ils ne devaient plus s'attarder, car chaque fois qu'ils avaient oublié leur objectif ça avait failli leur coûter cher. Dès ce moment, ils ne s'arrêtèrent plus que pour de courtes pauses et pour une seule nuit.

Au matin, ils étaient dans la forêt des Zindris. Un panneau de bois annonçait Mourmang. Le premier signe de civilisation depuis qu'ils avaient quitté Maro-Ancêtre. Si ce n'est que Mourmang n'était pas un village humain et commençait par une forêt clairsemée, très lumineuse, où se dressaient de grands arbres inconnus, sans aucune feuille.

Sur d'énormes branches plates et parfaitement horizontales, ils découvraient de grosses boules blanches, posées çà et là comme des décorations sur un sapin de Noël. Elles étaient faites de poils fins et soyeux, ébouriffées comme de grosses peluches rondes qu'ils devinaient vivantes malgré leur immobilité. L'endroit était tellement silencieux qu'ils n'y avancèrent d'abord qu'à pas feutrés, de peur de réveiller quelque chose qu'ils ne maîtriseraient pas.

Piphan' remarqua une habitation, juchée sur un arbre différent, à une cinquantaine de mètres, avec un escalier en rondins pour y accéder.

— Ohé! Y a quelqu'un?

La réponse fut instantanée: Jaufrette apparut dans l'encadrement de la cabane perchée. Elle était radieuse. Luminescente. En la découvrant ainsi, Piphan' se dit qu'il ne pourrait plus jamais la considérer comme une nunuche et regretta de l'avoir pensé. Il n'osait pas se l'avouer mais il la trouvait même plutôt jolie.

— On ne vous attendait pas avant deux jours. Vous avez dû marcher vite!

Ce n'était ni vrai ni faux. Ils ne s'étaient plus attardés mais ne s'étaient pas hâtés pour autant. Simplement, ils ne réalisaient pas combien la bulle avalonienne les avait rapprochés de Mourmang. Elle leur avait fait gagner presque trois jours.

— Et tu es guérie? demanda Perline.

— Complètement! Quand je me suis réveillée, je n'avais déjà plus rien à la jambe. Mais vous ne devinerez jamais qui m'a soignée…

— Heu… Oucoulouncoulou? avança Joa.

— Non. Oucoulouncoulou a bien pris soin de moi, mais celui qui m'a soignée s'appelle Albuceste. C'est un… c'est un…?

— Un bucentaure! firent-ils en chœur.

Jaufrette avait pensé faire son petit effet mais c'était raté. Dans son coma, elle ne s'était pas rendu compte de grand-chose, et dans sa grande humilité Albuceste n'avait pas dû lui raconter tout ce qui s'était passé.

— Tu es toute seule ici? On est bien à Mourmang? s'enquit Melys.

— Seule? Vous voyez bien qu'ils sont tous là, répondit-elle en désignant les boules de peluche sur les arbres.

— Quoi? s'étonna Perline. Ces peluches rondes… c'est ça les Zindris?

— Oh! Ils sont merveilleux! On ne va pas les réveiller tous mais Oucoulouncoulou voulait qu'on aille le voir dès que vous arriveriez.

— Tu veux dire qu'ils dorment?

— Ce n'est pas vraiment du sommeil. En fait, ils ne sont pas vraiment là. Ce qu'on voit sur les branches, ce sont leurs corps physiques. Parfois ils se réveillent mais la plupart du temps ils voyagent dans l'astral.

Jaufrette les conduisit au pied d'un arbre plus imposant que les autres. Les boules blanches y étaient un
peu plus grosses et nimbées d'une lumière étincelante.

— C'est l'arbre des Aînés, expliqua-t-elle.

Elle n'eut pas à en dire davantage. Une boule de
peluche était en train de se déployer lentement pour
révéler un lémurien d'une blancheur immaculée.

— Bienvenue à Mourmang, entendirent-ils.

Ils avaient tous compris que c'était ce lémurien qui
leur souhaitait la bienvenue, et pourtant le son n'avait
pas de provenance précise. Ils le recevaient directement dans leurs têtes. Ce qui était sûr, c'est qu'aucune bouche n'avait pu lâcher ces mots car le Zindri
maintenant dressé face à eux n'en possédait pas, de
même qu'il n'avait pas d'yeux, ni de nez, ni d'oreilles.
Ce qu'on devinait être son visage était une boule, bien
ronde et bien lisse, surmontée par des poils aussi
soyeux que ceux du corps mais plus longs, qui dessinaient une coiffure sphérique.

Jaufrette expliqua rapidement que les Zindris com-
muniquaient par télépathie, qu'ils se nourrissaient
exclusivement d'air, de l'eau qui y était contenue, et
de beaucoup de lumière.

— Vous êtes en avance, confirma Oucoulouncoulou.
Mais c'est tant mieux. Voilà qui va rassurer vos maîtres car ils ont été très surpris des attaques de marlous.

Jaufrette dut encore expliquer que l'information
était remontée jusqu'à Élatha et avait mis en émoi la
direction du Naos. Jamais des marlous n'auraient dû

se trouver dans la zone de protection. Cela laissait entendre que, peut-être, les homméduses jouaient un double jeu et que leur rôle avait consisté à séparer les apprentis magiciens de leurs maîtres. Certes, ils avaient donné l'impression de se battre du bon côté mais, après tout, eux ne risquaient pas grand-chose. Ils pouvaient toujours se constituer.

— Dans ce cas, suggéra Kaylé, pourquoi les homméduses n'en ont pas profité pour nous attaquer? C'était facile…

— Parce qu'en agissant ainsi ils auraient signé leur arrêt de mort, pensa Oucoulouncoulou en eux. Élatha ne pardonne jamais qu'on s'attaque à ses membres. Une seule chose est certaine, c'est qu'il y a eu un grave dysfonctionnement dans le système de protection d'Abracadagascar. Quoi qu'il en soit, vos maîtres sont heureux d'apprendre que vous êtes sains et saufs.

Tout en parlant, l'Aîné descendit de la branche plate avec une agilité déconcertante. Malgré ses deux mètres de hauteur, on aurait dit qu'il ne pesait rien. Il y avait de cela. L'essence quasi éthérique des Zindris les rendait à peine tributaires de la pesanteur et les jeunes purent mieux l'apprécier dans les minutes suivantes. Toutes les autres boules blanches sur cet arbre des Aînés étaient en train de se déployer, révélant une quarantaine de Zindris, tous aussi grands, aussi lumineux, et tous sans visage.

Dès qu'ils en furent descendus, le grand arbre

commença à craquer. Lentement, les longues branches plates se replièrent le long du tronc. Elles formaient des écailles qui se protégeaient l'une l'autre et, quand elles furent toutes à la verticale, l'arbre ressembla à une gigantesque pomme de pin posée au sol. Oucouloun-coulou les devança dans leurs interrogations.

— Ce sont des araucarias platicaules. Ils nous servent d'aire de repos, d'envol et aussi de solarium. Ils pour-raient également nous servir d'abris. À vrai dire, nous n'avons jamais eu besoin de nous protéger à ce point.

Les Filus étaient encore loin de mesurer la vraie nature des Zindris mais, déjà, ils éprouvaient une sen-sation de bien-être en leur présence. Tout stress avait disparu, ils ne ressentaient plus la nécessité de rester sur le qui-vive. D'ailleurs, la sérénité de Jaufrette ren-forçait cette impression. Malgré la brièveté de son séjour, il lui semblait être là depuis une éternité et sa blessure était déjà un souvenir lointain.

— Tu trouves pas qu'ils sont très beaux? demanda Nive à Perline.

— Euh, oui, je ne sais pas. Comment peux-tu dire qu'ils sont beaux? Ils n'ont pas de visage…

— C'est vrai que, sans les yeux, on voit moins vite l'âme. Mais il faut croire qu'elle émane d'autre chose.

Et pour cause! Les Zindris étaient des âmes, plus exactement des âmes transmigrantes. La plupart d'entre eux étaient des réincarnations définitives de magiciens primitifs. À la différence des fantômes errants qu'étudiait le père de Melys, les Zindris étaient des âmes itinérantes. Ils ne cherchaient pas leur voie, ils l'avaient trouvée depuis longtemps. Les apprentis en surent davantage quand Oucoulouncoulou leur présenta son peuple singulier.

— Depuis de longs siècles, nous sommes parvenus à réduire notre apparence physique à cette enveloppe de peau et à ces poils qui nous servent de capteurs. Nous voyageons dans l'astral le plus reculé dans l'unique but de perfectionner notre sagesse. Jadis, avant d'en arriver là, certains d'entre nous ont été les plus grands lémures que la planète ait connus…

À cette époque, nous étions les seuls êtres évolués sur l'île. C'était avant l'arrivée, heureusement tardive, des premiers hommes. Ça nous avait laissé le temps de développer notre pacifisme. Car ensuite, ce fut plus difficile. L'arrivée d'une poignée d'humains apporta les premiers conflits, et nous avons dû nous établir dans cette forêt isolée au centre de l'île où nous attendaient ces araucarias platicaules.

Puis, comme un bonheur n'arrive jamais seul, Élatha vint s'installer sur Abracadagascar pour mettre bon ordre aux débordements. À partir de là, les humains ne furent plus invités et l'île redevint plus enchanteresse que jamais. Élatha la rendit inabordable, invisible, et le Conseil des Aînés passa des accords avec les frères Chronocator et Cosmocrator pour gérer d'une manière stable les entrées et les sorties. La mécanique se mettait en place…

Bien sûr, il fallut accepter quelques compromis. Les magiciens blancs avaient de nombreux amis à mettre en lieu sûr à cause de la Grande Inquisition dans les Pays Extérieurs. Les bucentaures, les licornes, les gazailes, toutes les créatures relevant de la magie blanche étaient persécutées et menacées d'extinction par les Spartoï, des guerriers spontanés sous les ordres de Taranis, l'ancêtre de Scorticore et de Sarpédon. Pour le Conseil d'Élatha, complètement désorganisé dans une vieille Europe à feu et à sang, ce fut une aubaine qu'Abracadagascar soit une île presque vierge. Dès qu'ils y transférèrent le Naos et redéployèrent sa puissance, tout rentra dans l'ordre avec la soumission de Taranis.

Plus tard, son descendant Scorticore remit ça avec ses Armées Noires et ses flottes d'hydres rouges, des dragons ailés dont il ne servait à rien de couper les nombreuses têtes puisqu'elles repoussaient aussitôt. Mais en fin de compte, Scorticore se rendit lui aussi. Sauf que c'était une ruse. Il avait trouvé le moyen de se faire aider par une puissance infernale, Hécate, pour assurer à son fils qui allait naître des pouvoirs suprahumains. Et cela seul comptait. Il ne voulait pas courir le risque d'être détruit avant cette naissance.

Nul ne sait pourquoi Hécate accepta d'aider Scorticore. Qu'il fût reconnu comme Seigneur des Ténèbres n'enlevait rien à ses origines humaines. Or la magie, jusque-là, respectait la Convention magico-divine, qu'elle soit noire ou blanche. Elle avait été accordée aux hommes quand les dieux avaient décidé de ne plus interférer dans les affaires humaines. C'était en quelque sorte un cadeau d'adieu. Le revirement d'Hécate ne fut pourtant pas considéré comme tel par ses pairs. Le Panthéion n'estima pas que l'équilibre des forces était en danger.

Il est vrai qu'en maîtrisant à ce point la haute magie ancestrale des origines du pouvoir, les Maîtres d'Élatha donnaient raison aux dieux. Taranis s'était rendu et Lug, qui avait voulu lui succéder, fut rapidement déchu. Les dieux se demandèrent de quoi les humains pouvaient bien se plaindre. La guerre était certes un art qu'ils avaient développé mais ils ne demandaient pas aux hommes de leur ressembler. La séparation des mondes était claire sur ce point : elle laissait le libre arbitre.

Aujourd'hui, cependant, nous redoutons le pire. Nous sentons qu'une énergie nouvelle rejoint celle des forces noires. Malheureusement, nous devons avouer que sa définition nous échappe encore en grande partie. Le rôle de Lilith reste des plus obscurs… Une prophétie annonce sa possible réincarnation lors d'un rituel lunaire. De grands troubles sont à prévoir, mais ces rituels sont vieux comme le monde. Ils ne seraient pas de nature à inquiéter vos maîtres outre mesure s'il n'y avait ce décalage du temps qui vient de se produire et dont l'explication demeure bien mystérieuse. Vos maîtres vous en apprendront davantage. C'est pourquoi vous pardonnerez notre accueil si bref, mais il ne nous appartient pas de vous retenir plus longtemps.

Cette histoire abracadagascaresque, Oucouloun-coulou venait de la leur transmettre par télépathie. Ces nouvelles données s'inscrivirent en eux, comme un cours d'histoire improvisé qui venait augmenter leur connaissance d'Élatha et de ses ennemis. À l'exception des fragments que Nive et Kaylé lui avaient donnés, Piphan' découvrait quasiment tout, et pourtant…

Il avait appris peu avant que ses parents étaient magiciens, mais il était encore loin de se douter de quelles fantastiques lignées il descendait. Jusqu'à présent, il espérait une révélation sur son père. Or là, dans cette forêt des Zindris, il venait de se passer quelque chose de nouveau…

Un instant, rapide comme un flash, un visage féminin avait traversé son esprit, accompagné d'un sentiment qui ne le lâchait plus : ce visage était celui de sa mère. Il venait de capter, bien malgré lui et bien malgré eux, les pensées qu'Oucoulouncoulou échangeait avec d'autres Zindris. Il avait très nettement compris qu'ils étaient en train de penser à sa mère, qu'ils l'avaient connue et qu'ils se remémoraient son visage comme si elle était toujours présente en eux. Ce visage portait un nom, et ce nom était Gaïa Hardy. Un Zindri avait pensé tout bas « C'est bien un fils de Gaïa. » À quoi un autre avait répondu par un soupir d'admiration et

de désolation mêlées que Piphan' traduisit comme
«Oh! Le pauvre…»

Il se tourna vers l'un, vers l'autre, vers Oucoulouncoulou, cherchant à identifier la source des paroles,
mais l'absence de visage des Zindris rendait son geste
vain. À d'infimes nuances près, ils reflétaient tous la
même chose. Et puis, peu importait lequel avait tenu
ces propos. Le plus gênant était l'idée que plusieurs
Zindris l'observaient et qu'il n'avait aucun moyen de
savoir lesquels. Il sentit sa colère fondamentale remonter à la surface et voulut s'éloigner de ces peluches
blanches qui commençaient à l'indisposer.

Mais son état mental ne risquait pas d'échapper à la
perception extrasensorielle des Zindris, encore moins
à celle d'Oucoulouncoulou. L'Aîné était aussi navré
que surpris. D'ordinaire, leur système de communi-
cation télépathique ne permettait pas qu'un humain
puisse capter les pensées qu'ils s'échangeaient.
Lorsqu'ils s'adressaient aux hommes ou à d'autres créatures, c'était toujours sur des fréquences spéciales, avec
une précision rodée depuis des siècles.

Ils devaient se rendre à l'évidence, une nouvelle
exception venait de se produire ; ce garçon disposait
de facultés remarquables, pour ne pas dire redoutables. De mémoire de Zindris, c'était la seconde
exception qu'on ait connue et, sans la certitude que
Piphan' était bien du bon côté des choses, ils auraient
eu du souci à se faire pour leur communauté. Aussi
Oucoulouncoulou préféra-t-il prendre les devants.

— Excuse-nous d'avoir pensé en ta présence à des choses qui doivent t'être douloureuses, Épiphane. Nous ne pensions pas que tu pourrais lire en nous comme tu l'as fait. Cela dit, nous ne pensions pas à mal. Le souvenir de ta mère n'évoquera jamais en nous que des images parmi les plus lumineuses qui soient, un pur bonheur.

— Vous connaissiez ma mère?

— Il n'est pas un Zindri qui ne l'ait connue. Pas un qui puisse oublier l'extrême générosité qui était la sienne. S'il nous avait été donné d'être des humains, nous n'aurions pas voulu d'autre femme pour mère. C'est pourquoi nous pensons que, par-delà les ténèbres qui te déchirent, Épiphane, tu es béni des dieux. Oh, bien sûr, il te reste beaucoup à apprendre pour t'aguerrir. Mais nous qui voyons derrière les apparences, nous pouvons te dire qu'une belle lumière t'enveloppe, celle qui émanait de ta mère Gaïa. Elle t'a tout donné comme elle nous a donné le meilleur d'elle-même, comme elle a tout partagé, partout où c'était possible, jusqu'à son dernier souffle. Sache qu'en pensant à ta mère tu n'auras jamais à baisser la tête.

C'était la première fois qu'on lui parlait de sa mère en évoquant autre chose qu'un accouchement mortel. Ou même son histoire de grande magicienne. Il sentait chez ces Zindris une vénération qui élevait sa mère au rang de déesse pour ses seules qualités humaines. Plus encore, ils auraient aimé l'avoir pour mère! Pouvait-il y avoir plus beau compliment?

Un instant il songea à mère Pélagie, à Bertille, à Mercurio. Il imaginait qu'ils devaient tous savoir ce qu'il venait d'apprendre et leur en voulait de le lui avoir caché. Oucoulouncoulou perçut ses pensées négatives.

— Nous ne connaissons pas cette mère Pélagie à laquelle tu penses, mais nous avons connu Bertille. Et nous connaissons un peu don Mercurio. Il ne serait pas juste que tu nourrisses de mauvais sentiments envers eux. Le voile jeté sur ta naissance a cloué au secret tous ceux qui savent la vérité, même quelques bribes. Nous-mêmes ne saurions t'en dire davantage sans prendre d'énormes risques ou t'en faire courir. C'est parce qu'il n'appartient qu'à toi de lever ce voile, Épiphane. Nous sommes seulement autorisés à te dire que l'heure est proche parce que tu es enfin là.

— Autorisés ? Qui vous a autorisés ?

— Quand je dis «autorisés», c'est juste parce que notre dernier contact avec les Aînés d'Élatha remonte à moins d'une heure, lorsque vous arriviez à Mourmang. À vrai dire, ce sont eux qui m'ont demandé de te faire ce petit cours d'histoire, une manière de gagner du temps. Nous les avions déjà informés de l'attaque des marlous, mais entre Maro-Ancêtre et ici, ils ont perdu votre trace pendant plus de deux jours. Il ne vous est rien arrivé de fâcheux, au moins ?

— Non, enfin, ça aurait pu, mais on s'en est bien sortis. C'est quand on était en Avalon.

Avalon! Avalon! Avalon!

Ce mot produisit un effet immédiat chez les Zindris. Ils se le répercutèrent de l'un à l'autre en écho, comme une incantation. Pour Piphan' qui captait toutes ces pensées simultanément, ce fut un vacarme assourdissant contre lequel il ne servait à rien de se boucher les oreilles.

Pas terrible, la télépathie! se dit-il.

À peine eut-il pensé cela que tous les Zindris cessèrent d'émettre. Un lourd silence envahit son esprit. Tous avaient maintenant compris qu'il percevait leurs pensées comme s'il était des leurs. Ils attendaient une sorte d'autorisation de la part d'Oucoulouncoulou, et c'est ce que fit celui-ci. Piphan' ne décela pas quel signe venait de libérer les pensées mais il comprit que tel Zindri s'entretenait avec Perline, tel autre avec Melys, que tous ses camarades étaient accaparés et que le sujet était Avalon.

— Ainsi vous avez découvert Avalon! pensa Oucoulouncoulou en lui. Pardonne notre excitation mais, tu comprends, Avalon finirait presque par ne relever que du mythe s'il n'y avait de temps en temps des témoignages comme les vôtres. Nous la cherchons partout, et depuis si longtemps… Sa belle lumière serait si bénéfique à notre perfectionnement! Avalon serait donc sur Abracadagascar en ce moment? Comment savez-vous qu'il s'agit d'Avalon?

— C'est Albuceste qui nous l'a dit.

— Albuceste? Qu'en savait-il? Comment pouvait-il en être sûr?

— Il a dit que c'était la deuxième fois qu'il traversait cette forêt. Il connaissait les voluptéryx et les plantes. Il nous a fait manger des myrobolanes...

À ce mot, Oucoulouncoulou cessa un instant d'émettre vers Piphan'. Si l'Aîné des Zindris avait eu des yeux, il les aurait fermés de délice. Les fruits d'Avalon, le chant polyphonique des voluptéryx, la lumière violette du lac, les flux transbordeurs... Ces images d'un paradis des âmes émoustillaient les grandes peluches blanches comme des paquets-cadeaux excitent les enfants. Oucoulouncoulou décida qu'un groupe d'éclaireurs devait partir immédiatement vérifier si Avalon se trouvait encore dans les parages.

— Vous n'avez qu'à suivre les empreintes des sabots d'Albuceste, proposa Piphan' en les entendant tergiverser sur la direction à prendre.

L'idée leur parut bonne et ils l'exprimèrent dans un tel brouhaha que sa tête faillit exploser. L'Aîné sentit le danger.

— Voilà bien une autre ressemblance avec ta mère. Dès la première rencontre, elle a perçu toutes nos pensées en même temps et cela lui donnait de terribles maux de tête. Si nous devons nous revoir, nous t'apprendrons à cloisonner ton mental. Le cloisonnement partiel nous permet de tenir plusieurs discussions à la fois, avec autant d'interlocuteurs que nécessaire. C'est une technique que nous avons élaborée au fil du temps. Gaïa n'a eu aucun mal à la mettre en pratique et l'a même remarquablement adaptée au cerveau humain. Mais nous verrons cela en temps utile. Pour l'heure, vos maîtres vous attendent et vous-mêmes devez languir d'arriver. Je vais vous accompagner aux portes d'Élatha. Après quoi je devrai vous laisser, en espérant que nos éclaireurs seront de retour avec une bonne nouvelle…

L'Aîné des Zindris se dirigea vers un énorme soanambo dressé en bordure de Mourmang, là où la forêt recommençait à être dense. À son approche, une partie de l'écorce se mit à craquer et dégagea une porte arrondie. L'arbre était creux et dévoilait un escalier sculpté dans ses racines. L'Aîné s'y engagea et les Filus Aquarti n'eurent qu'à emboîter son pas.

Leur dernier regard sur ce lieu si accueillant les imprégna d'une image qu'ils n'étaient pas près d'oublier. De loin en loin, sur tous les araucarias platicaules, toutes les boules de peluche blanche s'étaient déployées. Plusieurs centaines de Zindris, debout dans un silence religieux, les accompagnaient en une très émouvante pensée collective. Ils savaient l'espoir que ces jeunes représentaient pour Élatha et leur devaient peut-être la découverte tant attendue d'Avalon.

L'arbre se referma sur eux. Ils ne marchèrent que quelques secondes dans un corridor végétal avant que la porte s'ouvre sur un paysage totalement différent, à une centaine de kilomètres de la forêt des Zindris. Ils venaient d'emprunter un couloir spatio-temporel sans s'en rendre compte. Au sortir de ce soanambo très pratique, une autre vision leur arracha de concert un souffle émerveillé. Ils étaient arrivés! Élatha était là, sous leurs yeux! Et pour une surprise, c'en était une… de taille! Même pour Kaylé, dont le père enseignait ici, pour Nive, Joa ou Melys, dont les parents avaient connu Élatha, aucune information sur la nature du Naos n'avait transpiré. La surprise était totale.

Au sommet d'une colline tout en pentes douces se dressait un arbre gigantesque comme aucun d'entre eux n'aurait pu imaginer qu'il en existât. Si le ciel de ce jour n'avait pas été d'un bleu aussi éclatant, la cime de l'arbre se serait perdue dans les nuages. Oucoulouncoulou devança une dernière fois leurs interrogations.

— Mesurez votre chance, jeunes humains! Il n'en reste que deux sur la planète. Ce sont des arbres cosmogoniques. L'autre se trouve quelque part en Nouvelle Europe. Hélas, on dit qu'il est en train de se fossiliser. Tandis que celui-ci est bien vivant! C'est l'Arbre-Mère. À sa base, il fait quatre cent soixante-dix-sept mètres de diamètre, mais il est encore jeune, il continue de croître. Voilà votre école!

Un instant encore, ils restèrent figés devant la beauté majestueuse du panorama, se pinçant pour être sûrs qu'ils ne rêvaient pas, commençant à entrevoir que le monde magique reculait infiniment les limites de ce qu'ils avaient appelé le possible. Élatha était un arbre. Ils allaient apprendre et habiter dans un arbre.

Mais quel arbre! Même «géant» était un mot trop petit!

Ils remercièrent Oucoulouncoulou et firent un premier pas vers la colline de l'Arbre-Mère. Avant de suivre ses camarades, Piphan' se tourna vers l'Aîné des Zindris.

— Je ne vous oublierai pas et… je voulais vous remercier pour ce que vous m'avez dit sur ma mère.

— Sois certain que nous ne t'oublierons pas non plus et que tu seras toujours le bienvenu. Surtout, s'il est une chose que tu ne dois pas oublier, c'est ce don qu'elle t'a légué. Tu vas développer bien des pouvoirs, mais ne sacrifie pas sur l'autel de la facilité le plus puissant d'entre tous.

— De quel don parlez-vous?

— L'amour, Épiphane. Le véritable amour. Crois-moi, il n'est pas de force plus puissante. L'amour, c'est la faille des magiciens noirs. Leur noirceur les empêche de voir qu'ils peuvent aussi aimer et être aimés. Puisses-tu voir ta propre lumière, et que la Paix du Monde soit sur toi!

Oucoulouncoulou n'attendit aucune autre question. Il tourna prestement le dos et la grande peluche blanche s'évanouit dans l'ombre creuse du soanambo.

Chapitre 17

La proposition
de Nicandre

Un matin, Kimyan entrebâilla la porte du dortoir, veillant à ne réveiller personne.

Tout à l'idée de ce qu'il allait faire, il n'avait pas fermé l'œil de la nuit. À l'inverse de Piphan', il n'avait pas l'habitude de désobéir. Il veillait par mille petites attentions à ce que mère Pélagie ne puisse jamais lui reprocher d'être une charge pour l'orphelinat. Il allait sur ses quinze ans et savait qu'il atteignait la limite à laquelle on lui demanderait de vider les lieux.

Mais où irait-il? Et pour quoi faire? Il n'avait jamais aimé l'école, ni la lecture, ni l'écriture. Les chiffres, n'en parlons pas. S'il n'avait tenu qu'à lui, il aurait passé tout son temps sur le lagon ou dans la forêt. Il aurait observé les insectes, les fleurs, les poissons, le ciel, l'horizon… Ou alors il aurait rendu visite aux uns et aux autres, pour le simple plaisir de discuter, de rendre service, porter un seau trop lourd, couper du bois trop dur... Seules les relations l'intéressaient. Il parlait à tout le monde, il aimait tout le monde et tout le monde le lui rendait bien.

Ce qui l'avait empêché de dormir, c'était l'idée d'emprunter sans autorisation la pirogue du foyer. Mais c'était plus fort que lui. Depuis que Piphan' était parti, il s'était retrouvé chaque jour un peu plus déboussolé, il tournait comme un animal en cage et découvrait un sentiment qui jusque-là lui avait été étranger : la colère. Pourquoi, il n'en savait rien, mais tout l'insupportait. Son frère de cœur lui manquait à tel point que tout le reste devenait dérisoire. Ni Vouki, ni Bertille, ni aucun autre de leurs frères et sœurs ne parvenaient à l'intéresser.

Il se revoyait une semaine plus tôt, assis avec Piphan' sur les rochers de la pointe à Rodin, le soir de son départ. Il s'en voulait. Pourquoi, bon sang, n'était-il pas parti avec lui alors qu'il le lui proposait de tout son cœur? Pourquoi, pourquoi, pourquoi?

Huit jours déjà, une éternité. Jamais il n'aurait cru que des jours puissent être aussi longs. Et jamais il n'aurait pensé que l'absence puisse être plus terrible que l'abandon. Forcément! Ils ne s'étaient jamais quittés. Où était Piphan' à présent? Était-il encore sur Albaran? Lors de sa dernière visite, Mercurio avait bien dit qu'il partait pour une nouvelle école, mais sans préciser où. Il avait également dit qu'il pourrait y aller lui aussi, mais pas tout de suite. Il était question de «mise en place», de «pronaos», de «Naos». Il n'avait pas bien compris. À vrai dire, vu que ça parlait d'école, il n'avait fait aucun effort d'attention.

Mais il y a quatre jours, tout avait basculé. À la nuit tombée, il était parti en cachette de l'orphelinat comme une âme en peine. Il était venu s'asseoir sur les rochers de la pointe à Rodin, seul, face au lagon, à la barrière de corail. Face à l'océan Infini.

Dans cette nuit qui s'installait, son regard avait soudain été happé par une étoile rouge très basse sur l'horizon. Particulièrement scintillante. Il n'avait jamais remarqué auparavant une étoile rouge à ce point et s'était mis à la fixer. Petit à petit, il avait entendu monter une sorte de grondement, un bourdonnement continu. Plus il se concentrait, plus il avait la nette impression que cela venait de l'étoile. On aurait dit des voix, des milliers de voix superposées mais trop lointaines pour en isoler une.

Ce fut Anicet, le troumba de l'île, qui le sortit de sa concentration. Il ne l'avait pas entendu arriver.

— Elle est belle, n'est-ce pas?

— Quoi? L'étoile rouge?

— Oui… Mais ce n'est pas une étoile, vois-tu. Il s'agit de la planète Mars. Il est très rare que nous puissions l'observer d'aussi près à l'œil nu. Malheureusement ce n'est pas très bon signe. Oh non, mauvais présage…

— Ah bon?

— Tu as bien dû apprendre les planètes à l'école, non? Tu te souviens de l'origine de leurs noms?

Kimyan en savait l'essentiel. Il savait surtout qu'il ne devait pas cette connaissance à l'école mais plutôt à sa relation avec Piphan'. C'était l'époque où ils se passionnaient pour les mythologies. Jupiter, Pluton, Saturne, Mercure...

Mercure, Mercurio... Tiens, pensa-t-il, j'avais jamais remarqué qu'il portait le nom d'un dieu, celui-là!

Il fit un effort de mémoire pour retrouver les attributions dont parlait Anicet. Vénus, c'était la plus facile, c'était l'Amour. Et Mercure, le messager. Et Mars...

— La guerre?

— Bingo! fit le troumba. En plein dans le mille.

— Ça veut dire qu'il va y avoir la guerre à l'îlot Nat?

— Je ne crois pas. En fait, je n'en sais rien. Mais tu sais, il y a toujours une guerre quelque part. Et ce rapprochement de Mars ne me dit rien qui vaille. En tout cas, sa position annonce qu'il faut s'attendre à des changements.

L'air contrarié du troumba n'avait rien de rassurant. Mais pour un vawak de quinze ans qui avait toujours vécu dans les îles Protégées, la guerre était une parfaite abstraction. Des changements? Pour Kimyan, ils avaient déjà eu lieu. Le départ de Piphan' avait tout bouleversé. Que pourrait-il arriver de pire? Il préféra revenir à ses considérations planétaires, Vénus l'amour, Mercure le messager, Mars la guerre...

Mais alors qu'Anicet reprenait son chemin, Kimyan ne résista pas à une dernière question.

— Et la Terre? Pourquoi on l'a appelé la Terre?

— Ça, j'ignore qui a eu une idée aussi stupide! Sans doute une erreur de la part de ceux qui confondent l'essence et la matière. Une erreur ou de la lâcheté. On aurait dû continuer de l'appeler Gaïa.

— Gaïa? C'était une déesse?

— Et comment! La Mère nourricière! Celle par qui tout a commencé. Celle à qui nous devons tout et que nous maltraitons tant…

— Ah oui, c'est vrai! s'exclama Kimyan en rassemblant ses souvenirs. Gaïa et Ouranos, la Terre et le Ciel originels…

— C'est une conception qui en vaut d'autres. Pour ma part, je préfère penser que Gaïa n'a eu besoin de personne pour engendrer tout le reste, même Ouranos. Elle est sortie du vide par sa propre volonté. Et par nécessité. Il n'existait que deux choses avant elle, Érèbe et Éros. Comme le premier n'était que ténèbres, elle a choisi Éros comme support. Elle est née d'elle-même sous le regard bienveillant de l'Amour. Mais, dis donc, je vois que tu t'intéresses aux mythes.

— Oui, enfin… un peu.

Il avait hésité à dire «beaucoup», ce qui aurait été plus sincère. Mais tout ce qui tournait autour des mythologies le renvoyait à ces instants de bonheur partagés avec Piphan'. Et ça, c'était devenu si douloureux qu'il n'avait plus qu'une envie, que le vieil Anicet s'en aille, qu'il le laisse seul. Comme, pour d'autres raisons, Anicet lui aussi préférait la solitude, la discussion en resta là et le troumba s'éloigna, pensif, inquiet.

Resté seul, Kimyan ressassait. Cette rencontre nocturne venait de lui remettre en mémoire l'expulsion d'Échidna. Piphan' lui avait raconté sa rencontre avec cette sorcière et celle avec une loche géante. Un poisson qui parle! Au début, il avait hésité à le croire. Mais en quinze ans, jamais Piphan' n'avait inventé une histoire pareille. Si quelque chose les rendait identiques, c'était bien leur honnêteté et leur franchise, même si ça les avait souvent desservis. Alors, soit Piphan' était devenu fou à force de lire des histoires fantastiques, soit il disait la vérité. Kimyan avait tourné le problème dans tous les sens et conclu que la seule manière d'en avoir le cœur net était d'aller se rendre compte par lui-même. Il savait comme Piphan' que, les loches étant relativement sédentaires, si cette mère loche était là il y a une semaine alors elle devait y être encore. Il était rentré se coucher, avec la ferme intention de se lever aux aurores et d'aller la trouver.

Et aujourd'hui, il rentrait tout chancelant à l'orphelinat. En le voyant arriver, Bertille avait levé les bras au ciel. Il avait les mains, les genoux et les pieds tout ensanglantés à cause des coraux de la barrière. De plus, il avait éventré la pirogue du foyer et s'attendait à la pire engueulade jamais reçue de mère Pélagie. Lui qui avait toujours pensé qu'on n'attendait qu'une erreur de sa part, c'était gagné. Il n'avait même pas pu ramener la pirogue, obligé de l'abandonner au beau milieu de la barrière de corail. Avec les courants montants, il n'en resterait bientôt plus grand-chose. Mais tant pis! De toute façon, il n'avait pas pu résister et il avait eu raison : il avait vu la mère loche.

Au moins il savait que Piphan' n'était pas fou et n'avait pas menti. Les poissons qui parlent, ça existe! Même si ça dit des choses plutôt obscures. D'ailleurs, Piphan' non plus n'avait pas très bien compris et ça ne l'avait pas empêché de partir.

La mère loche n'avait pas dit autre chose à Kimyan et, à de petits détails près, tout s'était passé de la même manière. Il s'était retrouvé dans une grosse bulle irisée qui s'était immobilisée à hauteur des entrailles du Bateleur, et la première phrase du poisson avait été : «Quand on voit l'un, c'est que l'autre n'est pas loin. Tu en as mis du temps, Kimyan.» Et de lui expliquer qu'il devait apprendre à lire les signes, que les coïncidences portent des habits de lumière, qu'il devait suivre le chemin de son cœur… Bref, les énigmes habituelles des mères loches. Il n'avait rien compris à ces histoires d'habits de lumière. Mais pour ce qui était de suivre le chemin de son cœur, c'était plus facile. Son cœur ne lui disait qu'une chose : va rejoindre Épiphane! En remontant à la surface, il avait comme il se doit crevé sa bulle et regagné la pirogue. C'est à partir de là que ça s'était gâté.

Il n'avait encore mis qu'un seul pied à bord lorsqu'un énorme requin peau bleue avait surgi, frôlant l'embarcation et le manquant d'un cheveu. Il avait vu la puissante mâchoire de si près qu'il aurait pu en compter les dents. La peur lui avait donné des ailes et il était bien incapable de se souvenir comment il avait fini de monter à bord. Il s'était mis à pagayer comme un fou, avec des gestes désordonnés. Tout ce qu'il voulait, c'était regagner au plus vite la passe de l'Arbre mort. Du regard, il cherchait partout, devant, derrière, guettant le retour du mangeur d'hommes. Mais le requin n'était pas réapparu. À sa place, ce fut une grosse vague qui le surprit et le projeta contre la barrière de corail. La pirogue embarqua tellement d'eau qu'il ne parvint plus à la manœuvrer et une deuxième vague fut fatale. Sous le choc, la coque se fendit à tribord en créant une voie d'eau. Il se jeta à l'eau et là une troisième vague l'emporta au milieu des coraux affleurant.

Voilà pourquoi il se tenait maintenant devant une Bertille affolée, qui rassemblait alcool et mercurochrome, et cherchait sans succès des sparadraps que mère Pélagie avait déjà revendus sur l'île d'en face.

Ce n'était pas les blessures qui le faisaient trembler, en bon vawak ayant grandi sur le lagon, il en avait vu d'autres. Tandis que ces dents de la mer... elles avaient bien failli être les dents de la mort. Il venait de la voir de si près qu'il ne pourrait plus jamais oublier qu'elle a toujours un visage et une odeur !

S'il avait bien compris les paroles de la loche, s'il devait désormais être attentif aux signes, alors comment interpréter celui-ci? Le jour même où il se décidait à croire à la magie, la mort manquait l'emporter! Pour un signe, c'en était un de taille! Et pour le moins, ça ressemblait à un avertissement.

Dans l'immédiat, il restait à affronter cet autre requin de mère Pélagie et, là, Kimyan pensait qu'il y aurait davantage qu'un simple avertissement.

— Allez, ne la fais pas attendre! dit Bertille. Et ne t'inquiète pas, il n'y a pas mort d'homme. Une pirogue, ce n'est pas grave. Va!

Malgré les mots rassurants de sa Bertille adorée, il entra dans le bureau directorial comme un prévenu entre dans un tribunal. Mère Pélagie n'y était pas seule. Un inconnu se tenait devant le bureau. Elle désigna à Kimyan une chaise vide à côté de l'inconnu et attaqua d'une voix ferme mais curieusement mesurée.

— Assieds-toi, mon garçon! Sœur Bertille m'a raconté pour la pirogue. Tu aurais pu demander l'autorisation... Et surtout dire où tu allais. Que je sache, nous ne t'avons jamais rien refusé. Mais bon! Nous verrons s'il y a un moyen de la réparer, sinon nous envisagerons l'achat d'une pirogue neuve. Après tout, les choses n'ont qu'un temps et nous n'allons pas gâcher une aussi belle journée pour si peu. Je voudrais te présenter Nicandre...

C'était nouveau, ça! En temps normal, ils devaient se

partager à table un os de poulet, et d'un coup mère Pélagie ne rechignait pas à investir dans une pirogue. Neuve, en plus! Elle fit un signe en direction de l'inconnu. Ce dernier se tourna vers Kimyan pour le saluer de la tête, mais sans dire un mot. Ses cheveux bicolores alternaient un noir de jais avec un rouge grenat. Très longs mais soigneusement tirés en arrière, ils découvraient un large front à peine ridé qui surplombait des yeux globuleux d'un bleu si clair qu'il frôlait la transparence. Sa peau rougeâtre, son nez aquilin et des ongles très longs au bout de ses mains velues achevaient de lui donner l'allure d'un oiseau de proie. La première impression de Kimyan n'était pas bonne. Ce type ne lui inspirait aucune confiance, plutôt une certaine répulsion. Mère Pélagie reprit d'une voix mielleuse.

— Nicandre est un ami de l'orphelinat. Et un ami personnel de longue date. Il arrive des Pays Extérieurs et a fait tout ce long voyage spécialement pour toi. Il se propose d'être ton parrain pour la durée qui te sera nécessaire…

Kimyan reçut cela comme un choc. Un parrain? Maintenant?

Il n'eut cependant pas le temps d'aller plus loin dans sa réflexion. Nicandre avait interrompu Mère Pélagie et s'adressait à lui.

— Entendons-nous bien, Kimyan. Je sais que tu vas avoir quinze ans et que, d'une certaine manière, il est un peu tard pour un parrainage, disons, au sens habituel. Mais comme mère Pélagie m'a appris que tu restais le seul de cet orphelinat à n'avoir ni parrain ni marraine, j'ai trouvé que c'était injuste. Je me suis dit qu'il n'était jamais trop tard pour bien faire. Ce que je propose est de t'apporter l'aide dont tu pourrais avoir besoin. À défaut de parrain, tu pourrais me considérer comme… un tuteur.

Kimyan resta interdit. L'homme avait une voix douce qui jurait avec son allure générale. Autant sa première impression, fondée sur ce visage ingrat, avait été négative, autant la chaleur de la voix et la teneur des propos le déstabilisèrent. Bien qu'il en ait une idée, il joua l'ignorance.

— Qu'est-ce que c'est un tuteur?

— Une sorte de guide, dit Nicandre. Quelqu'un qui peut te soutenir dans tes projets, dans le démarrage d'une vie… plus active. Pour ne rien te cacher, mère Pélagie m'a dit que tu n'aimais pas beaucoup l'école, c'est vrai?

— Ben, ouais… C'est nul!

— Qu'est-ce qui est nul? Il y a bien des matières qui te plaisent, non?

— Bof…

— Tu sais, Kimyan, un jour ou l'autre il faudra bien que tu aies une situation. À cela je peux t'aider.

— Bah! lâcha Kimyan désappointé, je serai pêcheur ou piroguier. Sans instruction, j'ai pas vraiment le choix.

— Allons! On a toujours le choix. Toutes les écoles

ne se ressemblent pas. Il y en a des spéciales, pour tous les âges et pour tous les goûts. C'est d'abord une question de volonté. Ça te dirait de changer d'école?

Mère Pélagie crut bon d'arrêter là les présentations. Elle s'adressa à Kimyan d'une voix douce calquée sur celle de Nicandre.

— Nous ne te demandons pas une réponse immédiate. Nicandre va rester quelques jours avec nous. Cela vous laissera le temps de faire plus ample connaissance, et toi ça te permettra de réfléchir à cette proposition. Mais, crois-moi, cela en vaut la peine. En attendant, pourquoi ne lui ferais-tu pas visiter notre île?

Elle se leva en les incitant à sortir, et Kimyan se retrouva à partir en balade avec cet inconnu qui se proposait d'être un parrain bien tardif.

C'était bien mère Pélagie, ça! En quinze ans, elle n'avait pas été foutue de lui trouver un parrain et, d'un coup, elle dégotait un type horrible. Un qui foutait le frisson.

Pourtant, au fil des trois jours que Nicandre resta sur l'île, Kimyan s'apprivoisa peu à peu. Il révisa sa première impression et passa volontiers son temps avec cet inconnu qui n'en était plus un. Ils se tutoyaient. Ça ne rendait pas Nicandre plus beau mais Kimyan avait fini par penser que sa véritable beauté était intérieure, à l'image des propos qu'il tenait. Il avait beaucoup voyagé à travers les pays du Monde Extérieur et en avait rapporté des images fascinantes. Elles activaient le rêve de la Nouvelle Europe et laissaient entrevoir qu'on puisse être autre chose que pêcheur ou piroguier sur un lagon.

Le troisième après-midi, lors d'un dernier tour de l'île, ils s'arrêtèrent au pas du Géant pour parler tranquillement. Kimyan savait que c'était la dernière occasion de poser des questions. Demain matin, Nicandre repartirait, avec ou sans lui.

Ils s'assirent sur la partie engazonnée d'où on pouvait voir au mieux les énormes rochers du pas du Géant. Comme tous les vawaks, Kimyan ne s'était jamais attardé en ce lieu. Il était sacré et l'on n'y venait qu'à l'occasion de rituels, pour des offrandes aux ancêtres. On l'appelait ainsi parce que la disposition des rochers évoquait une énorme empreinte de pas, celle d'un géant. La légende racontait que ce géant, du nom de Daraf, était sorti ici même des entrailles de la Terre. L'empreinte encore présente était donc celle d'un bébé géant. Lorsqu'il fit son premier pas, il se mit à grandir et l'empreinte de son second pied donna naissance à une île de mille cinq cents kilomètres de long aujourd'hui disparue. À la fin de son deuxième pas, il se retrouva dans les montagnes de l'Hyperborée d'où il ne revint jamais.

Nicandre avait écouté avec attention cette version vawak du pas du Géant. Depuis trois jours, il n'avait pas perdu son temps et savait déceler les centres d'intérêt du garçon.

— Puisque tu aimes les mythologies, sache que celui que vous appelez Daraf en vawak se nomme Briarée chez moi. C'était un géant un peu particulier, différent des autres géants. Un des Hécatonchires.

— C'étaient des enfants d'Hécate ?

— Non. Ils étaient curieusement nés de Gaïa… On les appelait ainsi parce qu'ils avaient cent bras. On oublie souvent qu'ils avaient aussi cinquante têtes et qu'ils ont engendré les hydres et certains dragons. Mais Hécate aurait bien pu être à la source de pareils prodiges. La magie doit beaucoup à Hécate, tu sais.

— Alors, la magie, ça existe vraiment ?

— Enfin, Kim ! Comment peux-tu en douter après ce que tu m'as raconté sur ton ami Épiphane ? Toi-même, n'as-tu pas parlé avec une loche ?

Peu à peu Kimyan se rendait à l'évidence. Un autre monde existait, un monde qu'il pouvait découvrir tout de suite au lieu d'attendre le retour hypothétique d'un frère de cœur désormais absent, comme une suite logique dans une longue histoire d'abandons.

— Si j'accepte, se lâcha-t-il, qu'est-ce qu'il faudra faire ?

— D'abord libérer les forces qui sont en toi, apprendre à les contrôler. À cela, je t'aiderai. Tiens, regarde !

Nicandre se leva pour aller ramasser une noix de coco tombée à terre. Il la souleva d'une main et la regarda quelques secondes, ses yeux globuleux concentrés sur la coque verte du fruit. Soudain il la projeta en l'air, le plus haut qu'il put. Au moment où la noix allait amorcer sa chute, il tendit l'autre main vers elle tout en récitant une formule.

— «Douriel Diemvé!»

Ces deux mots prononcés d'une voix profonde et rauque firent exploser la noix en miettes.

— On... on peut faire ça? Sans rien? Sans baguette magique? balbutia Kimyan, stupéfait.

— On peut faire des choses bien plus grandes. La magie repose avant tout sur une bonne connaissance des forces à notre disposition. Il y a celles qui sont en nous et celles qui nous entourent. Elles obéissent toutes à des lois naturelles, universelles, cosmiques. Faire exploser une noix de coco est un simple amusement. C'est à peine plus difficile que de faire exploser du verre ou du cristal. Toute matière n'est coordonnée qu'en fonction d'une fréquence sur laquelle elle vibre. Si tu trouves cette fréquence, alors tu peux aussi trouver son contraire. L'esprit est plus fort que la matière. Il peut la créer, la dominer ou... la détruire. Est-ce que tu veux essayer?

— Mais je...

— Tais-toi! Tu vas dire une bêtise. Regarde plutôt ce cocotier. Vise les noix, là-haut! Concentre-toi sur l'une d'elles. Pense à ce que tu veux qu'il arrive. Et lorsque je te le dirai, tu libéreras toute l'énergie que tu sentiras en toi.

— Mais, la formule...

— J'ai utilisé la formule «Douriel Diemvé» parce qu'elle représente pour moi l'accomplissement de la chose. Mais les formules sont comme les bâtons ou les anneaux ; tout cela n'est que support. Avec de l'entraînement, tu pourras trouver les attributs les mieux adaptés à ce que tu veux obtenir.

Tout en parlant, Nicandre s'était approché du plus gros des rochers qui constituaient le pas du Géant.

Douriel Diemvé… Douriel Diemvé… Kimyan se répétait la formule alors qu'il avançait vers le rocher au pied duquel l'attendait son surprenant et inespéré tuteur. Il lui avait dit de grimper au sommet et de s'étendre à plat ventre en se recueillant pour sentir les vibrations de la roche. Lorsqu'il fut en haut, Kimyan hésita un instant.

— Tu sais, Nicandre, c'est interdit. On ne devrait pas marcher sur le rocher sacré…

— Il y a plusieurs façons de respecter ce qui est sacré. Laisse le rocher t'expliquer pourquoi il est sacré! Vas-y, n'aie pas peur!

Alors Kimyan obéit. En quelques secondes, il ressentit un picotement dans tout son corps, puis le picotement s'accentua jusqu'à devenir une onde de chaleur qui le pénétra par vagues. Quelque chose d'inconnu résonna en lui, un grondement sourd qui montait de la terre. Kim se redressa pour découvrir que ce courant remontait par ses pieds. Il eut la sensation que des mains fermes sortaient de la pierre, saisissaient ses chevilles et le maintenaient cloué au sommet du pas du Géant. Mais il n'éprouva pas la moindre crainte. Au contraire, il s'étonna de la familiarité du phénomène, comme si ce n'était pas la première fois que ces mains invisibles se posaient sur lui. La vibration finit par atteindre son apogée. Elle devint un courant continu en lui, un souffle vivifiant qui gonflait ses poumons d'un air nouveau. Il ferma les yeux et se laissa envahir. Si quelqu'un lui avait demandé comment il se sentait, il aurait répondu : «Indestructible!»

Il rouvrit les yeux, focalisa son regard sur la cime du cocotier, tendit rapidement une main pendant qu'un son grave s'arrachait de sa gorge et allait percuter l'arbre.

«Douriel Diemvé» n'avait servi à rien. Il venait de lâcher «MAHAR'TRA!», un mot qu'il ignorait avant de le prononcer, un mot dont la puissance étonna Nicandre qui n'eut même pas le temps de donner le signal convenu pour libérer l'énergie. Son élève était bien plus doué qu'il ne l'avait pensé. Du cocotier et de la trentaine de noix de coco qui se dressaient devant eux une seconde avant, il ne restait rien. Strictement rien, ou si peu! Les noix avaient explosé toutes au même instant, les palmes déchiquetées retombaient en paillettes sur le sol et le reste du tronc s'était ouvert sur toute sa hauteur. L'ensemble avait provoqué une forte déflagration, au point que Nicandre aurait juré que le sol en avait tremblé sous ses pieds.

— Descends, Kimyan, descends… dit-il avec empressement.

L'explosion avait sans doute été entendue et Nicandre ne tenait pas à courir le risque d'être surpris à pratiquer une magie pas vraiment blanche dans un lieu sacré et, qui plus est, à l'enseigner à un jeune et innocent vawak.

Mais Kimyan ne se rendait pas encore compte de ce qu'il venait de faire. Ce n'est qu'après être descendu du grand rocher qu'il sentit ses jambes trembler, aussi fort que lorsqu'il avait vu le requin peau bleue. Devant les débris qui jonchaient le sol tout autour du cocotier fendu et décimé, il eut un mouvement de recul.

— C'est… c'est quand même pas moi qui ai fait ça ?

— Il est possible que tu ne l'aies pas fait tout seul, mais je peux t'assurer que je n'y suis pour rien. Il va falloir que nous parlions sérieusement, Kimyan. Ensemble, nous pourrions faire de grandes choses… de très grandes choses…

Pendant un long moment, ils ne se parlèrent pas. Ils avaient repris le chemin de l'orphelinat et marchaient en silence. Kimyan était abasourdi par sa découverte de la magie. S'il avait su faire ça avant, c'est de la peau du requin dont il n'aurait pas donné cher. Cependant, au fur et à mesure qu'il reprenait ses esprits, ce pouvoir lui faisait un peu peur. À part faire exploser des noix de coco, à quoi d'autre pouvait-il servir ?

Il sentait le regard de Nicandre sur lui, mais celui-ci restait dans ses propres pensées. Le maître ne s'était pas attendu à ce qu'un cocotier explosât tout entier dès le premier essai d'un initié. Il supposait que les forces chthoniennes du pas du Géant n'étaient pas étrangères à la scène à laquelle il venait d'assister. Mais de là à dire quelle entité était intervenue pour guider le garçon... Et puis il y avait eu ce cri, cette formule inconnue, prononcée avec une maîtrise qui ne pouvait pas être la sienne. Pas encore.

Nicandre en avait vu d'autres et surtout, il savait parfaitement ce qu'il était venu chercher sur cette île. Ou plutôt qui. Il avait juste sous-estimé la puissance de cet enfant qui n'en était plus un. Et cette erreur, il n'était pas seul à l'avoir commise. Il la partageait avec tous ceux qui l'avaient envoyé chercher ce jeune garçon avant que d'autres ne mettent la main dessus.

Oui, vraiment, Pélagie Corbett avait fait du bon travail. Ce garçon était pur et vierge comme le maître lui-même n'aurait osé l'espérer. Cet esprit lisse était une pure merveille. Entre de bonnes mains, cette fleur ne demanderait qu'à s'épanouir et le fruit à venir, le fruit de tant d'attente, combien ce fruit serait savoureux, de la saveur même d'une délicieuse vengeance...

Pour son plus grand bonheur, Nicandre n'eut pas à harceler davantage Kimyan. Le garçon venait tout seul.

— Donc, si j'accepte, j'apprendrai la magie?

— Crois-tu que je te mentirais après ce que tu viens de faire? Mais comme je te l'ai dit, la magie ne consiste

pas seulement à jeter des sorts plus ou moins amu-
sants. Faire exploser une noix de coco, et même un
cocotier entier, ça ne mènerait pas à grand-chose. D'ailleurs, il n'y a pas de cocotiers chez nous.

— Justement, elle se trouve où l'école?

— En Nouvelle Europe, quelque part dans les
Karpathes. Son emplacement exact est un secret que
je ne peux te révéler pour l'instant. Mais il ne tient
qu'à toi…

— On dit qu'il va y avoir la guerre en Europe. C'est
dangereux, la guerre?

— Bien sûr. Toutes les guerres sont dangereuses. Ça
dépend pour qui…

— Et toi? Tu n'as pas peur de mourir?

— Peur? Oui, quelquefois j'ai peur, comme tout le
monde. Mais tu sais, là où la vie n'a plus de valeur, la
mort a quelquefois son prix.

Kimyan s'efforçait de réfléchir vite. Une foule de
considérations matérielles l'empêchaient de se décider. Il devait faire vachement froid en Europe pour
un vawak. Et puis, qui allait payer ces études? Mère
Pélagie allait encore dire qu'elle n'avait plus un seul
cauri. Et le voyage? Et s'il voulait revenir à l'îlot Nat?

Mais la voix douce et rassurante de Nicandre avait
réponse à tout. Le froid, l'argent, le voyage, le retour,
rien n'était un problème qui ne puisse être résolu en
un claquement de doigts.

— Est-ce que j'aurais une chambre pour moi seul?
voulut savoir Kimyan, faussement terre à terre.

— Bien plus que cela! rigola Nicandre. Une chambre, un bureau, des dépendances. Et surtout des amis, une véritable existence, des lacs et des forêts, des montagnes. Tu n'as qu'un mot à dire et le monde est à toi!

Kimyan hésita encore un peu. Au fond de lui, il avait pris sa décision mais ne voulait pas la lâcher trop vite. Il sentait qu'il pouvait obtenir d'autres réponses, que Nicandre en dirait davantage s'il lui laissait entendre qu'il était d'accord pour le suivre.

— Et l'école? C'est un château comme dans les livres?

— D'abord c'est bien plus qu'une école. C'est un vrai lieu de vie. Quant à dire si c'est un château… Oui et non. Peux-tu imaginer un arbre, un très grand arbre tout en pierre?

— Euh… non.

— Féru de mythologies comme tu l'es, tu as peut-être entendu parler des arbres cosmogoniques? Celui que je te propose comme résidence s'appelle Yggdrasil.

— C'est quoi, ça?

Nicandre expliqua que jadis, il y a fort longtemps, Yggdrasil était un frêne, quelque part en Ancienne Scandinavie. Pour raison de force majeure, il fallut un jour déplacer l'arbre et le transplanter à son emplacement secret actuel. C'est alors qu'il commença à se fossiliser. Au début, les magiciens qui en avaient le soin furent désagréablement surpris. Mais rapidement ils comprirent qu'ainsi l'arbre leur apprenait tous les secrets du règne minéral.

— La pierre! Les plus grands secrets y sont enfouis et nous, à Yggdrasil, nous vivons en son cœur. Et la pierre, je crois que tu viens de te rendre compte de sa puissance, non? À propos, qu'as-tu pensé en haut de ton rocher? Ça secoue, non?

Nicandre se mit à rire, entraînant Kimyan qui se remémorait ce moment par flashs. Ces mains sorties de la roche qui le tenaient fermement aux chevilles, ce souffle chaud le long du corps et cet air vif dans la poitrine… Après il avait un trou, un vide béant, quelque chose qui avait échappé à sa conscience. Au flash suivant il voyait des dizaines de noix de coco exploser en même temps et retomber en paillettes sur le gazon.

— D'accord, j'accepte! lança-t-il subitement.

— Tu ne vas pas le regretter.

Un instant plus tard, ils étaient de retour à l'orphelinat.

Comme s'il avait pressenti quelque chose, Vouki vint au-devant de son ami et de l'inconnu. Nicandre préféra les laisser seuls. Le garçon avait dit «oui» de son propre chef, la condition sine qua non était remplie, il n'était plus question que de formalités avec Pélagie Corbett.

— Ça fait trois jours qu'on te voit plus, dit Vouki d'un air désolé.

— J'étais avec mon parrain.

— Quoi! Ce type? C'est ton parrain?

Kimyan balança un peu la tête et chercha ses mots.

— D'accord, c'est pas comme toi avec Anne-Sophie

ou Piphan' avec Mercurio. C'est pas vraiment un parrain. C'est mon tuteur. Un parrain, ça servirait plus à
rien…

— Et un tuteur? À quoi ça sert?

— C'est comme un guide, un professeur. Tu sais,
Vouki, je vais partir dans une autre école.

— Toi aussi? Sur Albaran?

— Non. C'est un peu plus loin. En Europe.

— Non! fit Vouki désarçonné. Mais c'est la guerre en
Europe…

— Comment t'es au courant de ça, toi?

— C'est Anicet qui me l'a dit. Et Bertille aussi. Tu sais,
elle est inquiète. D'abord Piphan' qui s'en va, et maintenant toi… Elle aime pas ce type. Franchement, il est
louche, tu trouves pas?

— Bah! Bertille s'affole tout le temps. Je t'assure que
Nicandre est un mec sympa. Peut-être qu'il est pas
beau mais il est très gentil. Et puis elle est bonne,
Bertille! Si je reste toute ma vie ici, qu'est-ce que je
vais faire? Pêcheur comme Marusse? Piroguier?

— Ben oui! approuva Vouki comme une évidence.

Kimyan n'avait pas envie d'entrer dans les détails. Il
aimait beaucoup Vouki mais il ne se sentait pas de lui
dire la vérité, encore moins de parler de magie. Il
détourna la conversation.

— Elle est où, Bertille?

— Chais pas! Vu l'heure, elle doit être en cuisine.

Vouki avait pensé juste. Lorsqu'ils entrèrent dans la

cuisine, Bertille était en train d'éplucher des oignons. C'était tout ce qu'elle avait trouvé pour dissimuler ses larmes. À la vue de Kimyan, elle éclata carrément en sanglots. Vouki se précipita dans ses bras pour la consoler. Les seules fois où il l'avait vue pleurer, c'était de joie. Jamais il n'aurait imaginé qu'elle puisse pleurer d'autre chose, et ce qui blessait sa Bertille adorée lui faisait mal à lui aussi.

Elle avait tout deviné. Son Piphan' et son Kim, elle les connaissait comme si elle les avait faits. Elle avait veillé sur eux du mieux qu'elle avait pu, malgré les difficultés et les bâtons dans les roues. Elle savait donc que son rôle allait s'arrêter là, ce soir ou au petit matin, lorsque Kim franchirait la porte de l'orphelinat pour partir avec ce sombre individu.

Mais que s'était-il donc passé? Pourquoi le Conseil d'Élatha avait-il tant tardé? Pourquoi don Mercurio était-il reparti sans Kimyan? Si on avait pu sauver l'un, pourquoi pas l'autre? Elle les avait bien surveillés pendant quinze ans, elle! Et même plus que ça! En guidant leurs pensées vers l'amour, elle avait empêché qu'on les retrouve, et elle avait muselé cette fausse religieuse de Pélagie Corbett. Alors pourquoi don Mercurio était-il reparti seul? Sépare-t-on des perles philippines? À deux jours près! Fallait-il que tout aille vraiment mal pour que ces monstres de Dahals puissent aborder les îles Protégées en toute impunité!

Car voilà ce qu'elle ne pouvait pas dire à son Kim chéri. Que Nicandre était un Dahal et que son maître s'appelait Sarpédon. Il était bien trop tard. Kimyan n'avait jamais entendu parler ni des uns, ni de l'autre. C'était de ça que ces îles étaient protégées. Ici ne devaient être que les eaux claires d'un lagon perdu dans un océan de paix. C'était là qu'ils avaient grandi, purs d'entre les purs. Et puis ce n'était pas à elle d'expliquer cela. Elle était contrainte au secret ; elle avait prêté serment et l'avait respecté. Qu'aurait-elle pu faire d'autre ? Elle n'était pas magicienne et c'était justement pour ça qu'Élatha avait accepté qu'elle veille sur les garçons. Au moins, elle ne risquait pas de contrarier la prophétie. Non, Bertille était simplement du côté des justes, de la beauté du monde, de l'amour infini. Une femme infiniment simple.

Sauf que la protection de ces îles se retournait contre elles. Il n'y avait même pas un téléphone, pas une radio, pas une onde qui pût s'échapper de l'îlot Nat. Jusqu'à ce jour, elle avait trouvé cette protection plutôt bonne, mais là… Elle se sentait démunie, seule, abandonnée à son tour, elle qui avait consacré sa vie aux orphelins ! Alors hier, lorsqu'elle avait découvert qu'il ne fallait pas sous-estimer Nicandre, elle avait vite envoyé un perroquet bagué porter un message à Élatha. Elle savait que le temps jouait contre elle et contre Kimyan.

Mais ce qui l'avait achevée, c'était tout à l'heure, juste avant de venir éplucher des oignons. Laissant traîner ses oreilles derrière la porte du bureau de Pélagie, elle avait entendu Nicandre dire qu'il n'y avait pas de doute, que c'était bien l'enfant et que sa puissance était redoutable. Ça, elle n'avait pas pu le supporter. Elle savait que Nicandre était venu le ravir, à tous les sens du terme. Il l'avait identifié et allait l'emmener auprès de son maître. Elle savait aussi que toute résistance était vouée à l'échec. Si Nicandre ou Pélagie découvraient qu'elle était un agent dormant d'Élatha, c'en serait fini. Ils la feraient disparaître sans la moindre hésitation.

Aussi, c'est la mort dans l'âme qu'elle se résigna. Elle se sépara de Vouki pour s'approcher de Kimyan et tira de sa poche un objet qu'elle tenait prêt depuis très longtemps.

Quand elle fixa Kimyan dans les yeux comme elle l'avait fait des milliers de fois, elle se rendit compte que son regard avait déjà changé. Tant pis! Il n'était plus l'heure des longs discours. L'objet était un fragment de métal, plutôt lourd et un peu abîmé sur un côté. Elle n'avait jamais vraiment su ce qu'il représentait mais elle en avait accepté la garde jusqu'au jour où il faudrait le remettre à son destinataire. Aujourd'hui, elle ne doutait plus que ce moment fut arrivé.

— Ne fais pas attention à mes larmes, sanglota-t-elle de plus belle. Ceci appartenait à… à ta mère. C'est un talisman, il te protégera. Garde-le sur toi et ne le montre à personne. Je crois que ta mère serait heureuse de savoir que tu penses à elle. Sois béni, mon Kim et puis, tu sais que mon cœur reste ouvert… Je serai toujours ta Bertille.

Elle respira un grand coup à pleins poumons et s'efforça de dessiner un sourire sur ses lèvres. Vouki retrouva le sien et Kimyan ne tarda pas à les rejoindre dans cet étrange trio où personne ne souriait pour les mêmes raisons.

Dans quelques heures, tout se jouerait. Un Dahal avait fini par trouver la brèche, un perroquet était arrivé trop tard ou pas du tout, ce qui était lié serait délié et des destins basculeraient.

Chapitre 18

Bienvenue à Elatha

À mi-chemin à peine de la colline où se dressait l'Arbre-Mère, il n'était plus possible d'apercevoir la cime de l'arbre. En revanche, les Filus Aquarti découvraient les centaines de fenêtres à l'arrondi irrégulier qui trouaient l'écorce et laissaient deviner des salles à tous les niveaux. On ne pouvait pas franchement parler d'étages car certaines ouvertures avaient la grandeur de trois ou quatre autres. On aurait dit qu'il y avait des étages à l'intérieur d'autres étages. Comme aucun d'eux n'avait encore compris ce qu'était un tessaract (ni trouvé personne pour le leur expliquer), ils ne pouvaient que s'interroger sur la structure fractale de leur nouveau lieu de vie.

En hauteur, dès les premières et gigantesques branches, ils apercevaient des coursives ajourées comme des galeries de cloîtres ou d'anciens monastères.

D'autres branches semblaient n'être que des passerelles, parfois sans aucune rambarde. Le rez-de-chaussée était plus facile à comprendre. De hautes ouvertures, d'un style hésitant entre le gothique et l'arabesque, dévoilaient une galerie qui parcourait tout le tour de l'arbre. D'après les données d'Oucoulouncoulou, Melys avait calculé qu'elle devait avoisiner les mille cinq cents mètres.

Par endroits, de plus hautes ouvertures servaient à l'évidence d'entrées, bien qu'il n'y eût aucune porte visible et susceptible de fermer les lieux. Du seuil de ces entrées, sculptés dans les racines naissantes, de larges escaliers dévalaient les premiers degrés de la colline. En réalité, ils allaient bientôt l'apprendre, qu'il s'agisse d'escaliers, d'arches, de fenêtres ou de piliers, l'arbre n'avait eu besoin de personne ; il s'était sculpté lui-même.

C'est au pied d'un de ces escaliers que maître Menebuch et maître Mori-Ghenos étaient venus les attendre. Ils étaient pareillement vêtus de pantalons blancs bouffants, en partie recouverts par une tunique vert émeraude serrée à la taille par un gros cordon noir. Sans être obligatoires, le vert et le blanc étaient les couleurs préconisées par le Naos.

— Bienvenue à Élatha, les salua Menebuch le premier.

Les jeunes découvraient son étrange ressemblance avec Mori-Ghenos. À la différence qu'il ne portait pas de barbe et que ses cheveux, très longs et d'un noir profond, descendaient jusqu'au milieu de son dos.

Mais il avait le même regard pétillant et la même allure élancée.

— Vous êtes sans doute fatigués et affamés. Une petite collation vous attend dans votre lieu de vie, ainsi que vos affaires personnelles. Vous disposez de deux heures pour vous restaurer, vous installer sommairement et vous rafraîchir, après quoi nous nous retrouverons dans votre patio où notre directeur Alban Sintonis désire vous souhaiter la bienvenue. C'est tout pour l'instant. Cet arbre est votre nouvelle maison, vous êtes ici chez vous!

Les deux maîtres tournaient déjà les talons lorsque Joa devança ses camarades.

— Pardon, Maître, à moins qu'il y ait un plan quelque part… comment pourrions-nous savoir où se trouve notre lieu de vie?

— Et comment avez-vous fait pour arriver jusqu'ici? répondit Menebuch, un sourire au coin des lèvres. Faut-il vraiment indiquer où se trouvent leurs chambres à des jeunes gens capables de couvrir Maro-Ancêtre/Élatha en quatre jours, tout en disparaissant pendant trois jours?

Toutefois, Mori-Ghenos ajouta :

— Un plan, disais-tu, Joa? Bien sûr qu'il y a des plans de l'Arbre-Mère. Sinon, comment pourrions-nous faire? N'oubliez jamais que cet arbre est vivant. Dans la pratique, cela signifie que certaines salles ne sont pas toujours exactement au même endroit. Cela peut dépendre de l'heure, des saisons ou de votre état d'esprit. Découvrez! Il sera toujours temps de poser des questions lorsque les choses se compliqueront.

Cette fois, des deux maîtres tournèrent vraiment les talons sous des regards mitigés. Kaylé fut le premier à **résumer** son sentiment.

— Vous ne trouvez pas qu'on est un peu largués depuis le début?

— Au contraire, c'est génial! répliqua Jaufrette. Moi j'aime bien qu'on nous laisse beaucoup d'autonomie.

— Mouais, fit Kaylé sceptique. Je me demande juste s'ils vont finir par s'occuper de nous ou si c'est comme ça tout le temps.

— Pourquoi s'affoler, temporisa Nive. Nous disposons de deux heures, nous savons qu'il y a des plans des lieux, et nous avons une langue, non?

Elle désigna un groupe de trois garçons qui venaient dans leur direction et de rapides présentations lui donnèrent raison. Ils s'appelaient Basty Labrador, Zilibero Zilibert et P'tit Floriot. Tous trois appartenaient au pronaos Draco Dormiens, élèves comme eux de première année. Ils n'étaient là que depuis la veille mais cela suffisait à Basty pour s'improviser guide.

Pendant qu'il les conduisait vers le plan le plus proche, il expliqua que Zilibero et lui, ainsi qu'une autre fille de leur pronaos, arrivaient de Dragondor, un collège de magie avancée dans le sud de la Nouvelle Europe. Ils y avaient passé trois ans et venaient à Élatha pour apprendre la haute magie. Des Draco Dormiens, seul P'tit Floriot n'avait jamais fait la moindre école. Il n'avait pas de parents magiciens car il n'avait pas de parents du tout, et pas non plus de nom de famille. Il s'appelait juste P'tit Floriot et personne n'aurait eu l'idée de l'appeler autrement car, malgré ses quinze ans, il ne mesurait guère plus d'un mètre vingt. Surtout, il ne donnait pas l'impression de pouvoir mesurer davantage un jour. Quant à la magie, il venait juste d'apprendre qu'elle existait vraiment et qu'il y était doué, mais il se demandait encore comment il avait atterri là.

Piphan' se sentit tout de suite en sympathie avec lui. La similitude de leurs situations lui allait droit au cœur. Il se découvrait un autre frère de destinée et trouvait juste un peu dommage de ne pas être dans le même pronaos.

— C'est là, annonça Basty en s'arrêtant devant un grand panneau sculpté.

Sur un pan de bois de trois mètres de haut, une sculpture en bas relief représentait l'Arbre-Mère. Au bas du panneau, à hauteur de hanches, deux plateaux se dégageaient. Ils faisaient penser à deux branches sciées à ras, puis polies pour les rendre luisantes. En fait, la brillance était celle d'une patine due aux centaines de milliers de mains qui s'y étaient posées au fil du temps.

— Dans cette grande galerie, il y a un plan à chaque point cardinal, expliqua Basty. Zilibero pense qu'il doit y en avoir d'autres, plus haut dans l'arbre, dans d'autres galeries. Mais pour le moment c'est tout ce qu'on a trouvé. Ici, on est à la console Sud. Tu places tes mains sur les plateaux de bois et tu poses ta question. C'est simple, non?

Joignant son geste à la parole, à peine eut-il dit «Lieu de vie Draco Dormiens» qu'une veine du bois se teinta d'un rouge lumineux, à la manière d'un tube qui se remplit. Sur le bas-relief, la ligne rouge grimpa d'abord à la verticale avant de bifurquer vers la gauche. Le code BM-12 apparut dans le même rouge. La ligne continua sa progression puis tourna à nouveau en inscrivant un autre code : BA-18. Enfin, après une dernière bifurcation, elle éclaira une zone où l'on pouvait lire : Ram 38 à 58. Basty acheva ses explications.

— B, ça veut dire branche. M c'est maîtresse et A c'est auxiliaire. Donc nous, on habite dans la branche maîtresse n°12. De là, on prend la branche auxiliaire n°18. Et les Ram, ça veut dire ramifications. De la trente-huitième à la cinquante-huitième ramification, c'est la zone des Draco Dormiens. C'est notre lieu de vie.

— Génial, s'enthousiasma Jaufrette. Tu peux nous montrer pour Filus Aquarti?

— Ah non! Je pourrais vous montrer les salles de cours ou les endroits collectifs mais les consoles n'indiquent jamais les lieux privés à ceux qui n'en font pas partie. C'est une sécurité. Pour savoir où vous habitez, il faut que ce soit un membre de votre pronaos qui le demande à l'Arbre.

Ainsi Perline eut-elle l'honneur d'être la première des Filus à apposer ses mains sur les disques de bois.

Le grand panneau indiqua «BM-13. BA-19. Ram 39 à 59». Ne restait plus qu'à trouver comment se rendre à la branche maîtresse 13, ce qui était la simplicité même. Derrière le grand panneau du plan, posé au sol, il y avait un autre disque de bois, bien plus grand. Il suffisait de monter dessus et d'indiquer la destination voulue pour que le plateau s'élève et disparaisse dans l'obscurité du tronc. Ça rappelait Piphan' à un bon souvenir, l'ascenseur tabulaire dans le bureau de Fulbert Voulabé. Sauf qu'il était métallique et répondait à la voix grâce à des technologies modernes. Ici, rien d'informatique ou d'électronique, on n'apercevait aucun mécanisme de câbles, pas de poulies ni d'électroaimants. Le plateau de bois s'élevait tout seul dans le vide et c'était plus rassurant comme ça.

— C'est un ascenseur tabulaire, dit Basty, mais ici on appelle ça un astabule.

Le disque les conduisit rapidement jusqu'au départ de la treizième branche maîtresse, mais c'était bien tout ce qu'il savait faire. Les astabules montaient ou descendaient mais ne se déplaçaient pas latéralement. Les branches maîtresses ou auxiliaires étaient de longs et larges corridors creusés dans la masse de l'arbre. Des ribambelles de statues sortaient des parois, plus ou moins en relief, plus ou moins bien façonnées, laissant à penser que l'arbre les inventait au fil du temps et qu'elles n'étaient pas toutes achevées. Ou que certaines étaient à l'inverse déjà bien dégradées. Parfois, il s'agissait juste de symboles gravés, plutôt ésotériques, en tout cas mystérieux à leurs yeux mais, à coup sûr, chargés d'histoires passionnantes ou d'histoire tout court.

La trente-neuvième ramification commençait par un couloir au fond duquel brillait une lumière. Elle provenait d'une perle géante, opalescente et légèrement bleutée, qui ne pouvait être qu'une porte. Il n'y avait rien de particulier à faire ni à dire. Si l'Arbre l'autorisait, en l'occurrence si l'on faisait bien partie du pronaos adéquat, on s'avançait dans la perle pour se retrouver de l'autre côté. On y retrouvait la lumière du jour et c'était bien le lieu de vie des Filus Aquarti. Melys estima qu'ils étaient à plus de trois cents mètres du sol.

Quatre à droite, quatre à gauche, chacune des premières ramifications portait leurs noms respectifs, gravés sur d'autres perles plus petites qui faisaient office de portes. Nul ne pouvait entrer par une autre perle que la sienne. À l'intérieur, ils disposaient chacun d'un espace privé qui se divisait en trois, une chambre, une salle d'eau et un bureau.

Plus loin, il y avait une salle commune attenante à une cuisine. Cet ensemble donnait sur un patio qui donnait sur un atrium qui donnait sur un parc qui se divisait en huit jardins d'agrément. Des passerelles ou des petits ponts en arches reliaient chaque partie à une ou plusieurs autres. Un vrai labyrinthe suspendu. Malgré la complexité de l'entrelacs, ils comprirent vite qu'il ne leur serait pas difficile de se repérer. Ils se sentaient tellement chez eux.

— Cornegidouille! s'écria Melys. Si on considère que cet espace est réservé aux seuls Filus Aquarti... et sachant qu'il ne s'agit que des Ram 39 à 59 de la BM-13-BA-19, ça fout le vertige.

Quand ils levaient ou baissaient la tête, ils apercevaient plein d'autres branches. Il semblait impossible de savoir combien il pouvait y avoir de lieux de vie au total, mais, pour sûr, ce n'était pas demain la veille qu'ils connaîtraient tout l'Arbre-Mère!

— Ben moi je vais me rafraîchir un peu. Le tour du propriétaire, ce sera pour plus tard, dit Perline.

Piphan' l'imita pour investir aussitôt ses propres espaces. Leurs affaires personnelles avaient bien été apportées, comme l'avait annoncé Mori-Ghenos. Pour la première fois de sa vie, il pouvait enfin en disposer à sa guise, leur donner une place qui n'était pas définie par mère Pélagie ou par les nécessités collectives d'un dortoir. En apportant son gros livre dans le bureau, il découvrit qu'il y en avait déjà d'autres, ainsi que des cahiers cousus et de grands rouleaux de parchemin, des plumes et des crayons, des craies et des pastels, des encres et des colorants, des poudres inconnues... Élatha ne lésinait pas sur les moyens.

Il repéra un crochet à bonne hauteur et se dit que ce serait la place idéale pour suspendre son sac en toile de Mider. Et c'est en le vidant de son contenu, plus exactement en tirant le bandeau vert de la fille aux licornes, qu'un bout de papier s'envola et glissa sous le lit.

C'était l'enveloppe que M. Voulabé lui avait demandé d'apporter à un certain Pr Morien. Il l'avait presque oubliée, celle-là... Il la tourna dans tous les sens à la recherche d'une indication, mais il n'y avait rien de visible. Le plus curieux était le fait qu'elle ne soit pas cachetée. Il n'y avait pas prêté attention et se demanda si c'était une marque de confiance de la part de Voulabé ou un simple oubli. Mais en regardant par transparence, il fut intrigué par la brièveté du contenu. Il ne lisait qu'un seul mot. Sa curiosité l'emporta et il se décida à sortir le papier de l'enveloppe. Après tout, puisqu'elle n'était pas cachetée, personne ne pourrait lui en vouloir.

La curiosité cependant n'eut pour résultat que de l'embrouiller un peu plus. Le mot au centre du papier était V.I.T.R.I.O.L. Néanmoins, il semblait y discerner un effet volontaire, comme un indice attirant l'attention. Toutes les lettres étaient tracées en majuscules avec une belle encre violette sauf le R central. Non seulement il était plus grand que les autres lettres, mais il était écrit en rouge. Un rouge un peu mat qui évoquait du sang séché. Cette idée lui fit froid dans le dos.

Qu'est-ce que ça voulait dire? Pourquoi M. Voulabé n'envoyait-il qu'un seul mot à un ami? Bien sûr, ça ne le regardait pas. Il avait accepté d'être le messager et son rôle aurait dû s'arrêter là. Quand même...

Il devait essayer d'en savoir davantage et se rua sur un dictionnaire.

Vitriol : nom donné par les alchimistes aux sulfates. Acide sulfurique concentré, très corrosif.

Peut-être était-il encore utilisé dans les préparations alchimiques ? Ça collerait avec le fait que ce mot fut destiné à un prof d'alchimie… Mais ça n'expliquait pas que Voulabé lui ait demandé d'apporter rien qu'un mot à quelqu'un qui le connaissait déjà, et sans doute mieux qu'un banquier ! Non, quelque chose clochait. Ou bien M. Voulabé s'était foutu de lui, ou alors… tout reposait sur ce R écrit avec une encre qui ne lui plaisait pas.

Il sentait qu'il n'en apprendrait pas plus dans l'immédiat, replaça le mot dans l'enveloppe, cette dernière dans son sac invisible, et partit se faire couler un bain.

Il y avait longtemps qu'il n'avait pas pris un tel moment de détente. Dans l'eau jusqu'au menton, il laissa son esprit vagabonder et finit par s'assoupir. Ce fut Kaylé qui le sortit de son demi-sommeil quand vint l'heure de la réunion.

Pendant que Piphan' enfilait un tee-shirt blanc qui achevait de le mettre aux couleurs d'Élatha, Kaylé continuait de l'informer sur ce qu'il avait découvert de leur lieu de vie.

— À propos des perles qui ferment nos apparts… t'as pas remarqué un truc curieux ?

— À part que nos noms sont gravés dessus et

qu'elles ne sont transparentes que depuis l'intérieur, qu'est-ce que j'aurais dû remarquer?

— Ben justement! Que s'il y a nos noms dessus, pourquoi y en a pas sur la huitième? Tu sais qui va venir, toi?

— Non. Mori-Ghenos avait dit de ne pas l'attendre à Maro-Ancêtre car il devait nous rejoindre directement ici. Faut croire qu'il n'est pas encore arrivé.

— Ça m'a l'air évident mais ça n'explique pas pourquoi y a pas son nom sur la perle… Les nôtres y étaient bien lorsque nous sommes arrivés.

— Peut-être qu'il y a du changement et personne ne doit arriver. On profitera de la réunion pour le demander.

Lorsqu'ils pénétrèrent dans le patio, la seule personne qu'ils ne connaissaient pas se trouvait de dos, en train de parler avec Nive et Melys. Il ne pouvait s'agir que d'Alban Sintonis, le maître et directeur. Il était vêtu des mêmes habits vert émeraude que portaient Menebuch et Mori-Ghenos, mais la ressemblance allait s'arrêter là. Quand il se retourna en les entendant arriver, ils eurent la surprise de découvrir son visage. Ni cheveux longs, ni barbe blanche ou grisonnante, Alban Sintonis paraissait étonnamment jeune. Difficile de lui donner un âge, mais s'ils avaient eu à le faire ils auraient hésité entre trente et trente-cinq ans, guère plus. En tout cas, il ne correspondait pas du tout à l'image qu'ils s'étaient faite du plus grand magicien de l'époque, directeur du plus haut Naos de magie, tête pensante du Conseil des Aînés et adversaire redouté de Sarpédon, comme de tous les magiciens noirs de la planète. Ses cheveux clairs et légèrement ondulés, son visage d'homme mûr mais sans rides, son allure souple qui laissait deviner une musculature tout en finesse, rien de tout cela n'avait fait partie de leur imagination.

— Permettez-moi de vous souhaiter la bienvenue à Élatha et dire toute la joie que j'éprouve à vous savoir ici, commença-t-il d'une voix qui confirmait une surprenante jeunesse. L'objectif de cette première rencontre n'est pas de vous faire un grand discours sur Élatha. D'ailleurs, l'extrême diversité du lieu se prêterait mal à un résumé. Vous aurez tout loisir de découvrir ses multiples facettes au fil de vos besoins. Je parie que vous en avez déjà eu un aperçu.

Il balaya le patio d'un large geste circulaire pour les inciter à donner leur avis sur le lieu mis à leur disposition.

— C'est… heu… grandiose, dit Jaufrette en cherchant ses mots.

— C'est super! enchaîna Kaylé. C'est beau mais c'est très grand. On est un peu perdu. Est-ce que tous les pronaos ont un lieu comme le nôtre?

— Bien évidemment! répondit Sintonis. À quelques détails près, les lieux de vie sont identiques. Les parcs ou les jardins peuvent différer. Il est normal que chez les Anciens les choses soient plus personnalisées.

— Et ça va jusqu'au sommet de l'arbre? demanda Melys qui peaufinait encore ses calculs.

— Jusqu'au sommet et jusqu'au tréfonds des racines…

— Vous voulez dire qu'il y a aussi des salles dans les racines?

— Bien sûr. Sinon, que de place perdue!

Melys, comme eux tous, resta ébahi. Ils avaient du mal à imaginer de la place perdue. Vu l'immensité de l'arbre, ils se demandaient plutôt comment il était possible de l'occuper toute. Maître Sintonis, lui, les incita à ne pas chercher à connaître toutes les branches et toutes les racines car nul n'y était jamais parvenu. Joa s'inquiéta de savoir à quelle espèce d'arbre on pouvait apparenter l'Arbre-Mère. Elle ne reconnaissait pas les fruits qu'on apercevait sur certaines branches.

— Ah bon? s'étonna Sintonis. Pourtant ce sont de simples quetsches bleues. Vous pouvez en manger, elles sont délicieuses.

— Alors c'est comme un prunier?

— Pas vraiment. Voyez-vous, comme son nom l'indique presque, cet arbre n'appartient à aucune espèce en particulier puisqu'il est à la fois le père et la mère de toutes les espèces. Si vous étiez arrivés le mois dernier, vous auriez pu vous régaler de pêches succulentes. Le mois précédent nous avait offert de magnifiques abricots, fondants à souhait. Mais il est arrivé qu'il ne fournisse que des glands ou des baies peu comestibles. Cela est fort rare, heureusement. Pour notre grand plaisir, l'Arbre-Mère offre douze floraisons et fructifications différentes par année solaire.

— Vous voulez dire, continua Perline, qu'il pourrait aussi bien donner des poires ou des avocats?

— Mais oui! Seulement, on ne peut ni choisir ni deviner. Il faut se contenter de ce qui vient. La seule chose que nous savons c'est que, pour des raisons climatiques et géographiques, il ne faut pas s'attendre à ce que l'Arbre-Mère produise un jour des olives ou des cerises. Inutile donc d'espérer le temps des cerises...

Alban Sintonis échangea un regard malicieux avec Menebuch et Mori-Ghenos, le temps de laisser les nouveaux initiés digérer ces données. Après quoi il reprit.

— Pour revenir à l'objet de cette rencontre, sachez que les activités d'Élatha, en ce qui concerne les nouveaux pronaos, débuteront dans trois jours. Dès demain, les lieux, le règlement et le fonctionnement du Naos vous seront présentés, ainsi que votre programme et le choix de vos mentors. Ensuite il y aura la remise de vos bandeaux. Vous savez tous, sinon il est l'heure de l'apprendre, que ces bandeaux font partie des attributs d'Élatha. Ils sont aussi importants que vos baguettes et bâtons magiques, voire davantage puisque l'enchantement qui préside à leur fabrication les rend très personnels. Vous pourriez très bien emprunter un bâton pour jeter un sort, mais vous ne sauriez mettre un bandeau qui ne vous appartient pas sans encourir d'énormes risques. Tout vous sera expliqué à son heure. Vous avez pu remarquer que nous-mêmes portons parfois ces bandeaux…

Il n'en portait pas à ce moment-là, mais il venait de désigner Menebuch et Mori-Ghenos qui en arboraient à leurs fronts. Ceux-là n'étaient pas faits de tissu vert comme celui de l'inconnue, mais d'un assemblage de plumes, différentes pour les deux hommes. De plus, celui de Mori-Ghenos s'ornait en son centre d'une pierre verte qui ressemblait fort à une émeraude.

— Le port du bandeau n'est pas une obligation permanente. Il ne vous sera fait aucun reproche de ne pas l'avoir sur le front. En revanche, vous seriez passible d'un renvoi pur et simple s'il vous arrivait de le perdre et qu'il tombe en de mauvaises mains. Voilà pourquoi j'insiste sur son importance. Par-delà le pouvoir qu'il vous donnera si vous en faites bon usage, pensez qu'il représente notre Naos et que vous êtes responsables de cette représentation. Élatha vous a choisis pour des qualités qui vous sont propres mais vous pouvez apporter autant que ce que vous pouvez recevoir. Sur ce, jeunes gens, je vous souhaite une bonne fin de journée.

Il échangea quelques mots avec ses collègues avant de s'éclipser dans un pétillement de minuscules étoiles. Et comme Mori-Ghenos se tournait vers eux pour recueillir leurs questions, Kaylé en profita pour poser celle qui le titillait.

— S'il vous plaît, Maître. Vous aviez dit que notre pronaos serait complet lorsque nous serions à Élatha. Or nous ne sommes toujours que sept.

— À vrai dire, celui que nous avions pressenti pour compléter les Filus Aquarti se trouve dans l'impossibilité de nous rejoindre pour le moment. Toutefois, pour conserver l'équilibre des pronaos, vous allez devoir accueillir un *tournant*. C'est ainsi qu'on appelle les initiés qu'un parcours particulier oblige à changer régulièrement d'école. Considérez qu'il vient juste faire un stage chez nous.

— Alors, quand son stage sera fini, nous serons à nouveau un pronaos incomplet ?

— Il ne tiendra qu'à vous d'accueillir d'autres tournants jusqu'à ce que votre équipier définitif soit en mesure de nous rejoindre. En attendant, votre nouveau camarade doit arriver cette nuit, au plus tard demain matin. Le pronaos Filus Aquarti sera donc complet avant le début des activités.

— On se demandait pourquoi il n'y avait pas son nom sur la perle d'entrée de sa chambre.

— Pour la bonne raison que le nom ne s'inscrit que lorsque la personne se trouve dans l'enceinte d'Élatha. Et ce nom s'efface lorsque cette même personne quitte l'enceinte. Cela fait partie des sécurités et sert en même temps de renseignement.

— On ne peut pas connaître son nom ? s'enquit Piphan'.

— Vous savez bien qu'il ne faut pas compter sur moi pour trahir les surprises !

Cela dit, maître Mori-Ghenos les invita à n'avoir aucune crainte sur la qualité et la loyauté de leur équipier d'un temps. Souvent, les tournants étaient des initiés qui se retrouvaient en danger en raison de leur propre savoir. Ou de leur filiation. À cause des grands troubles qui agitaient certains Pays Extérieurs, il pouvait arriver que certains soient amenés à changer d'identité, voire à disparaître momentanément pour assurer leur sécurité. C'est pourquoi le maître réclamait leur plus grande discrétion.

— Ou plus simplement, ajouta-t-il, laissez-vous aller à la même amitié avec les tournants que celle qui vous lie déjà entre Filus. S'il plaît à votre ami stagiaire de vous expliquer les raisons de son itinérance, il le fera. Sinon, ayez la gentillesse de ne pas le harceler d'une curiosité qui pourrait être dangereuse aussi bien pour lui que pour notre Naos.

Voilà qui en disait long sans rien dire. Toutes les interrogations n'étaient pas levées mais l'équilibre du pronaos était maintenu, c'était l'essentiel. Nive aimait l'idée d'accueillir des tournants. Ça apportait du sang neuf dans les équipes et des nouvelles fraîches, s'ils arrivaient des Pays Extérieurs.

Les questions suivantes furent d'ordre purement fonctionnel : horaires à respecter, obligations, interdictions… Menebuch expliqua qu'aucun cours n'était obligatoire. Élatha mettait en avant la responsabilité de chacun et partait du principe que tous étaient là de leur plein gré. En revanche, si on décidait de suivre un cours, il n'était pas question d'y arriver en retard. Question de respect, et le respect était la règle première.

Quant au temps libre, il l'était vraiment. On pouvait aller et venir à sa guise, organiser son lieu de vie comme bon semblait. La permissivité était proportionnelle au respect des autres, des lieux et des règles.

— On peut vraiment aller partout? demanda Melys qui adorait les explorations.

— Tant que vous restez dans l'enceinte d'Élatha, vous pouvez tout explorer. De toute façon, si un lieu est interdit aux initiés pour une raison particulière, l'Arbre s'arrangera pour que vous ne puissiez pas y entrer.

— Sur ce, coupa Mori-Ghenos, nous n'allons pas nous attarder car il nous reste un dernier pronaos à accueillir avant la nuit. Les journées préparatoires vous en apprendront davantage. Mais rien ne vous empêche d'aller à la rencontre des autres. C'est dans l'échange que vous en apprendrez le plus…

Chapitre 19

L'Arbre-Mère

ès que le jour déclina, la grande galerie du
rez-de-chaussée s'illumina d'une myriade
de perles semblables aux portes des cham-
bres, mais plus petites et impossibles à traverser. Elles
émergeaient des murs ou des piliers, complètement
ou en partie seulement, un peu partout où leur
lumière était nécessaire. On leur expliqua que l'arbre
les générait quand le soleil déclinait. Le mécanisme
n'était pas contrôlable par les magiciens mais c'était
très bien ainsi, cela évitait d'avoir à gérer des milliers de
torches et de chandelles. En plus, ça supprimait le risque
de mettre le feu à l'arbre. Plus il y avait de personnes
dans un lieu, plus il apparaissait de perles, ou bien certaines devenaient plus lumineuses. Si un lieu se dépeu-
plait, la plupart des perles disparaissaient dans le bois et
les quelques restantes se mettaient en veilleuse. L'arbre
avait horreur du gaspillage.

La beauté de ce mécanisme donna à Melys l'envie d'observer l'arbre de plus loin. Il suffisait de dévaler un peu la colline pour assister à un spectacle féerique. Dans la nuit naissante, la grande galerie émettait une couronne lumineuse qui englobait toute la base de l'arbre. Ce qui signifiait qu'il y avait beaucoup de monde en train de la parcourir. Au contraire, dans ses hautes branches, l'arbre rappelait plutôt les guirlandes clignotantes des sapins de Noël.

— C'est bien ce que je pensais! s'écria Melys. Ça permet de savoir quels lieux sont déserts… Et de voir que Sintonis a dit vrai! Vous vous rendez compte que l'arbre est utilisé sur toute sa hauteur!

— Vous croyez qu'il y a des pronaos qui habitent vers la cime? demanda Perline avec un soupçon d'angoisse dans la voix.

— Sans doute, puisque c'est éclairé aussi haut qu'on regarde. On dirait que ça t'inquiète…

— Un peu, oui! Avec Jaufrette, on s'est penchées par les arches du patio, eh bien je peux te dire qu'on voit déjà ceux d'en bas comme des fourmis! Alors quand tu dis qu'on n'habite même pas au tiers de l'arbre!…

— Holà, j'en suis plus là! rectifia Melys. Ça, c'était mon premier calcul. Un peu approximatif. En fait, maintenant je pense que l'arbre fait plus de mille huit cents mètres de hauteur.

— Euh, la BM-13 me suffira! fit Jaufrette qui partageait le vertige. Tu t'imaginerais vivre dans la branche maîtresse 30 ou 40?

— Peut-être qu'il n'y a plus de lieux de vie à partir d'une certaine altitude… En tout cas, on est sûrs qu'il y a des choses jusqu'en haut, répondit Kaylé.

— Et ça me plairait bien d'aller voir ce que c'est! trépigna Melys qui en crevait d'envie.

— Ça doit être impressionnant, rêva Nive. Peut-être qu'on peut encore voir l'océan de là-haut.

Des voix jaillirent derrière eux et l'interrompirent. Un groupe de huit silhouettes sortait de l'ombre. C'était le pronaos Dor-Aïke qui arrivait des Amériques Orientales. Eux aussi étaient nouveaux, mais la réputation des anciens pronaos Dor-Aïke les auréolait déjà. De tous les initiés, ils étaient ceux qui avaient le plus long voyage à faire pour rallier Élatha. En chemin, ils avaient essuyé plusieurs tempêtes et bien cru qu'ils n'arriveraient jamais à ce fichu Naos! Maître Amiralbar les avait accompagnés sur des baleines à bosse durant toute la traversée mais, initiation oblige, il les avait laissés continuer seuls une fois Abracadagascar atteinte. Depuis, ça faisait une bonne semaine qu'ils marchaient tantôt à travers des zones sèches et poussiéreuses, tantôt à travers des jungles inextricables. Ils n'avaient rencontré que des populations démunies, pas de bucentaures ni de Zindris pour eux, et encore moins la chance d'un passage en Avalon. Ils arrivaient sales, hirsutes, fourbus, avec une seule envie : prendre une grosse douche, s'affaler sur un lit, une natte, ou même le sol, fût-il de granit, et dormir!

Le pronaos Filus Aquarti eut donc l'honneur de guider les premiers pas de ces Dor-Aïke vers le grand escalier où les attendaient Amiralbar et Mori-Ghenos. Ils passèrent le relais et regagnèrent la grande galerie où ça discutait sec autour des plans de l'Arbre-Mère.

Les plateaux des consoles chauffaient de mains en mains, les astabules ne cessaient d'emporter de petits groupes d'élèves dans les profondeurs de l'arbre.

— Les astabules des consoles Nord et Sud ne sont qu'ascendants, remarqua Melys. Et j'ai l'impression que toutes les descentes depuis les branches maîtresses nous font atterrir dans cette cour circulaire.

À travers les arches, il désignait une cour intérieure où venaient de débarquer une flopée d'élèves, dont deux connus. Zilibero Zilibert n'était plus là, mais deux nouvelles têtes accompagnaient Basty Labrador et P'tit Floriot. Présentations faites, il s'agissait de Tristan Hellidge et d'Angelette Gubernatis.

— Tiens, les Filus ! Vous venez manger ? demanda Basty.

Il donnait vraiment l'impression d'être à Élatha depuis toujours. De plus, il se retrouvait meneur des Draco sans l'avoir cherché, ce qui arrangeait tout le monde ; il n'y avait qu'à le suivre pour gagner du temps.

Sur le chemin du réfectoire, les discussions démarrèrent en trombe et des sous-groupes se lièrent. Joa ne mit que quelques minutes à sentir qu'Angelette était passionnée par le pouvoir des plantes, et un trio se forma avec Perline. Nive et Melys trouvèrent intérêt avec Basty et Tristan, quant à Piphan', il ne força pas du tout pour sympathiser avec P'tit Floriot.

— Moi aussi j'ai grandi dans un orphelinat.

— J'ai jamais dit que j'avais grandi dans un orphelinat! le désarma P'tit Floriot.

— Mais, j'avais cru comprendre que tu n'avais pas connu tes parents et que tu n'avais pas de famille. T'as même pas de nom.

— Si, j'ai un nom! P'tit Floriot c'est mon nom. Et ma famille c'est le cirque. J'ai grandi dans un cirque et crois-moi c'est une belle famille!

— Excuse-moi! Je ne savais pas. Oui, le cirque, ça doit être une belle famille.

Piphan' se tut un instant, décontenancé. Les cirques, il en avait entendu parler mais aucun n'était jamais venu à l'îlot Nat. De ce qu'il en savait, c'était comme les cinémas itinérants ou les troupes de théâtre. Ils assuraient un spectacle puis repartaient. Il n'avait jamais pensé qu'ils puissent être des familles. Du coup, leurs itinéraires d'orphelins ne lui apparaissaient plus autant similaires. Mais ce garçon l'intriguait. À commencer par ses cheveux lisses et brillants, presque aussi blancs que ceux d'un albinos. Derrière sa façade chétive et sa petite taille, on sentait une grande force de caractère. Et puis il y avait cette irrésistible attraction qui le rendait sympathique. Un véritable aimant.

— Qu'est-ce que tu faisais au cirque?

— Tout.

— Comment ça, tout?

— Je veux dire un peu de tout. Je soignais les bêtes, je faisais du trapèze volant, de l'équilibre, un peu de jonglage, des fois j'aidais les clowns ou les magiciens. Mes spécialités, c'est la voltige à cheval et le tir à l'arc, ou les deux ensemble.

— Ensemble ?

— Oui. Pas l'arc et la voltige en même temps, mais tirer à l'arc debout sur un cheval au galop, ça je peux. J'adore !

— Et quand tu dis que tu aidais les magiciens ?

— Oh ça, c'est pas comme ici. C'est pas des vrais magiciens, c'est juste du spectacle. C'est des trucs qu'il ne faut pas dire au public.

En vérité, ce qu'il n'osait pas dire, c'est que maître Anton Belévêque l'avait justement remarqué lors d'un tour de magie.

D'habitude, P'tit Floriot était l'assistant de l'illusionniste. Il s'occupait des accessoires et animait les tours à sa manière, en général grâce à sa petite taille qui lui permettait des facéties qui faisaient rire le public. Mais un jour, en improvisant une scène où il mimait de ridiculiser son maître, il se concentra sur le chapeau d'où le magicien était censé faire sortir plusieurs colombes puis un lapin. Il lança alors une formule magique qu'il croyait inventer. De sa voix la plus sérieuse, il avait dit : « Multiplicando… Abracadembrouilles… Infiniti ! »

C'est alors qu'une nuée de colombes et une multitude de lapins étaient sorties du chapeau. Des centaines et des centaines de colombes qui s'envolaient partout sous le chapiteau, en même temps que des hordes de lapins envahissaient les gradins et commençaient à semer la panique dans le public.

Heureusement qu'Anton Belévêque assistait ce jour-là à la représentation et put discrètement lancer un contre-sort qui fit tout rentrer dans l'ordre. La prestation de P'tit Floriot s'acheva sous un déluge d'applaudissements. Le public, incrédule comme peuvent l'être les moazis, cria au génie, disant que c'était le tour le plus fabuleux qu'ils aient jamais vu au cirque et que le trucage était parfaitement réussi. Le mérite en revint évidemment au prestidigitateur qu'on félicita pour ce tour extraordinaire. En réalité, ce dernier n'adressait à la foule qu'un sourire fort contrarié. Il ne comprenait pas ce qui venait de se passer mais il était bien obligé de s'avouer qu'il n'y était pas pour grand-chose. Au fond de lui, il se sentait même un peu humilié par la performance de son jeune assistant.

Le plus difficile pour Anton fut de négocier avec la direction du cirque le départ de P'tit Floriot. Il fallut garantir que l'enfant prodige pourrait revenir aussi souvent qu'il le désirerait. Mais ce qui emballa l'affaire fut la promesse de faire parvenir un couple de pégases qui augmenteraient à coup sûr la célébrité du cirque. Voilà comment et pourquoi P'tit Floriot gonflait aujourd'hui le flot des nouveaux initiés d'Élatha.

Finalement, ce qui les rapprochait lui et Piphan', c'était que quinze jours plus tôt ils ignoraient leur potentiel, et qu'ils disposaient d'une telle faculté d'adaptation que déjà plus rien ne les distinguait de leurs camarades issus de lignées magiciennes.

Dans le réfectoire plein, on aurait pu manger à trois mille personnes. Mais ce soir, à vue d'œil, ils n'étaient que deux ou trois cents, éparpillés par groupes de diverse importance autour des longues tables. Basty les invita à s'asseoir à proximité d'un groupe d'Anciens dont faisait partie Fernien Marley. C'était lui qui avait guidé les premiers pas des Draco dans le dédale de l'Arbre-Mère.

Depuis un moment, les discussions portaient sur les journées qui allaient suivre, et les nouveaux arrivants entrevoyaient déjà en quoi Élatha était une école bien différente de ce qu'ils avaient connu ou imaginé.

— Ici, expliquait une Ancienne, les cours sont dispensés seulement par matière. Ceux qui étudient les runes, les hiéroglyphes ou la calligraphie se retrouvent ensemble quels que soient leur âge ou leur pronaos. C'est à nous, les Anciens, d'aider les profs à s'occuper des nouveaux. Si tu sais vraiment quelque chose, tu peux l'enseigner aux autres. L'âge n'entre pas en ligne de compte. Par exemple, si j'ai besoin en histoire d'apprendre celle des De Lancroy, Nive peut très bien me l'enseigner. Tout savoir est échangé contre un autre.

Grâce à ce système de cours par centres d'intérêt,

Angelette, Joa et Perline savaient qu'elles se retrouveraient avec Mme Carambole pour les cours de botanique spéciale et de palingénésie. Anciens ou nouveaux, tous ceux qu'intéressait l'étude des oracles iraient chez Olivia Lamirette, les férus d'inventions abracadabrantes iraient chez le Pr Flop, etc.

Un premier tour de table laissait entendre qu'il y aurait beaucoup de monde aux cours d'alchimie et de polymathie holistique. On pouvait déjà parier d'y retrouver Jaufrette et sans doute Nive et Melys.

La polymathie n'était pas vraiment une matière, mais un ensemble de matières. Ses détracteurs disaient que c'était la science des touche-à-tout, ce qui avait pour objectif de laisser entendre que c'était celle des bons à rien. Quant à l'holistique, c'était l'art suprême de voir comment toutes les choses sont liées entre elles, et donc les matières qui enseignent ces choses. Ce qui expliquait par la même occasion que les polymathes et les holisticiens soient si liés. Ça rappelait à Piphan' le discours d'une certaine loche : «Les signes, tu ne les comprends pas parce que tu ne les vois pas. Tu ne vois pas les causes, non plus. As-tu jamais pensé à ce qui relie les choses entre elles?» Peut-être la loche était-elle experte en holistique.

Quoi qu'il en fût, juste après avoir entendu que c'était Caspar Schott qui enseignait la holistique, il ne rata pas le nom du professeur d'alchimie : Auguste Morien. L'énigme du vitriol se réactiva dans sa tête. À brûle-pourpoint, il interrogea Kaylé.

— C'est l'ancien nom de l'acide sulfurique, non ? lui répondit son ami. Pourquoi tu me demandes ça maintenant ? Tu veux t'inscrire en alchimie ?

— Je ne crois pas. Mais il faudra que je te montre quelque chose quand on retournera à nos chambres. Un papier… curieux.

Mais Kaylé ne l'écoutait que d'une oreille distraite. Depuis un moment son attention se portait sur la discussion qui se tenait entre quelques Anciens. Il fit du coude à Piphan' pour lui signifier de tendre l'oreille à son tour. Un des élèves disait :

— … ce n'est pas comme Aelys Crowley, la pauvre. Demain elle passe en conseil de discipline.

— Tu crois qu'elle sera renvoyée ? demandait un autre.

— J'espère que non, c'est une super magicienne ! Mais tu connais le règlement, perdre son bandeau c'est très grave. Tu imagines si un Dahal tombe dessus ?

— C'est vrai qu'elle ne mérite pas le renvoi, intervint une troisième élève, mais faut reconnaître qu'Aelys n'y est pas allée de main morte ! Emprunter des licornes sans autorisation… Et s'il n'y avait que ça… On dit qu'elle est responsable de la mort d'un nautile géant.

Piphan' et Kaylé se regardèrent en silence. Si d'autres avaient vu la coquille sans vie du nautile Galibot sur le rivage de Maro-Ancêtre, ils n'étaient que deux à savoir que Piphan' était détenteur du fameux bandeau. Et celui-ci pouvait enfin mettre un nom sur le merveilleux visage qui n'avait plus quitté son esprit.

L'inconnue qui avait mis son cœur en branle devenait Aelys.

Aelys… ce prénom chantait déjà à ses oreilles comme la plus douce des romances. Ça lui rappelait une phrase que Bertille aimait bien répéter : Il y a des prénoms si beaux qu'il faudrait arracher une plume à l'amour pour les écrire.

Pourtant l'esprit n'était pas à la sérénade. Celle qu'il attendait de rencontrer depuis la seconde où il l'avait aperçue risquait de ne pas traîner longtemps dans les branches de l'Arbre-Mère. Mais pas question qu'on la renvoie pour la perte de son bandeau, puisqu'il n'était pas perdu. Il fallait absolument qu'il la rencontre.

— Où elle est, Aelys Crowley ? Je veux dire, elle est dans quel pronaos ?

— Elle appartient à la GD, comme elle, comme lui… dit un garçon en désignant Fernien Marley et la fille assise à ses côtés.

La fille se nommait Florence Cantor, elle avait l'air d'être la plus au courant de ce qu'on reprochait à Aelys. C'était elle qui venait de parler des licornes et du nautile.

— La Gédée ?

— La GD, la Golden Dawn, le meilleur pronaos d'Élatha, expliqua Fernien, à la fois en plaisantant mais très fier.

— Tu parles ! le reprit Florence. Si Aelys est renvoyée, c'est plus ce qui se dira de la Golden dans les couloirs d'Élatha.

Elle se tourna vers Piphan'.

— Pourquoi, tu la connais?

— Non. Mais j'ai quelque chose pour elle.

— Si tu veux, je peux le lui faire passer.

— Merci mais… c'est personnel. Tu sais où je peux la rencontrer?

— Je ne pense pas qu'elle descendra aujourd'hui. Elle prépare ses affaires. Tu sais, elle passe en conseil de discipline demain, alors… je crois que ce n'est pas le moment.

— Et je ne peux pas être invité à la GD? demanda-t-il, gonflé à bloc.

Comme Florence Cantor prise au dépourvu cherchait ses mots, Fernien la devança.

— Une prochaine fois si tu veux, mais pas ce soir. D'ailleurs, nous n'allons pas tarder à regagner notre lieu de vie car nous avons justement une réunion secrète. Tu comprends, avec le départ d'Aelys, nous avons des petites choses à régler. Affaire de Golden, désolé. Mais si ça vous intéresse, un autre jour on vous fera visiter notre parc et nos jardins. Ce n'est pas pour nous vanter mais ils sont réputés.

— Oh oui! s'exclama Joa, sitôt suivie par Jaufrette et Perline et Tristan…

La discussion dériva brusquement sur les plantes magiques et les jardins suspendus. C'était fichu pour la soirée. Piphan' se fichait pas mal des plantes dans la situation présente. Son seul souci était de rencontrer Aelys avant son renvoi. L'occasion se dessina lorsque ceux de la GD se décidèrent à quitter la table. Profitant du brouhaha des séparations, il prit Florence à part.

— Où se passe le conseil de discipline?

— Au petit Agora. Mais les initiés n'y sont pas admis.

— Ça… ça fait rien. C'est juste pour savoir. Tu dis que c'est à l'Agora?

— Oui, au petit.

Comme il françait les sourcils et qu'elle le savait nouveau, Florence lui expliqua qu'il y avait deux agoras dans l'arbre. Le grand Agora était la plus grande salle de réunion d'Élatha. Elle occupait le centre de l'arbre et servait aux réunions nécessitant l'avis de tout le monde. Tous les grands débats sur la vie du Naos s'y tenaient. Tandis que le petit Agora était réservé aux administrateurs, au Conseil des Aînés ou à certaines réunions entre profs.

En échange de sa très large permissivité, Élatha ne plaisantait pas avec la discipline et la responsabilité de tous ses membres. Surtout en cette période de troubles. En cas de conseil de discipline, le petit Agora avait un air de tribunal. Les séances s'y tenaient à huis clos, aucun initié n'y était admis en dehors de celui pour qui se tenait la séance, ni aucun professeur, sauf s'il se trouvait être également le mentor ou le référent de l'élève en question.

— Mais tu sais, reprit Florence devant son air inquiet, un seul élève a été renvoyé au cours des dix dernières années. Et il faut remonter trente ans en arrière pour l'exclusion d'un professeur et membre du Conseil, un certain Samildanak.

Il ne lui manquait plus qu'une donnée pour peaufiner son plan et Florence la lui fournit lorsqu'elle raconta que les conseils de discipline avaient toujours lieu à la première heure, avant le début de la journée. En cas de renvoi, ça permettait à l'exclu de quitter les lieux sans avoir à affronter trop de monde à sa sortie de l'Agora.

Ils ne traînèrent pas après le départ des Golden et autres Anciens. Les Draco avaient prévu une fête dans leur lieu de vie avant de passer aux choses sérieuses. Basty et Zilibero s'étaient arrangés pour faire passer une pleine malle de pètembouches et de boissons achetés aux Comptoirs de la Guilde. Quand elle apprit que la malle regorgeait d'onirine, Jaufrette écarquilla de si grands yeux ronds que les Draco Dormiens ne purent que l'inviter. Perline et Joa décidant de suivre, la soirée s'annonçait chaude.

Le seul Draco pas chaud pour la fête était Tristan Hellidge. Il préférait explorer l'arbre, ce qui tinta aux oreilles de Melys. Ce fut donc à trois seulement que Kaylé, Nive et Piphan' prirent un astabule qui les remonta à la BM-13.

Chapitre 20

L'arrivée discrète du « tournant »

N ive rejoignit directement sa chambre pour y continuer sa déco et promit de les appeler pour boire un pot dès que ce serait présentable. Après tout, ne pas avoir envie de faire la fête en groupe n'empêchait pas de la faire en comité restreint, d'autant qu'il leur semblait important de fêter leur première nuit dans cet Arbre-Mère. En attente de l'invitation, Piphan' demanda à Kaylé de le suivre. Il lui tardait d'avoir un avis plus éclairé sur la lettre qu'il devait remettre au prof d'alchimie.

Kaylé saisit l'enveloppe, sortit la lettre, tourna le bout de papier pour vérifier qu'il n'y avait rien d'autre au dos, et finit par dire d'un ton embarrassé :
— Vitriol. C'est tout ? Je devrais voir autre chose ?
— Tu remarques vraiment rien d'autre ? insista Piphan'.

— Ben, le R est plus gros. Et puis il n'est pas de la même couleur… R comme rouge. Avec une encre plus mate.

— Tu es sûr que c'est de l'encre?

— Hé! Attends! Tu as raison, c'est curieux. On dirait du sang séché! C'est pour ça qu'il se distingue de l'encre brillante. Tu dis que c'est pour le prof d'alchimie?

— Oui mais tu gardes ça pour toi, d'accord?

— T'inquiète pas, je dirai rien! C'est quand même bizarre de te faire apporter ça. Qui te l'a demandé?

— Tu te souviens, quand on est allé à la Citibank?

Kaylé se souvenait très bien. Son visage changea d'expression.

— Non! Tu ne vas pas me dire que c'est…

— Si! C'est M. Voulabé en personne. Le prof d'alchimie est un de ses amis.

— Décidément, t'es fou, toi! Fulbert Voulabé! Mais c'est… c'est le plus grand voyou d'Albaran!

— Bof! Peut-être que tout le monde le craint, mais avec moi je t'assure qu'il a été hyper sympa.

— Tu rigoles! Si Voulabé est sympa avec quelqu'un, c'est qu'il y a un intérêt. Ce type ne fait rien pour rien.

— Ouais, c'est possible. Mais si son intérêt était juste que j'apporte une lettre à un de ses amis, je ne vois pas où est le mal.

— Une lettre avec du sang dessus! Tu ne te rends pas compte! Si ça se trouve, Vitriol c'est un code secret, ou alors la lettre contient un maléfice, va savoir! Et puis je vais te dire, j'ai toujours habité Lakinta et je peux te donner l'avis général de la population. Voulabé, c'est un rat, un affameur, il contrôle tout. Tiens ! Quand on s'est rencontrés, tu revenais des bas quartiers et tu as vu dans quelle misère il oblige les gens à vivre. Il s'en fout. Même de l'argent, il s'en fout. Il en a tellement que ça n'a plus d'importance. Ce qu'il veut c'est du pouvoir, toujours plus de pouvoir.

Kaylé s'interrompit en réalisant qu'il s'emportait, et parce qu'il savait que la suite réclamait de la discrétion. Une suite qu'il ne connaissait que par la confiance que son père Silvius avait en lui. Cependant, il sentait qu'il était urgent que Piphan' révise son jugement sur Voulabé. Cette histoire de lettre au vitriol ne lui plaisait pas. Il reprit d'une voix calmée.

— J'ai juré à mon père de ne pas en parler, mais tu dois savoir. Celui que tu prends pour un brave type, ton Fulbert Voulabé, est-ce qu'il t'a dit qu'il était magicien ? Est-ce qu'il t'a dit qu'au temps où il s'appelait Samildanak il faisait partie du Conseil d'Élatha ? Sans doute pas. Parce que sinon il aurait été obligé de te raconter pourquoi il a été viré.

Piphan' resta interdit. Les propos de Kaylé corroboraient ceux de Florence Cantor. Un professeur et membre du Conseil avait bien été viré trente ans auparavant. C'est vrai qu'en réfléchissant, Voulabé n'avait rien fait de si exceptionnel pour lui. Il ne l'avait pas aidé à retrouver son parrain et l'avait juste reçu comme un client fortuné. Un client plutôt particulier qui n'était même pas au courant de sa fortune ! Quant à lui faire obtenir une sidois d'or internationale tout en sachant qu'il allait partir sur une île où l'argent n'avait aucune valeur… ça ne laissait plus beaucoup d'arguments pour le trouver sympathique. Si cette lettre avait une importance cachée, il devenait très plausible que Voulabé n'ait cherché que son propre intérêt.

— Mon père n'a jamais voulu entrer dans les détails. Mais je sais que Samildanak a été pris en flagrant délit de transmission à Nagwadès d'informations sur le fonctionnement d'Élatha.

— Nagwadès ? Il y a eu un Nagwadès à l'îlot Nat ! Tu crois que c'était le même ?

— Sans doute, Nagwadès était un vawak comme nous. Il s'était installé en Nouvelle Europe mais il revenait souvent dans les îles Protégées. C'est pour ça qu'il était dangereux, il en connaissait tous les rouages. Quand il s'est mis à servir Sarpédon, il est rapidement devenu un des Dahals les plus proches du Maître des Ténèbres. Pour sa défense, Samildanak a dit qu'il l'ignorait, qu'il connaissait Nagwadès depuis longtemps mais ne s'était jamais douté de rien. N'empêche que les informations divulguées étaient capitales, elles concernaient les codes d'entrée et de sortie d'Abracadagascar. On n'a jamais su si Samildanak était sincère ou s'il était coupable de trahison. Mais certains ont toujours pensé que les pouvoirs magiques lui étaient montés à la tête.

— C'était un bon magicien ?

— Sans doute, puisqu'il faisait partie du Conseil. Mais

il n'était pas aussi doué que Sintonis ou Mori-Ghenos, ni même qu'Élia Grandidier.

— Y a quand même un truc qui m'échappe. Si c'est un grand magicien, qu'est-ce qui l'empêche de rejoindre Sarpédon maintenant qu'il n'a plus rien à voir avec Élatha ?

— Tu crois quand même pas qu'Élatha l'a laissé partir comme ça ! Il n'a plus de pouvoir magique, c'est fini, il est redevenu un simple initié. S'il jetait un sort, ça se retournerait contre lui. Et puis il est contrôlé. Il n'a pas le droit de quitter Albaran. Il ne peut même pas faire du bizness avec la Guilde. C'est pour ça qu'il se venge comme il peut. Mais tu vois bien que c'est un lâche, il ne s'en prend qu'aux moazis.

Avec ces nouvelles données, Piphan' était bien obligé de se ranger à l'avis de Kaylé, ce qui n'enlevait rien à la décision qu'il devait prendre.

— Alors, pour la lettre, qu'est-ce que je fais ? Tu crois que je la donne au Pr Morien ? Après tout, je pourrais l'avoir perdue pendant la traversée.

— Je ne sais pas, mon vieux ! C'est peut-être la meilleure solution. Apparemment, Samildanak t'a utilisé. La lettre n'est peut-être qu'un prétexte. Et si jamais…

Kaylé s'interrompit en entendant la voix de Nive. Elle se tenait devant la perle d'entrée, tout excitée.

— Entre ! invita Piphan'.

— Non ! Vous, sortez plutôt. Venez voir ! chuchota-t-elle en s'éloignant dans le couloir des chambres.

Il ne leur fallut que quelques pas pour comprendre.

— Tu lui as parlé ? demanda Piphan'.

— Non, j'ose pas, souffla-elle intimidée.

La quatrième et dernière chambre des garçons avant la salle commune avait sa perle d'entrée éclairée. Le pronaos Filus Aquarti était enfin complet. Ils se pressèrent devant la perle pour lire le nom inscrit : Salomon Flamel. Il faut reconnaître que, même pour un Marbode ou une descendante des De Lancroy, celui qui occupait cette chambre avait de quoi impressionner. Son nom était aussi universellement connu que Nostradamus ou Harry Potter.

— Y a quelqu'un ? lança Piphan' à travers la perle.

Quelques secondes s'écoulèrent avant qu'un garçon n'apparaisse dans la lumière. Sous ses cheveux noirs en bataille, ses yeux verts rappelaient ceux de Melys, mais plus clairs et plus rieurs. Sur des jeans noirs, il portait une tunique de satin rouge, aussi étincelante que celles des maîtres, serrée à la taille par un gros cordon noir comme ses pantalons. Pas franchement les couleurs d'Élatha, mais on sentait d'emblée qu'il avait une grande habitude des écoles de magie.

— Heu, salut ! fit celui dont on savait enfin le nom.

— Salomon, c'est ça ?

— Oui, Salomon Flamel, répondit-il en guettant leur réaction.

Piphan' fit les présentations, sur quoi Nive enchaîna sa proposition d'aller prendre un verre chez elle.

— Pourquoi pas, accepta Salomon. Moi je ne peux pas encore vous faire entrer, c'est... un peu la zone.

Je n'ai pas eu le temps de ranger mes affaires, mais y a pas le feu.

— Pas le feu mais ça flambe dans le coin, dit Piphan' avec un regard interrogateur.

Dans un coin de la pièce, il venait d'apercevoir tout un attirail de cornues et d'éprouvettes, surmontées d'un serpentin de verre, et l'ensemble avait l'air en fonction.

— Oh, ça risque rien. C'est juste un truc que je dois maintenir à température. Ça ne chauffe pas vraiment, c'est un feu-semblant.

— Toi, je parierais que tu vas t'inscrire aux cours d'alchimie! avança Kaylé amicalement.

— Alors ne parie pas parce que tu perdrais. L'alchimie, j'en ai ras-le-bol!

— Bon, on va le prendre ce pot? répéta Nive. On peut continuer à discuter chez moi. Et puis j'aimerais bien avoir votre avis sur ma déco.

En entrant chez elle, ils crurent tout d'abord qu'elle avait utilisé un enchantement pour décorer ses murs. Ils étaient devenus une galerie de portraits et de scènes en relief qui retraçaient l'histoire des De Lancroy. Elle raconta qu'elle s'était contentée de punaiser des gravures et des photos mais que l'arbre avait aussitôt recraché les punaises et intégré les images à sa manière. Le résultat était une ribambelle de statues qui émergeaient des murs de bois, comme celles qu'ils avaient vues dans certains couloirs. Sauf qu'ici ils savaient de quoi il s'agissait, c'était la lignée des De Lancroy.

Ils commencèrent par parler des journées qui allaient suivre, des cours auxquels ils allaient s'inscrire, de leurs mentors respectifs.

Pour Salomon, la question était réglée. Son bref passage ne lui permettait pas d'avoir un mentor élathéen attitré. Pour les élèves tournants, les Naos désignaient un référent temporaire. Ici, Arthur M endosserait cette responsabilité puisqu'il était le référent moral de tous les pronaos Filus Aquarti, même si pour l'instant seul Salomon avait eu le privilège de le rencontrer.

Mais, comme pour eux, la raison majeure de la venue de Salomon Flamel à Élatha était sa mise en sécurité. Depuis la disparition de ses parents, tout n'était devenu qu'intrigues autour de lui, quand ce n'était pas des dénonciations de la part de ceux qui savaient qu'il savait. Un savoir qui intéressait au plus haut point Sarpédon et ses Dahals. Obligé de changer régulièrement d'endroit, il avait saisi l'opportunité de venir à Élatha comme un espoir de la dernière chance. Il lui fallait absolument apprendre la magie ancestrale car la simple sorcellerie enseignée dans les écoles d'Europe n'était plus assez puissante pour résister à Sarpédon et à ses séides.

Au bout d'un quart d'heure à parler de généralités, un silence se fit. Nive, Kaylé et Piphan' se regardèrent pour vérifier qu'ils pensaient à la même chose. Si Mori-

Ghenos avait bien dit de ne pas harceler le nouveau de questions, il aussi avait laissé entendre que si ce dernier voulait parler… il était libre de le faire.

— Tu sais, Salomon, osa Nive, on nous a demandé une grande discrétion sur ton histoire. Je ne sais pas si tu veux qu'on en parle, mais comme on va être ensemble au moins toute cette année, tu vois…

— Eh bien non, je vois pas! répliqua sèchement Salomon.

— Je comprends très bien que tu n'aies pas envie de parler de certaines choses, enchaîna Kaylé. Ce que Nive a voulu dire, c'est que si jamais tu as besoin de quelque chose, tu peux compter sur nous. Franchement, je ne sais pas ce qu'on pourra t'apporter, tu dois en savoir déjà tellement plus que nous mais… on est là!

Kaylé avait fini sa phrase avec un grand sourire, manière de faire comprendre à Salomon qu'il ne lui en voudrait pas de changer de sujet, mais que s'il voulait bien consentir un effort…

Salomon, de son côté, était tenu par une multitude de choses qui devaient rester secrètes le plus longtemps possible. Sa venue à Élatha en était la principale. Hors de l'enceinte de l'Arbre-Mère, nul ne devait savoir qu'il s'y trouvait. Et dans l'enceinte, moins ils seraient nombreux, mieux ce serait! Alban Sintonis ne lui avait cependant pas caché les difficultés. On ne pouvait pas être autant lié à l'histoire magique sans que cela se sache par-ci par-là. C'était inévitable. Quant à vouloir dissimuler la notoriété de ses parents Nicolas et Perrenelle, ce n'était plus possible, à plus forte raison dans un Naos de magie ancestrale où l'alchimie maintenait sa place d'Ars Magna, l'Art suprême. Mais de ce que Salomon savait, que pouvait-il leur dire sans trahir ni se compromettre? Piégé? En danger? De toute façon, il le serait où qu'il aille, il l'avait parfaitement compris. Aussi, comme son intérêt restait de trouver les appuis les plus sûrs, il décida de tâter le terrain en prenant les devants.

— Bon. Je ne dis pas que je répondrai à toutes vos questions. Mais c'est vrai que nous allons passer un an ensemble et… je sens surtout que je peux compter sur vous.

— Si ça peut te rassurer, proposa Kaylé, faisons un pacte. Sur la tête des trois singes, jurons qu'on n'a rien vu, rien dit, rien entendu. Vous êtes d'accord?

Nive sauta à pieds joints sur l'occasion, et Piphan' avoua spontanément qu'il ne lui déplaisait pas d'être un des singes.

— Tu devrais jurer aussi, dit-elle à Salomon. Comme ça, nous serions tous liés par les vérités qui nous concernent. Ça les allège parfois et ça nous rend plus forts!

— Entendu! Que le Pacte des Singes soit! Je n'ai rien vu, rien dit, rien entendu!

— Alors toi aussi on t'a mis à l'abri avec précipitation?

— Oh, ça fait quelques années que je vis dans la précipitation. Ça commence à me fatiguer d'être un tournant. J'espère qu'ici je pourrais rester au moins l'année entière.

— C'est parce que tu t'appelles Flamel que tu as des

ennuis? interrogea Piphan' pour entrer dans le vif du sujet.

— Pour ça et d'autres choses, répondit Salomon dans un soupir qui en taisait long.

— Pourquoi tu ne changes pas de nom? Ce n'est pas écrit sur ton front que tu t'appelles Flamel!

— Non, mais c'est pire!

Salomon parut soudain se fermer comme une huître. Il se laissa aller en arrière et leva les yeux au plafond pour éviter les regards. Il posa une main sur son cœur avant de la retirer vivement comme si ce geste venait de le trahir. Mais il réalisa qu'il n'en était rien et qu'au fond il se sentait en sécurité ici, alors il se décida à briser le silence qu'il venait d'instaurer.

— J'ai confiance et je respecterai le Pacte des Singes. Il me faut juste un peu de temps. C'est pas facile!

— Je comprends, le rassura Nive. Ça ne doit pas être facile d'être un descendant du grand Nicolas Flamel.

— Surtout quand on n'est pas un simple descendant…

Ou peut-être pas un descendant du tout, pensait-il.

— Tu n'es quand même pas…

— Si! Je suis leur fils. L'enfant de Nicolas et Perrenelle. Disons, la somme et le fruit de toute leur vie.

Nouveau silence empreint d'hésitations. Si dame Perrenelle et Nicolas avaient un fils de leur âge, cela ancrait d'un coup dans la réalité l'immortalité procurée par la pierre des philosophes. Et comme la présence d'un Flamel à Élatha ne pouvait pas relever de la supercherie, autant dire que les questions se bousculaient dans leurs têtes de singes.

— Alors tes parents sont vachement vieux… lâcha maladroitement Piphan' en se souvenant d'avoir lu qu'ils avaient plus de six cent soixante ans.

— Oui et non. Ma mère est née en 1310 et mon père en 1330. Mais d'une certaine manière, on pourrait considérer qu'ils n'ont que quatorze ans. C'est l'âge que j'ai eu le 17 janvier dernier. En fait, ils sont morts pour ma naissance.

— Désolé! Je ne voulais pas te rappeler d'aussi mauvais souvenirs. On… on devrait parler d'autre chose.

— Piphan' a raison, enchaîna Kaylé. Excuse-nous! Est-ce que tu pourrais nous en dire plus sur ce qui se passe en Nouvelle Europe? On manque un peu d'infos ici.

Salomon avait appris l'imminence d'un alignement planétaire annoncé par une prophétie qui, apparemment, ne se passait pas comme prévu. Il y avait un décalage du temps inexpliqué, peut-être lié à la planète Pluton, ce qui mobilisait tous les astromages. Même du côté de Sarpédon, on n'était pas sûr de bien comprendre.

— Mon parrain a parlé d'une force nouvelle, dit Piphan'. Tu crois que c'est en rapport avec Hécate ou Lilith?

— Sans doute. On dit que Lilith et Sarpédon doivent s'unir. C'est plutôt curieux que deux maîtres des ténèbres s'unissent pour régner. Ça cache quelque chose.

— Au fait, comment ceux qui te cherchent pourraient te retrouver ?

— À cause des résonances. Pour moi, c'est celle des cristaux, mais tout a une résonance. Les gens, les pensées… Tout laisse une empreinte. Si on intercepte l'empreinte, c'est facile de remonter à sa source. Et je crois que les Dahals ne s'en privent pas.

— Oui, approuva Nive. J'ai entendu dire qu'ils essayaient de récupérer l'égrégore des humains.

Comme Piphan' et Kaylé n'avaient jamais entendu parler de la chose, elle dut expliquer que l'égrégore n'était pas une machine mais ressemblait, à sa manière, au système d'Avalon. Il s'agissait d'un espace-temps singulier où se concentraient les pensées. Jadis, l'égrégore humain servait à recueillir toutes les prières du monde. Certains le considéraient comme les archives de la pensée humaine. Mais au fur et à mesure que les hommes priaient de moins en moins, l'égrégore avait été laissé à l'abandon.

— Eh bien, tu peux parler au passé ! rectifia Salomon. Les Dahals ont trouvé moyen de le coupler à des ordinateurs. Il semblerait maintenant que l'égrégore recueille toutes les formes de pensées et analyse leur résonance.

— Quoi ? s'exclama Kaylé. Les Dahals utilisent des ordinateurs ? C'est stupide ! C'est complètement ringard. Tout le monde sait que ces machines ne sont pas fiables.

— Tu prêches un convaincu, mais n'oublie pas que

la plupart des Dahals sont d'anciens moazis. Ils utilisent des technologies qui leur ressemblent. Et même si un ordinateur n'est pas fiable, il suffit qu'il t'ait donné la bonne réponse avant de tomber en panne.

— En tout cas, ici, on n'a rien à craindre. Rien ne peut s'échapper de l'enceinte d'Élatha, dit Nive.

— Sauf que, même s'il utilise à l'occasion les données de ses Dahals, Sarpédon n'a pas besoin d'égrégore pour pénétrer certains esprits ! Je suis bien placé pour le savoir…

Salomon finit sa phrase avec à nouveau beaucoup d'abattement dans la voix, puis il se perdit dans ses pensées.

Peu avant, alors qu'il s'autorisait une promenade en forêt pour s'oxygéner un peu, il avait senti qu'il entrait en résonance avec un élément de l'environnement. Il avait fini par comprendre que c'était les lichens qui recouvraient un gros rocher près duquel il s'était assis un instant. D'habitude, il fallait quelque chose de cristallin dans les parages pour qu'il décèle la résonance. Il ne tarda pas à apprendre que ces lichens étaient précisément des hybrides de végétal et de minéral, une récente création dahalienne. Tout comme ils le faisaient avec les lâchers de scorterelles, les Dahals répandaient maintenant ces lichens émetteurs-récepteurs partout où ils pouvaient.

Cette ignorance avait failli lui coûter cher. Sa propre fréquence vibratoire avait été identifiée et le Seigneur Noir n'avait plus besoin d'interroger l'égrégore pour remonter à la source. Il la connaissait par cœur et pouvait à présent l'utiliser pour le localiser. Sous peu, il parviendrait à pénétrer son esprit à distance. On avait aussitôt enseigné à Salomon de nouvelles techniques de protection de l'esprit mais il avait beaucoup de mal à les mettre en pratique. Et plus ça allait, moins il supportait d'être toujours enfermé, surveillé ou obligé de se surveiller lui-même. Il aurait tellement aimé courir sur des plages dorées ou des collines verdoyantes, respirer l'air à grandes bouf-fées, sentir le vent dans ses cheveux, la pluie sur son visage. Il aurait tellement aimé être comme les autres.

Ce qu'il ignorait encore, c'était qu'Élatha n'était pas qu'un Naos de plus sur son parcours de tournant, et que ses nouveaux amis n'étaient pas non plus des ados comme les autres. Mais il sentait qu'il pouvait comp-ter sur eux et il se relâcha progressivement. Il ne devait d'ailleurs pas le regretter, car Piphan' avait un début de solution à son problème de pénétration d'esprit. Puisque Oucoulouncoulou avait proposé de lui apprendre le cloisonnement partiel, il n'allait sans doute pas le refuser à quelqu'un qui en avait plus besoin que lui. Piphan' se lança donc dans le récit de son expérience télépathique et avança l'idée qu'un stage chez les Zindris ne pourrait qu'aider Salomon.

Nive proposa bientôt de parler de choses plus légères et d'aller s'aérer à l'atrium, ce qu'ils firent jusqu'à l'ar-rivée tardive des filles. La fête chez les Draco Dormiens était terminée et le pronaos Filus Aquarti eût été au complet si Melys n'avait manqué à l'appel. En exploration nocturne avec Tristan Hellidge, qui sait où il se trouvait en ce moment et ce qu'il découvrait de l'arbre gigantesque?

Chapitre 21

Mystères au petit Agora

Le jour pointait à peine lorsqu'une pensée arracha d'un bond Piphan' aux rêves de la nuit. Il avait failli oublier qu'Aelys Crowley passait en conseil de discipline ce matin. Il enfila en vitesse son short vert et prit le bandeau dans son sac en toile de Mider, quand une idée l'illumina. La toile de Mider! Il n'avait pas encore essayé l'invisibilité et trouvait que c'était là une excellente occasion. Ça lui permettrait d'éviter les rencontres indésirables… Sauf que ça l'embêtait comme un méchant dilemme: s'il était invisible, Aelys ne pourrait pas savoir qui il était… Il se dit finalement que le plus important était d'abord qu'elle retrouve son bandeau. Pour le reste, il verrait plus tard. Dans l'immédiat, invisible voulait dire qu'il allait pouvoir la regarder tout à souhait sans qu'elle s'en doute. Il ne pensait pas perdre au change.

Il sortit en courant. Du moins tant qu'il le put, car il n'alla pas bien loin! À peine avait-il franchi sa perle d'entrée qu'il percuta de plein fouet un mur invisible. Le choc fut à la hauteur de son élan, si bien qu'il se retrouva au sol, à se demander s'il ne s'était pas cassé le nez. En même temps, il entendait une plainte identique à la sienne, surgissant du vide à deux mètres devant lui. En redressant un peu la tête, il vit deux chaussures s'agiter au sol, sans personne à l'intérieur. Il crut soudain comprendre…

— Kaylé? C'est toi?

— Non, c'est pas Kaylé, fit une voix nasillarde.

Piphan' eut un sursaut de frayeur. Sans prendre le temps de se redresser, il rampa en arrière pour s'éloigner de cette présence invisible. La voix reprit, moins nasillarde mais aussi apeurée que lui.

— Qui est là?

Cette fois il identifia la voix et poussa un long soupir avant de relever sa capuche pour montrer son visage à découvert.

— Dis donc, tu as la tête en plomb, toi… continua la voix. J'ai bien cru que je n'allais plus jamais respirer.

Salomon apparut au bout des chaussures, il venait de quitter une cape d'invisibilité. Il se trouvait pareillement étendu au sol et se tenait la figure. Une vraie rencontre nez à nez. Ils avaient eu la même idée de jouer les hommes invisibles et s'étaient rués sur le même chemin au même moment. Au passage, ils découvraient un autre inconvénient de l'invisibilité lorsqu'on n'est pas le seul à l'employer.

Comme toujours dans les endroits qu'il ne connaissait pas, Salomon s'était levé tôt pour explorer le Naos avant le réveil général, histoire de prendre quelques repères. En donnant ses propres raisons, Piphan' réalisa que le temps filait et qu'il était loin d'être rendu au petit Agora.

— Est-ce que je peux t'accompagner ? demanda Salomon.

Piphan' hésita quelques secondes. Il aurait tant aimé garder pour lui cette première rencontre avec Aelys. Mais d'un autre côté, le «tournant» débarquait, il ne connaissait rien aux lieux, il avait besoin d'aide et surtout il avait déjà joué franc-jeu. C'était l'occasion de lui prouver que le Pacte des Singes était sérieux.

Tout en arpentant les branches à la recherche d'un plan de l'Arbre-Mère, Piphan' lui expliqua les raisons de l'urgence vers l'Agora et lui fit part de son intention d'assister au conseil de discipline. Ce n'était pas pour déplaire à Salomon. Lui aussi avait toujours pris un certain plaisir à contourner les règlements, qu'il y soit forcé ou que ce fût de son plein gré, même si depuis quelque temps c'était de plus en plus souvent de son plein gré. À cause de sa place de tournant, les règlements commençaient à l'ennuyer profondément, à force de varier d'un Naos à l'autre!

Le petit Agora se situait vers mille huit cents mètres d'altitude. Il n'y avait pas de branches latérales à prendre, pas de correspondances, on y montait tout droit avec un astabule central.

Ils débouchèrent au milieu d'un portique dont les colonnes intérieures encerclaient la salle de l'Agora, tandis que les extérieures ouvraient sur une vue vertigineuse. L'Arbre étant déjà planté sur une colline à mille mètres d'altitude, on se retrouvait à presque trois kilomètres au-dessus de la mer dont on apercevait le scintillement lointain. Piphan' n'était jamais monté aussi haut et l'air frais le grisait. Il avait une envie irrésistible de rire tellement il se sentait heureux. Salomon appréciait lui aussi ce grand bol d'air euphorisant mais, plus réservé, il dut freiner le laisser-aller. Des pas résonnaient sous le portique. On venait dans leur direction.

Du groupe de cinq personnes qui s'avançait, Salomon n'avait eu le temps de rencontrer qu'Alban Sintonis et Mori-Ghenos. Pour sa part, Piphan' reconnaissait en plus Menebuch, mais les deux autres, deux femmes, restaient inconnues. Bien que se sachant invisibles, ils furent tentés de reculer à l'approche du groupe. Faute de se voir l'un l'autre, ils n'arrêtaient pas de se bousculer ou de se marcher sur les pieds. Il fallut vite établir des conventions. Ils en étaient à peaufiner une stratégie lorsque l'arrivée soudaine d'Aelys cloua Piphan' sur place. Elle était accompagnée de Florence Cantor.

Les deux filles, qui parlaient à voix basse, traversèrent le portique avant de s'arrêter devant une porte. Aelys avait revêtu une longue cape de velours vert émeraude, plombante, qui tranchait avec la blancheur immaculée de son chemisier. Malgré les circonstances, il trouva qu'elle était éclatante, encore plus belle que sur le char aux licornes. Il en était si intimidé qu'il se demanda un instant ce qu'il faisait là. Une fille comme ça, pareille à une princesse de conte, si fine, si différente, qu'allait-elle penser de lui ? Il était plus jeune qu'elle, vawak, et à peine initié à la magie. Pourquoi lui accorderait-elle de l'intérêt ? Ce n'étaient pas les garçons qui devaient manquer dans sa vie. Sans doute en avait-elle déjà un, qu'elle aimait. Peut-être même qu'elle s'était promise…

Mais l'heure n'était plus à ce genre d'interrogations. Il n'était venu que pour une seule chose et il ne devait pas traîner car le conseil de discipline allait commencer d'un instant à l'autre. Alors il vint se placer devant elle, le bandeau d'Élatha serré dans son poing fermé. Un instant encore il en profita pour la regarder de plus près, admirer ses yeux profonds, sa bouche framboise qui brillait de reflets d'argent, sa chevelure noire aux boucles soyeuses… Enfin il se décida à ouvrir la main et caressa légèrement la sienne avec le bandeau. Surprise, elle laissa échapper un petit cri, pensant à un insecte volant qui pouvait la piquer. Sauf qu'à l'endroit où elle avait senti la chose l'effleurer, elle voyait à présent le bandeau flotter dans l'espace. Son bandeau. Elle poussa un «Oh!» long comme un soupir et tendit lentement sa main en avant. Le bandeau s'y posa aussi légèrement qu'une plume.

— Mais c'est ton bandeau! s'écria Florence, ravie.

— Oui… dit Aelys d'une voix étouffée par l'émotion. Tu te rends compte? Peut-être que je ne serai pas renvoyée…

— Mais bien sûr que tu ne le seras pas. C'était le plus important de ton passage devant le Conseil. On ne peut plus rien te reprocher qui mérite le renvoi. Toi, on peut dire que tu es sauvée par le gong!

À défaut de gong, la porte d'entrée du petit Agora s'ouvrit et une femme s'adressa à Aelys.

— Mademoiselle Crowley… Si vous êtes prête, le conseil de discipline va tenir séance.

— Vas-y! Et n'aie pas peur, l'encouragea Florence, tu ne risques plus l'exclusion. Je t'attends dans les parages.

Piphan' remarqua que des larmes embrumaient le joli regard d'Aelys mais que son sourire disait le reste, c'était des larmes d'intense soulagement. D'un bond il rejoignit Salomon qu'il savait près de l'entrée et vérifia à voix basse qu'il fut toujours en place. Comme il confirmait, sitôt qu'Aelys franchit le seuil, ils lui emboîtèrent le pas en se serrant au coude à coude.

Bien qu'on le dise petit, l'Agora était une pièce spacieuse, ovale, et presque à ciel ouvert. Sur plus d'un tiers de la salle, de grandes arches offraient des trouées sur le bleu du ciel et le plafond devait être à une trentaine de mètres de hauteur. Çà et là, des billots de bois sortaient du sol pour servir de sièges ou de tribunes, tous de tailles et de hauteurs différentes, sans qu'on puisse deviner s'il y avait une autre raison que l'esthétisme. Sitôt entrés, ils se cachèrent par réflexe derrière le premier gros pilier venu avant d'aller prendre place sur les billots les plus éloignés du centre. Piphan' commença par situer Menebuch pour le présenter à Salomon.

— Et lui, juste derrière maître Menebuch, c'est maître Amiralbar. C'est lui qui a accompagné le pronaos Dor-Aïke depuis les Amériques Orientales jusqu'ici. Tu te rends compte du trajet qu'ils ont fait ?

Ce fut tout ce qu'il eut le temps de dire. Une main leur tapa sur l'épaule et une voix les pria de vider les lieux. Ils ne la connaissaient pas encore mais il s'agissait d'Élia Grandidier, tête éminente du Conseil et codirectrice des études avec Alban Sintonis.

— Messieurs, ceci est un conseil de discipline et les élèves n'y sont pas admis à moins d'en être passibles, ce qui, je crois, n'est pas encore votre cas. Aussi je vous prierai de regagner la sortie. Compte tenu de votre récente arrivée à Élatha, je passerai pour cette fois sur cette visite impromptue. J'imagine bien comment vous êtes entrés mais sachez que le petit Agora n'est jamais autorisé aux élèves. J'espère donc n'avoir jamais à vous le rappeler.

Ils ne comprenaient pas bien ce qui se passait. Élia Grandidier leur parlait en les regardant dans les yeux comme si leurs vêtements avaient soudain cessé de les rendre invisibles. Elle ajouta à l'attention de Piphan' :

— De plus, une tenue correcte est exigée dans l'enceinte d'Élatha. Que je sache, nous ne sommes pas aux bains. Même si votre corps est, je dois le reconnaître, athlétique, vous n'êtes pas tenu de l'exhiber d'une manière si… inconvenante. Allez donc vous vêtir et surtout ne revenez pas ici.

Pas d'autre choix que de se diriger vers la sortie désignée. Sur leur passage, ils ne pouvaient que noter les sourires amusés des maîtres présents. Mais ce qui gênait le plus Piphan', c'était qu'Aelys le voyait également. Elle aussi s'était tournée vers eux et les accompagna du regard jusqu'à ce qu'ils aient franchi la porte.

De retour sous le portique, Piphan' ôta sa capuche en râlant. Ah ça oui! S'il retournait aux Comptoirs de la Guilde, il allait l'entendre, cet Eb'enzéra de malheur. Au prix où il vendait une toile de Mider qui ne fonctionnait pas avec tout le monde. Quelle arnaque!

— Ça ne doit pas être ça, dit Salomon. Je peux t'assurer que c'est bien la première fois que quelqu'un me voit quand j'ai la cape de mon père sur la tête. Je ne comprends pas.

— Ah! C'est donc ça! fit une voix derrière eux au moment où Salomon retirait sa cape d'invisibilité.

La voix appartenait à Florence Cantor et cette fois leur secret était bien éventé.

— C'était vous, n'est-ce pas, le coup du bandeau qui revient tout seul ? Vous avez des capes de Mider !

Tout en remettant son sweat-shirt à capuche dans l'autre sens, Piphan' raconta à Florence quelles avaient été leurs intentions et comment ils s'étaient proprement fait éjecter de l'Agora. Du coup, ils durent entendre qu'ils avaient été bien naïfs. Le petit Agora étant un lieu réservé aux maîtres, il était évident qu'il bénéficiait des protections les plus sophistiquées. Entre autres, la toile de Mider n'y avait aucun effet car l'Agora rendait invisibles les vêtements qui rendent invisibles, sauf pour ceux qui les portent !

— Ah d'accord, réalisa Piphan'. Voilà pourquoi elle m'a dit…

Il s'interrompit sur le petit coup de honte qui lui montait aux joues. Si les vêtements en toile de Mider n'avaient aucun effet dans l'Agora, il avait bien failli se retrouver tout nu devant cette assemblée. Son petit short vert avait dû sembler bien ridicule pour la circonstance, et la liste des inconvénients d'une fausse invisibilité ne cessait de s'allonger.

— Heureusement que j'avais un short sous les jeans, termina-t-il en soufflant.

— Avantage des capes ! dit Salomon. En général on reste habillé en dessous !

Ils partirent tous trois d'une franche rigolade pendant que Piphan' remettait ses jeans dans l'autre sens, invoquant une couleur verte pour rester dans les tons. C'en était assez de l'invisibilité pour aujourd'hui.

— En tout cas, dit Florence, je tiens à vous remercier pour Aelys. Pour moi également, parce que… Si elle était renvoyée, je perdrais ma meilleure amie.

— Et maintenant, qu'est-ce qu'elle risque?

— Je ne sais pas. Il faut attendre le verdict. Je pense qu'il y aura une sanction parce qu'on ne lui reproche pas que la perte de son bandeau. Mais bon, il faut attendre. À moins que…

Florence hésita à dire quelque chose et se retint de justesse. Mais comme ils insistèrent plutôt deux fois qu'une pour qu'elle achève sa phrase, elle finit par lâcher.

— Ça vous dirait vraiment d'assister au conseil?

— Tu veux dire qu'il y aurait un autre moyen d'entrer? demanda Piphan' qui se sentait revivre.

— D'entrer, non. Mais d'assister d'un peu plus loin. Seulement, vous devez me promettre de n'en parler à personne. C'est un secret de Golden Dawn. Mais avec le cadeau que vous venez de nous faire, je crois que la Golden vous doit bien ça.

Florence les entraîna vers l'astable le plus proche, d'où ils rejoignirent un autre lieu de l'Arbre qui allait encore les étonner.

— On appelle cet endroit La Couronne, annonça-t-elle.

Située une quarantaine de mètres au-dessus du petit Agora, la Couronne consistait en une sorte de stade dont on aurait remplacé le terrain central par un lac.

Comme une piscine olympique pour géants. Tout autour, juste après les larges pelouses qui bordaient le plan d'eau, les branches de l'Arbre s'étaient soudées entre elles dans un entrelacs très dense qui formait des gradins. Comme ils s'étonnaient d'une pareille quantité d'eau si haut perchée, Florence expliqua que ce lac de la Couronne était bien plus petit et bien moins profond que celui qui se situait au-dessus du grand Agora. C'était sur le grand lac qu'on organisait les jeux aquatiques comme les tournois de joutes nautiques, tandis que celui-ci ne servait qu'aux baignades des maîtres, qui d'ailleurs n'y venaient que très rarement. En fait, l'Arbre-Mère avait créé ces réserves d'eau dans le but de subvenir à ses propres besoins en cas de sécheresse prolongée.

— Mais ce n'est pas le lac qui nous intéresse aujourd'hui, conclut Florence en les conduisant à un endroit précis des gradins.

Sous l'un des sièges, un passage très étroit disparaissait dans la profondeur du bois, un goulet par lequel on ne pouvait passer qu'en rampant et en resserrant bien les épaules. Quelques mètres plus loin et plus bas, il débouchait sur une cavité où l'on pouvait se tenir accroupi à trois ou quatre au maximum.

— C'est la Golden qui l'a creusé, chuchota Florence avec fierté.

Elle s'étendit à plat ventre en les invitant à faire de même et à regarder vers le bas. Quelques fentes taillées en meurtrière surplombaient le petit Agora. Si les personnes y apparaissaient bien petites, en revanche le son était presque aussi fort que si l'on s'était trouvé dans la salle.

La séance du conseil avait commencé. Autour d'Aelys debout, une dizaine de personnes se levaient à leur tour de parole. Ils reconnurent immédiatement celle qui les avait éjectés de la salle. Florence confirma qu'Élia Grandidier était codirectrice d'Élatha et bien plus encore. Il se disait qu'elle était la femme la plus influente du Conseil des Aînés, surtout pour les questions concernant l'île car personne ne connaissait Abracadagascar aussi bien qu'elle.

— Et celui qui parle en ce moment, qui c'est? demanda Piphan'.

— C'est Silvius Marbode, le prof de fantomatique et de créatures chthoniennes. Il est super gentil.

— Silvius Marbode! C'est donc lui le père de Kaylé ! Mais je croyais que les profs n'assistaient pas aux conseils…

— C'est parce qu'il n'est pas seulement prof. Il est là parce qu'il est le mentor d'Aelys. Et à côté de lui, c'est Arthur M, mon mentor à moi, je l'adore!

— C'est vrai qu'il est sympa, confirma Salomon. C'est lui qui est venu me chercher à Sion pour m'accompagner jusqu'ici.

— Tu connais Sion, toi? sembla s'étonner Florence.

— Euh… juste le prieuré. C'est là que j'étudiais avant de venir ici.

— Ah bon! reprit-elle après un instant de réflexion. Et

de l'autre côté de Silvius, celle qui a le turban violet, c'est Yubaba. Elle est membre du Conseil mais elle enseigne aussi les métamorphoses. Elle est hyper douée, elle peut prendre toutes les formes qu'elle veut. Chut! Chut! Écoutez! Celle qui vient de prendre la parole c'est Solange Arlig, l'administratrice. Y en a qui la trouvent sympa mais pas moi. Elle serait même presque méchante. En plus, elle déteste Aelys. Je me demande ce qu'elle va trouver à redire…

Ils écoutèrent Solange Arlig.

— … sachez donc, Mademoiselle Crowley, que je ne me range pas à l'avis de mes confrères en ce qui concerne votre emprunt sans autorisation d'un char magique et de six licornes. Permettez-moi d'attendre un comportement plus responsable de la part d'une élève de troisième année. Vous déshonorez votre pro-naos, Mademoiselle Crowley. Et notre Naos! Bref, sur ce point des licornes, nous prendrons les mesures qui s'imposent. Ce que je ne comprends pas, c'est la raison pour laquelle vous avez utilisé les services d'un nautile géant, sans accompagnateur et sans ordre de mission. Vous rendez-vous compte que votre légèreté a entraîné sa mort? Ignorez-vous les services que nous rendent les nautiles en cette période de troubles?

— Non, je… Je sais cela, Madame Arlig. Je reconnais mon erreur d'avoir agi sans autorisation mais… Ce n'était pas prémédité. Je connaissais bien Galibot, j'avais déjà traversé plusieurs fois avec lui. C'est quand il a compris que j'étais très en retard pour rentrer qu'il m'a proposé son aide. Quand nous nous sommes quittés, il était bien en vie, je peux vous l'assurer.

— Nous le savons! Nous savons qu'il est mort en portant secours au pronaos Filus Aquarti. Le problème reste qu'il n'aurait pas dû se trouver hors des zones d'approche ou de sa base d'Albaran. Et c'est là toute votre responsabilité, Mademoiselle Crowley!

— Peut-être qu'Aelys pourrait nous expliquer les raisons de son voyage si précipité à Albaran? glissa Alban Sintonis.

Il y eut un moment de silence. Ou bien Aelys n'avait pas envie de donner ses raisons, ou bien elle ne le pouvait pas.

— Le silence ne joue pas en votre faveur, trancha l'administratrice. Ou vous aviez des raisons à votre folle équipée, et dans ce cas nous aimerions juger de leur validité, ou vous n'en aviez aucune qui soit sérieuse et nous perdons notre temps.

— Je crois, dit Silvius Marbode à Aelys, que tu pourrais rapporter au moins ce dont tu m'as parlé.

Aelys aurait préféré garder certains secrets entre elle et son mentor, mais elle savait que son maintien à Élatha dépendait de la franchise qu'elle afficherait devant ce Conseil. C'était du moins ce que Silvius venait de lui suggérer. Si elle estimait que certaines choses ne regardaient qu'elle, elle n'en savait pas moins que d'autres ne pouvaient pas être passées sous silence. Seulement, tout était si inextricablement mêlé.

— J'avais appris qu'une expulsion allait avoir lieu à l'îlot Nat et... j'avais peur que ça se passe mal.

— En quoi cette expulsion vous regardait-elle ? coupa Solange. Nous avions dépêché les personnes compétentes et, que je sache, les expulsions de sorciers, en l'occurrence de sorcière, ne sont pas de votre ressort.

— Échidna est ma tante, lâcha Aelys d'une voix complètement cassée.

— Échidna, votre tante ?

— Oui, intervint Silvius. En fait, les liens sont assez complexes du côté maternel. Exactement, Échidna est son arrière-grand-tante. Ce qui n'empêche pas les sentiments familiaux...

— J'ignorais cette filiation... désolante, grommela Solange Arlig surprise.

— La faute m'en revient, dit Alban Sintonis en se dressant. Pour les raisons de protection que vous devinez, seuls Silvius, Élia et moi-même étions au courant. Pour d'autres raisons, don Mercurio l'est également. Quant à trouver cette filiation désolante, ce n'est pas Aelys qui vous contredira sur ce point, nous savons un peu de sa douleur. Mais nul ne choisit ses parents, et nous avions cru préférable de ne pas faire figurer certains détails dans son dossier courant. Aussi, tout en vous priant de nous excuser, j'insiste auprès de ce Conseil pour la plus grande discrétion.

Sintonis se rapprocha d'Aelys et reprit d'une voix très douce.

— Tu nous vois désolés de ce que ta vie privée s'étale

un peu au grand jour, mais je puis t'assurer que rien ne sortira de cette enceinte. Personnellement, j'ignorais que tu entretenais encore des relations avec ta tante Échidna. Tu connais donc les raisons de son expulsion. Et tu sais donc aussi qu'il y a eu mort d'homme dans cette sombre histoire d'héritage de terrain.

— Oui, forcément… Mais ce n'est pas pour une question d'héritage.

— Tiens donc! Ta tante aurait-elle d'autres explications?

Aelys avait maintenant les larmes aux yeux et cherchait son souffle pour continuer. Ce qu'elle savait, elle ne doutait pas de la nécessité de le dire aux responsables d'Élatha. Mais en même temps, elle était déchirée parce que ça voulait dire qu'elle avait échoué dans la mission qu'elle s'était assignée auprès de sa tante.

— J'ai essayé, je lui ai dit de renoncer à rejoindre les forces obscures, que tout pouvait s'arranger, qu'on pouvait l'aider. Mais j'ai bien vu que son visage avait déjà changé. C'était horrible! Les forces étaient déjà en elle parce qu'elle avait trouvé l'entrée…

— Comment cela? De quelle entrée parles-tu?

— Le terrain, ce n'était pas pour l'héritage. C'est parce qu'il cache une entrée et que mon cousin Yoann l'avait découverte. Il s'apprêtait à tout révéler, c'est pour ça qu'elle l'a empoisonné.

— Sois plus claire! Cette entrée, tu veux dire que c'est un couloir-seuil?

— Oui. Ma tante Échidna m'a dit qu'il reliait l'îlot

Nat à la Nouvelle Europe. Que c'était par là qu'elle allait partir.

Un brouhaha de stupeur envahit le petit Agora. S'il y avait vraiment un couloir-seuil sur l'îlot Nat, voilà qui expliquait la récente arrivée de Dahals dans les îles Protégées.

— Mais toi, tu as vu ce couloir? demanda Sintonis avec empressement.

— Non. Je suis allée sur le terrain, c'est juste à côté du pas du Géant, près de l'ancienne case de Nagwadès. J'ai cherché partout mais je n'ai rien trouvé. Alors je ne savais plus si ma tante m'avait menti, mais un sortilège cache peut-être l'entrée, je ne sais pas...

— Stupéfiant! coupa Solange Arlig d'une voix forte. Vous avez un doute depuis une dizaine de jours sur quelque chose qui nous met tous en danger et c'est seulement aujourd'hui que vous en parlez! Permettez-moi de dire que cela non plus n'est pas à votre crédit, Mademoiselle Crowley. Votre insouciance est décidément accablante!

Alban Sintonis adressa à Solange un signe de tête qui lui demandait de se calmer un peu. Ce n'était pas au moment où Aelys y allait de toute sa franchise qu'il fallait déployer une engueulade, même si elle était justifiée par certains côtés.

Oui, Aelys aurait dû parler. Mais sa tante avait disparu, elle-même avait emprunté des licornes, perdu son bandeau, Galibot était mort. Elle ne savait plus que faire ou que dire ou que taire. Elle craquait, tout simplement. Tout s'était enchaîné à la manière d'un étau qui se resserre et l'idée de son expulsion l'avait complètement déboussolée. Cette dizaine de jours qu'on lui reprochait, elle en avait passé la plus grande partie à pleurer, et ce n'était pas la sévérité tranchante d'une Solange Arlig qui allait l'aider à y voir plus clair.

Le tumulte laissa place à des apartés sur l'urgence de la situation. Quelques mètres plus haut, trois paires d'yeux et d'oreilles n'en perdaient pas une miette. Florence n'apprenait pas grand-chose, car Aelys lui avait déjà fait part de tous ses tourments, mais le cœur de Piphan' battait à cent à l'heure. Il était le seul des trois à pouvoir mettre un visage sur le nom d'Échidna et ne le faisait pas par plaisir. Qui plus est, celle qu'il avait appelée «la femme-serpent» se trouvait être parente avec l'élue de son cœur. Pour couronner le tout, il apprenait qu'il y avait peut-être une entrée secrète sur son îlot Nat, chez lui, et que des Dahals auraient pu s'y introduire.

Kimyan! pensa-t-il très fort. D'un coup, il venait d'avoir un étrange et peu rassurant pressentiment.

La voix claire d'Alban Sintonis estompa le chahut.

— Vu les circonstances, je propose que nous remettions les délibérations de ce conseil de discipline à une date ultérieure. La perte du bandeau de Mlle Crowley n'étant pas un fait établi, nous pouvons la rassurer quant à son maintien à Élatha. Pour ce qui est des autres faits reprochés, il m'apparaît convenable de reporter leurs sanctions. À la lumière de ce que nous venons d'apprendre, il va de soi que des vérifications s'imposent. Anton connaît bien l'îlot Nat et Amiralbar est un spécialiste des lagons. Puisqu'ils se proposent de partir sur l'heure, je déclare la séance close. Y a-t-il des objections?

Solange Arlig hésita à prendre la parole mais se ravisa. Elle aurait bien eu quelques objections à soumettre, mais elles ne tenaient pas la route face à l'urgence. Finalement, Yubaba décida de se joindre à Anton Belévêque et à Amiralbar, arguant que sa connaissance des métamorphoses pouvait être utile s'il apparaissait que le couloir-seuil était une réalité.

Ainsi s'apprêtaient-ils à quitter l'Agora lorsque Linos, le professeur de musique sphérique, entra précipitamment et se dirigea droit vers Sintonis. Dans ses mains, il tenait le petit corps inerte d'un perroquet gris déjà en état de décomposition.

— Un bucentaure vient d'apporter ceci. J'ai pensé que vous voudriez le voir tout de suite.

— Pouah! Qu'est-ce qu'il pue!

— Oui mais ce qui compte c'est qu'il est bagué. Je crois que le message n'a pas trop d'odeur…

Alban écarta la bague de la patte du perroquet pour se saisir du petit rouleau qu'il déplia. Au fur et à mesure qu'il lisait le message en marmonnant, ses yeux s'agrandissaient d'une autre surprise. Il invita Élia Grandidier à lire à son tour.

— Manquait plus que ça! Quelle journée! soupira-t-elle après lecture.

Alban se tourna vers le groupe de Yubaba, Anton et Amiralbar.

— Je pense qu'Aelys a raison à propos d'une entrée sur l'îlot Nat. Quand vous serez sur l'île, essayez de tirer le maximum de Pélagie Corbett. Discrètement, cela s'entend. Je crois qu'elle en sait plus qu'elle ne voudra en dire, et je crains qu'elle n'ait pas respecté le contrat de confiance. Si nécessaire, il y a aussi un jeune garçon surnommé Vouki. Il n'est pas impossible qu'il puisse vous aider… des détails ont pu échapper à Bertille. Je ne peux que vous presser davantage et vous souhaiter bonne chance.

Puis il se dirigea vers Mori-Ghenos.

— Est-ce que tu sais où se trouve don Mercurio en ce moment?

— Sauf erreur, il doit être sur l'île de la Division.

— Et tu penses qu'on peut le joindre rapidement? Est-ce qu'on peut lui demander de venir ici aujourd'hui même?

— Oui, cela doit être faisable. Mais il était prévu qu'il arrive demain. Est-ce que ça peut attendre une nuit ou bien c'est le branle-bas de combat? demanda Mori-Ghenos parfaitement calme.

— Oh… Une nuit ça ira. Je ne le pensais pas si proche. Et puis, au fond, demain c'est parfait. Cela laisse le temps de nous préparer.

— Si tu m'expliquais plutôt de quoi il s'agit?

— Évidemment. Allons dans mon bureau, nous devons parler. Mais avant, je te conseille de lire le message du perroquet. Enfin, celui de Bertille.

— Il n'est rien arrivé de fâcheux à Bertille, j'espère?

— Je ne crois pas. À vrai dire, je n'en sais rien. Le message date déjà de quatre jours. Tu vois, Morghen, l'inconvénient des îles Protégées, c'est qu'elles le sont trop. Nous aurions dû être informés en temps réel.

Du haut de leur cachette, les trois espions observaient le petit Agora se vider.

— Allez! On peut sortir, le spectacle est fini, dit Florence.

Fini? Ce n'était pas ainsi que Piphan' ressentait les choses. Si le problème d'Aelys avait trouvé une résolution temporaire, ce n'était pas le cas du mystère qui venait de naître. Pour lui, le final de cette séance était allé crescendo. Il avait entendu les noms de Pélagie Corbett, de Vouki, de Bertille, et pour finir, de son parrain Mercurio. Aucun doute, il s'était passé quelque chose d'important à l'orphelinat. Mais le plus curieux… seul le nom de Kimyan n'avait pas été prononcé, alors que c'était la première pensée qui avait traversé son esprit. Aussi, lorsque Florence proposa de les présenter à Aelys, Piphan' ne se sentait plus assez calme pour accepter la proposition. Maintenant qu'Aelys n'était plus renvoyée il y aurait d'autres occasions. Dans l'immédiat, il préférait chercher

comment s'y prendre pour en savoir plus sans révéler qu'il avait tout entendu. Il décida d'aller seul,
marcher et réfléchir dans les collines du Parc.

Chapitre 22

Le piège
de Samildanak

Il tournait et retournait dans sa tête les éléments dont il disposait. Son pressentiment
lui faisait redouter qu'il soit arrivé quelque
chose à Kimyan, même si c'était le seul nom qu'il
n'avait pas entendu. Par ailleurs, il avait été question de
Mercurio et ça voulait forcément dire que quelque
chose le regardait. Alors il pensa que le mieux était
d'aller au-devant. S'il arrivait seulement à rencontrer
Mori-Ghenos, peut-être celui-ci lui parlerait-il sans
qu'il ait rien à demander.

L'agitation était déjà bien grande dans la galerie du
rez-de-chaussée. Ces premières journées étaient consa-
crées aux rencontres entre nouveaux élèves et professeurs. Au programme, visite des salles principales
de l'Arbre-Mère, remise des bandeaux personnels,
désignation des mentors. À l'évidence, tout avait

commencé sans lui. Les astabules arrivaient et décollaient tous azimuts mais il ne reconnaissait aucun des passagers. Enfin, il finit par croiser les Draco, accompagnés d'un professeur qui lui conseilla d'aller vérifier le planning des Filus à la salle des professeurs, s'il tenait à les retrouver.

Il se rendit donc à ladite salle, branche maîtresse 21, en vain puisque personne ne put lui dire où en étaient les Filus dans la présentation des lieux. À tout hasard, il redescendit à leur lieu de vie, inspecta en vitesse la salle commune, le patio, l'atrium, le parc... Il monta à la bibliothèque, à l'Itinérarium, au Planétarium, redescendit à la bibliothèque, à la grande galerie, remonta au petit Agora, au lac de la Couronne, et toujours en vain. Il croisa au moins cinq cents personnes mais aucune tête familière et la matinée entière passa. Cet arbre était un labyrinthe redoutablement grand. Les consoles des plans n'étaient pas toujours d'un grand secours. Pour chercher un lieu, il fallait en connaître le nom. Quant aux noms propres, l'Arbre ne les divulguait pas.

L'éclair salvateur vint sur le coup de midi, du gargouillement de son estomac. L'idée du réfectoire était enfin la bonne. Il y repéra Nive, Kaylé et Salomon au premier coup d'œil. Perline et Joa se trouvaient quelques tables plus loin avec Angelette Gubernatis et Zilibero Zilibert. Attablée encore plus loin, Jaufrette était en compagnie de semi-inconnus dont il reconnaissait les visages pour les avoir croisés dans la matinée, sans connaître leurs noms. Sinon il aurait su qu'elle se trouvait avec Julia Farr des Draco, Viggo Moss et Moïra Siléas des Dor-Aïke, et Nils Nilson de la Golden Dawn.

L'appartenance à un pronaos n'entrait pas plus en ligne de compte au réfectoire que pour les cours. On s'asseyait avec qui on avait le plus d'affinités ou d'intérêt temporaire. Et pas seulement les élèves. On pouvait inviter à sa table les professeurs de son choix, qui étaient par ailleurs assez grands pour s'inviter eux-mêmes. Les repas étaient considérés comme des moments très importants de rencontres où tous les clivages possibles disparaissaient dans la bonne humeur. C'est ainsi que Jaufrette avait réussi à capturer à sa table Caspar Schott, le professeur de polymathie holistique, et que Silvius Marbode se trouvait en grande discussion sur les fantômes errants avec Melys, Tristan Hellidge, P'tit Floriot et deux filles que Piphan' ne connaissait pas.

Face à tant de têtes nouvelles, il préféra se diriger droit vers la confrérie des trois singes. Il reconnut avec plaisir la silhouette de Basty Labrador assis en face de Nive, mais d'un coup il se figea net. À droite de Basty, parmi les deux filles qui se tenaient de dos, se trouvait Florence Cantor. Par déduction, l'autre ne pouvait être qu'Aelys Crowley. Il se demanda un instant s'il n'allait pas faire demi-tour, s'asseoir à une autre table. C'était déjà trop tard, Kaylé l'avait vu et l'interpellait.

— Enfin, où t'étais passé ? On t'a pas vu de la matinée.

— Euh… moi non plus, répondit-il tête basse en prenant place à son côté. Ce n'est pourtant pas faute de vous avoir cherchés. C'est que… il est un peu grand, cet arbre !

Redressant la tête, il sentit tous les regards posés sur lui. Il résista pour ne pas croiser trop vite celui d'Aelys.

— C'est dommage que tu aies raté la visite, dit Nive. Tu verrais la bibli, c'est gigantesque.

— J'y suis allé.

— On a vu aussi le grand Agora et le lac intérieur, l'Itinérarium. On est même montés jusqu'à la Couronne où se trouve un autre lac, plus petit. La vue depuis là-haut est impressionnante.

— Eh bien, j'ai vu tout ça aussi, répondit-il en tournant machinalement les yeux vers Florence.

— Mais comment tu as fait pour voir tout ça ? s'étonna Kaylé.

— Ben, en vous cherchant, je suis passé à peu près partout où vous êtes passés. Sauf que c'était trop tôt ou trop tard. La prof a dit quelque chose ?

— Rien de spécial. Elle a juste noté que tu n'étais pas là. Et elle a dit de te prévenir pour cet après-midi… que tu ne dois pas rater la remise des bandeaux.

— Ça, t'inquiète pas, j'y serai. Où ça se passe ?

— À la salle aux miroirs, continua Nive. Ce matin on est juste passés devant, il paraît qu'on ne peut pas y entrer en groupe. C'est individuel, parce que les bandeaux sont très personnels. N'est-ce pas, Florence?

Piphan' avala sa salive. Nive mettait un peu les pieds dans le plat. Il n'avait pas envie de parler de bandeaux. Pas comme ça. Pas en public, en présence d'Aelys. Mais d'un autre côté, pourquoi fuir davantage? Ce bandeau trouvé sur sa route relevait du hasard ou du destin. Or si, comme l'avait dit Albuceste, le hasard n'existait pas, il ne restait que ce à quoi il s'était juré de toujours faire face : le destin. Alors il se concentra, redressa la tête et, d'un coup, se sentit gonflé à bloc. À partir de là, il n'eut plus envie de se dérober et Florence, qui n'attendait que ça depuis un moment, put enfin saisir l'occasion de faire les présentations.

— Euh… Enchanté! dit-il gauchement en prenant la main d'Aelys.

Des mots, il en avait tant préparé dans sa tête quand il rêvait à cette rencontre que plus un seul ne correspondait à la situation. Il avait surtout imaginé qu'ils seraient seuls pour partager ce merveilleux moment, pas dans un réfectoire bondé. Mais si rien ne se passait comme il l'aurait souhaité, en tout cas il n'avait plus peur de regarder Aelys dans les yeux.

Pour commencer, il aurait bien aimé réchauffer sa princesse. La main qu'elle lui avait tendue était étrangement froide sous ces tropiques. À l'inverse de ses yeux. Pour ça, il ne pouvait pas dire qu'ils manquaient de chaleur! Dans leur noirceur brillaient mille soleils. Il prenait déjà plaisir à ce qu'elle le regarde comme elle était en train de le faire, sauf que ce n'était pas pour les raisons qu'il imaginait.

À son insu, un halo de lumière venait de l'envelopper, une de ces lumières subtiles que seuls quelques-uns peuvent apercevoir de façon innée. Dans l'entourage immédiat, il n'y eut qu'Aelys et Salomon pour s'en rendre compte.

— Comment tu fais ça? demanda ce dernier, surpris.

— Comment je fais quoi? s'étonna-t-il.

— Cette lumière autour de toi…

Il ignorait que cette lumière reste invisible à celui qui l'émet ou la reçoit. Aelys donna un début d'explication.

— Il est en train de recharger ses batteries. On peut dire ça comme ça. En fait, c'est son corps éthérique qui est en train de recevoir une charge. Vous pouvez étudier ça dès la première année si vous choisissez l'étude des fluides avec maître Ashanashanti.

— Le corps éthérique?

— Oui, c'est une de nos enveloppes. Parfois elle irradie davantage. D'ailleurs regarde, prit-elle Salomon à témoin, l'intensité baisse. C'était sans doute une faible charge.

Mais si l'aura lumineuse commençait effectivement à s'estomper, Aelys et Salomon n'avaient pas été les seuls à l'apercevoir. Arrivant du fond d'une travée, Mori-Ghenos s'avançait vers leur table.

— Heureux de te trouver parmi tes camarades, Épiphane. Le Pr Carambole m'a dit que tu n'avais pas assisté à la visite de ce matin. Tu n'étais pas malade, au moins?

— Non. Tout va bien, merci. Je me suis… bêtement égaré.

— Ah! Ce sont des choses qui arrivent lorsqu'on est nouveau à Élatha. Je pense que tes amis se feront un plaisir de te montrer ce que tu as manqué. En fait, je venais surtout te prévenir qu'il y aura des choses plus importantes cet après-midi.

— Oui, je sais. C'est la remise des bandeaux.

— Certes, c'est un moment très important. Ton absence y serait fâcheuse mais c'est autre chose que je viens t'annoncer. Ton parrain sera des nôtres tantôt. Selon l'heure de son arrivée, je ne sais si vous vous rencontrerez aujourd'hui, mais il est prévu qu'il reste le temps nécessaire puisqu'il s'est proposé d'être ton mentor.

— Ouiiiii! s'écria Piphan', déclenchant les rires de la tablée.

Mercurio, son mentor! Sa joie était si grande qu'elle aurait fait taire un chœur de pleureuses.

— Voilà qui fait plaisir, reprit Mori-Ghenos. Ton cœur parle plus fort que ta bouche. Mais si tu veux bien, j'en termine avant de vous laisser à vos occupations. Je disais donc que don Mercurio sera des nôtres et que dans le cas, fort probable, où il arriverait tard ce soir, nous avons prévu une petite réunion privée pour demain matin, 6 heures. Est-ce que cela te convient ou est-ce que c'est trop tôt pour toi?

— Non, 6 heures c'est bien.

— Dans ce cas, c'est noté. Demain, 6 heures dans le bureau du directeur. Sur ce, bonne continuation à tous.

À peine Mori-Ghenos avait-il tourné les talons que Basty soufflait à Piphan' :

— Bureau du directeur : T1600.

— C'est sympa mais ça veut dire quoi T1600 ?

— T c'est Tronc et 1600 c'est l'altitude. Quand un plan de l'Arbre-Mère te dit T, ça veut dire qu'il ne faut pas chercher dans les branches maîtresses ou auxiliaires. Tu restes dans le tronc et tu montes à la hauteur indiquée.

— Ah oui, c'est vrai. J'ai déjà vu ça ce matin pour me rendre au petit Agora. À propos, puisque tu as l'air de connaître tous les codes… À un moment, il y avait un élève devant moi qui cherchait une salle et j'ai lu qu'il se rendait aux Rad 31 à 55. C'est quoi les Rad ?

— Les radicelles. C'est l'équivalent des Ram dans les branches, sauf que là on se trouve dans les racines. Dès que tu passes au sous-sol, RP correspond au prolongement du tronc, ça veut dire Racine Pivot ou Racine Principale, et le reste ce sont les radicelles, les Rad. C'est là que se trouvent toutes les classes d'alchimie, les archives, les réserves et plein d'autres choses. Par exemple, à RP400, c'est le Sid. À RP650, c'est la salle des Archétypes, etc.

— Quoi ? Y a une salle des Archétypes ?

— Oui, confirma Kaylé. J'ai pensé à toi quand on a

visité. En fin de compte, ça m'a semblé très intéressant. C'est un peu comme ton livre holographique mais à grande échelle. Et sans doute plus complet.

— Pensez à demander une autorisation, intervint Florence. Sinon la salle ne s'ouvrira pas. À moins que vous n'étudiiez spécialement les Archétypes. Dans ce cas, votre mentor peut vous obtenir un laissez-passer permanent.

Finalement, Piphan' n'avait pas manqué grand-chose en errant dans l'Arbre. Il avait découvert autant de lieux que ses amis, sinon plus dans la partie supérieure. En revanche, s'il n'avait même pas pensé aux racines, il entrevoyait que ce n'était qu'une question de temps puisque les Archétypes l'y attendaient.

Déjà Nive se mettait en demeure de combler ses lacunes et les discussions filèrent bon train. Le repas aussi. Tout était délicieux et en abondance. La direction d'Élatha prenait au pied de la lettre le proverbe qui veut que ventre affamé n'ait point d'oreille. D'où, évidemment, il n'était pas question que ses jeunes membres ne fussent pas attentifs. Élatha souhaitait surtout qu'aucune frustration ne puisse naître ou se perpétuer à partir de la nourriture, car c'était souvent le cas pour les jeunes issus de familles modestes. Alors les plats les plus variés sortaient tout seuls du centre des tables, stationnaient un instant avant de disparaître lentement, vides ou pas, aussitôt remplacés par d'autres. Impossible de ne pas y trouver son compte. On pouvait boire et manger à volonté pourvu qu'on prenne son temps. Élatha avait horreur des goinfres et de la précipitation.

C'est ainsi qu'ils restèrent attablés plus d'une heure, ce qui laissa largement le temps de quelques apartés. Piphan' ne fut pas mécontent d'en saisir un qui lui tenait particulièrement à cœur.

— Il faudra que je te parle, dit-il à Aelys dans l'espoir de se rattraper de sa maladresse première.

— Je crois aussi qu'il faut que nous parlions. Je pense que nous avons beaucoup de choses à nous dire. D'abord, je ne te remercierai jamais assez pour le bandeau. C'est…

— Non. Pour le bandeau, n'en parlons plus, coupa-t-il en songeant qu'il était temps de passer à autre chose. Enfin, il faudra quand même que je te dise quelque chose à propos de ton bandeau. Quand est-ce qu'on pourra se voir un peu plus tranquillement?

— Quand tu veux.

Il aurait bien répondu «tout de suite», mais il savait que le temps était compté pour cette journée et ils convinrent juste que ce serait dès que possible. Le premier des deux qui pourrait se libérer préviendrait l'autre.

Des tables se vidaient déjà lorsque des éclats de rire jaillirent d'un groupe qui s'apprêtait à quitter le réfectoire. Ils étaient une bonne vingtaine d'élèves à rouler des yeux admiratifs sur un professeur qui semblait les fasciner. Un peu corpulent, des lunettes en demi-cercle sur le bout du nez, il avait un visage assez jovial et venait visiblement de dire un bon mot.

— Qui est-ce? demanda Salomon à Florence.

— Lui? C'est Auguste Morien, le prof d'alchimie. Il est assez génial. En tout cas, ça fait trois ans que ses cours cartonnent. J'ai entendu dire que, si toutes les inscriptions se maintenaient, il allait falloir doubler le nombre de salles d'alchimie.

Auguste Morien. Voilà un nom qui ne pouvait pas laisser Piphan' indifférent. Il tendit son regard pour détailler le professeur à distance. Il n'en était pas sûr mais il se passait une chose curieuse. L'élève qui se tenait à ses côtés était Fernien Marley et il pointait un doigt dans leur direction. Il semblait même qu'il désignait Piphan'. Ce ne fut plus une interrogation lorsque Auguste Morien s'approcha de leur table et s'adressa directement à lui.

— C'est bien vous Monsieur Hardy? Épiphane Hardy?

— Oui, Monsieur, c'est moi…

— Je crois savoir que vous avez quelque chose à me remettre. Ce n'est pas qu'il y ait urgence mais j'ai eu peur que vous n'oubliiez.

— Non, je… J'ai pas oublié. J'attendais juste de vous rencontrer.

— Alors c'est chose faite. Pour ce que vous savez… Vous pouvez le déposer dans mon casier à la salle des professeurs. À moins que je n'aie l'honneur de vous voir assister à mes cours. Je n'ai pas encore vu votre nom sur les listes.

— Oui, c'est parce que je ne me suis pas encore inscrit.

— Bon, bon. Il n'est pas trop tard. Vous pouvez encore réfléchir. Mais pour le reste je compte sur vous, n'est-ce pas? Aujourd'hui même, c'est possible?

— Euh, oui. J'allais justement remonter à mon lieu de vie.

— Eh bien c'est parfait. Je vous en remercie par avance, dit Morien en clôturant la conversation.

Autant Piphan' était regonflé à bloc un instant plus tôt, autant il se retrouvait tout décontenancé. Quelque chose n'allait pas. Il commença par jeter un regard noir à Kaylé qui se disculpa aussi sec.

— Je t'assure que j'ai rien dit. Parole de singe!

Si c'était parole de singe, il n'avait pas à douter de la sincérité de Kaylé. Mais alors quoi? Comment Morien avait-il pu savoir? Ou bien Voulabé avait trouvé un autre moyen de joindre son ami Morien pour le prévenir, ce qui ne tenait guère la route, ou alors… Kaylé avait raison, il y avait un piège caché quelque part.

Chapitre 23

La salle aux miroirs

Il tint son engagement et déposa l'enveloppe mystérieuse dans le casier du Pr Morien.

À l'occasion, il signalerait tout de même le fait à son parrain et mentor Mercurio pour prendre son avis, mais dans l'immédiat il se dépêcha de rejoindre les autres pour la remise des bandeaux.

Les Filus Aquarti étaient au grand complet mais on attendait encore deux Draco Dormiens et un Dor-Aïke. Olivia Lamirette, la professeur d'oracles et divination, et maître Ashanashanti étaient assignés à la tâche.

Ainsi qu'Aelys le leur avait appris au cours du repas, maître Ashanashanti enseignait le contrôle des fluides et des énergies. Ceux qui le connaissaient déjà ne pouvaient qu'être étonnés qu'il enseignât à Élatha depuis plus de quarante ans. Son crâne chauve et son visage dépourvu de rides le faisaient ressembler à un gros poupon barbu. Une barbe rase et fine, singulièrement taillée. Dans le prolongement des moustaches, elle zig-zaguait sur ses joues avant de passer par-dessus les oreilles pour revenir par-dessous le menton jusqu'à sa lèvre inférieure. Comme pour Alban Sintonis, il était difficile de lui donner un âge mais on ne lui aurait pas accordé plus de la trentaine. À croire que l'Arbre recelait une fontaine de jouvence.

En attendant l'arrivée des absents, Piphan' fut heureux de retrouver Melys qu'il n'avait fait qu'apercevoir de loin au réfectoire. Il était avec son déjà inséparable Tristan.

— Alors, comment c'était votre balade nocturne?

— Épuisant! Nous sommes passés à peu près partout où il ne fallait pas de mots de passe. On s'est pas trop aventurés dans les racines mais on est montés aussi haut qu'on a pu.

— Vous êtes allés à la Couronne?

— Encore plus haut! Plus haut que la porte des Reve-nants. Quasiment à la cime. Si mes calculs sont bons, l'Arbre-Mère mesure deux mille deux cent vingt-deux mètres de hauteur.

— Qu'est-ce qu'il y a là-haut?

— Top secret! T'as qu'à aller voir! Non, je plaisante. En fait, au-dessus de la porte des Revenants, il y a une sorte de tourelle plate, un peu comme un sémaphore. On n'a pas pu s'en approcher mais tout autour il y a un chemin de ronde d'où on peut bien voir le cristal.

— Le cristal?

— Oui, un énorme bloc de cristal vert. Super bien taillé! À cause des faces cachées, on n'en est pas certain mais on a pensé à un dodécaèdre, un volume à douze faces. Douze pentagones.

— Houlà! Moi, la géométrie… À quoi il sert ton dodécaèdre?

— À première idée, on dirait qu'il est là pour capter de l'énergie. Ou pour en émettre. En tout cas, c'est superbe. D'après la lumière qui le traverse, ça pourrait être un bloc d'émeraude. Mais bon, c'était de nuit, et puis un bloc de cette taille… rien n'est sûr.

— Excellente intuition! intervint maître Ashanashanti. Pardonnez-moi de m'immiscer dans votre conversation mais puisque votre curiosité téméraire vous a conduits jusqu'au Dodécadran, car c'est ainsi que nous l'appelons, il est de mon devoir de vous inciter à la prudence si vous avez l'intention d'y retourner.

— Pourquoi, Maître, demanda Tristan. C'est interdit?

— Si cela était, vous n'auriez même pas pu vous en approcher. Simplement ce n'est pas pour rien que le chemin de ronde vous maintient à bonne distance du Dodécadran. Ne vous mettez jamais en tête d'approcher plus près et encore moins de toucher le cristal. Vous risqueriez d'être anéantis sur-le-champ et je puis vous assurer qu'aucune magie ne pourrait rien pour vous.

En entendant la gravité des paroles du maître, la plupart des élèves présents se regroupèrent autour de lui.

Vu le danger potentiel du Dodécadran, il allait de

soi que tout élève devait en être informé dès son arrivée. Le cristal servait effectivement d'émetteur-récepteur et les énergies susceptibles de le traverser n'avaient aucun équivalent en puissance. En comparaison, le plus puissant laser des moazis n'aurait ressemblé qu'à une allumette. Ce n'était pas le cas aujourd'hui mais le cristal était en action latente, et voilà pourquoi les visites avaient été remises à plus tard.

Il s'agissait bien d'une émeraude à douze faces, comme l'avaient deviné Tristan et Melys. Ce cristal était en liaison directe avec d'autres éléments, eux aussi faits d'émeraude, dont l'un se trouvait au point le plus enfoui de l'Arbre-Mère, que les maîtres appelaient la Tabula Smaragdina.

— Mais chaque chose vient à son heure, dit maître Ashanashanti. Et pour l'instant, puisqu'il semble que tout le monde est arrivé, nous allons procéder à la remise de vos bandeaux personnels. Ma collègue Olivia va vous expliquer la procédure.

Les trois pronaos réunis formèrent un large cercle.

— Bien que vous soyez nouveaux, je pense que vous savez tous que les bandeaux font partie des attributs d'Élatha. Vous avez maintenant rencontré suffisamment d'Anciens, de maîtres ou de professeurs qui l'arboraient au front.

Tout en parlant, le Pr Lamirette circulait parmi eux et leur tendait un bandeau à chacun.

— Oui, oui, allez-y, vous pouvez les enfiler. Pour l'instant, ces bandeaux ne sont guère plus que des bouts de tissus marqués au nom d'Élatha. Disons qu'ils ne sont pas encore chargés. Si vous les positionnez comme il se doit sur votre front, c'est-à-dire de manière que le nom se trouve sur votre nuque… Allez-y… placez-les correctement…

Piphan' eut une légère appréhension en enfilant son bandeau. Il se doutait bien qu'il ne risquait rien mais c'était plus fort que lui, son premier essayage de bandeau était à peine un souvenir…

— À présent, reprit le Pr Lamirette, si vous passez le doigt au centre du bandeau, qui est donc aussi le centre de votre front, vous devez sentir une partie plus dure. C'est un petit cristal enserré dans la trame du tissu. Pour l'instant, il s'agit d'un simple cristal de roche. Il n'est pas destiné à le rester, mais nous verrons cela tout à l'heure.

Elle marqua un temps pour leur désigner la porte de la salle aux miroirs.

— Cette salle a ceci de particulier qu'on ne peut y être que seul. Pas d'inquiétude, si quelqu'un se trouve déjà à l'intérieur la perle d'entrée refusera de s'ouvrir, fussiez-vous le plus grand magicien d'Élatha. Vous allez donc pénétrer un par un dans cette salle. Son obscurité peut vous surprendre au début mais votre vue s'adaptera en conséquence. Dès l'entrée, vous allez vous retrouver face à un grand miroir, d'environ deux fois votre taille. Placez-vous bien en face, concentrez-vous un peu et attendez. Un rayon de lumière va se réfléchir entre le miroir et le cristal de votre bandeau. C'est très rapide. Il se peut que vous ressentiez un peu de chaleur ou un léger picotement. Pas d'affolement. Gardez votre position jusqu'à ce que le rayon disparaisse. Ce n'est l'affaire que de quelques secondes. Ensuite, sortez de la salle. Fin de la première étape. Qui veut commencer ?

Curieusement, autant ils étaient nombreux à languir d'avoir ce bandeau, autant ça ne se bousculait plus au portillon. Les explications du Pr Lamirette étaient claires, tout paraissait enfantin, mais cette idée de rayon, de chaleur, de picotement…

Le premier à dépasser les appréhensions fut Viggo Moss, des Dor-Aïke, et il eut donc la primeur de la découverte. À partir de là, le cercle se désagrégea et ils se placèrent en file indienne ; Nive en deuxième place, suivie de Julia Farr, suivie des vingt et un autres membres des trois pronaos d'initiés.

Évidemment, Viggo Moss fut assailli de questions lorsqu'il ressortit de la salle.

— Non, non, non, intervint aussitôt le Pr Lamirette. Vous aurez tout loisir de partager vos expériences plus tard. Viggo, présentez-vous à maître Ashanashanti. Allez, au suivant. Nive Lancroy, c'est ça ?

Pendant que Nive disparaissait à son tour dans la salle aux miroirs, maître Ashanashanti examinait le cristal du bandeau de Viggo Moss.

— Œil-de-tigre. Votre pierre initiale est un œil-de-tigre. Jaune et rouge. C'est bien, Monsieur Moss. Envie d'entreprendre et grande vision intérieure. Il faudra travailler sur votre plexus solaire.

Au fur et à mesure qu'ils sortaient de la salle, le maître notait sur un parchemin ce qu'il appelait les «pierres initiales». Le passage devant le miroir transformait le cristal de roche en une pierre unique et différente pour chacun. Bien qu'elle fût dissimulée dans la trame du tissu, maître Ashanashanti devinait immédiatement sa nature. De là, il pouvait déduire le travail que l'élève devrait accomplir pour mettre ses énergies intérieures en concordance avec les énergies extérieures.

— Vous devez comprendre, expliqua-t-il, que ce point central de votre front est une porte d'entrée pour les énergies extérieures. Dans un premier temps, contentez-vous de retenir qu'il est en correspondance avec la glande pinéale. C'est une toute petite glande située au centre exact de notre tête. À condition de la stimuler convenablement, cette glande est le plus puissant émetteur-récepteur de notre organisme. Je ne peux qu'inviter ceux que cela passionnerait à assister à mes cours.

Autrefois, il y a fort longtemps, les premiers magiciens n'avaient pas besoin de bandeau pour stimuler cette glande également appelée épiphyse. Ils avaient une perception directe de l'univers. Pour des raisons que le maître les conviait à apprendre en histoire de la magie, les humains n'étaient plus capables de cette perception sans avoir recours aux pierres.

— S'il vous plaît, Maître, demanda Jaufrette. Pourquoi les pierres sont-elles différentes pour chacun d'entre nous?

— Mademoiselle Dallan, trouvez-vous qu'un seul d'entre vous ressemble aux autres?

La réponse était aussi évidente qu'accablante. Jaufrette se demandait seulement avec regret pourquoi le miroir avait transformé son cristal en cornaline orange. Elle aurait préféré une pierre de lune, comme Nive, ou une aigue-marine comme Angelette.

— Ne soyez pas déçue, Mademoiselle Dallan. Quand bien même votre pierre eût été un diamant bleu, nous ne sommes pas chez les moazis. Ces pierres n'ont d'autre valeur que celle que vous leur accorderez. Le seul rôle du miroir est de renvoyer la valeur énergétique qui est en vous aujourd'hui. C'est pour cela que nous parlons de pierres initiales. Cela signifie qu'elles changeront au fil de votre évolution. Et qu'en seront dispensés celles et ceux qui deviendront des magiciens hors pair, des dieux, des déesses ou des étoiles…

Le temps de ces explications et des discussions qu'elles généraient, ils étaient tous passés devant le grand miroir. Kaylé savait donc qu'il avait le front orné d'une opale de feu, Salomon était content du saphir bleu qui devait unifier son esprit, et Piphan' devrait faire avec l'aventurine qui était censée équilibrer ses peurs et ouvrir sa conscience aux lois de l'Univers.

Mais, ainsi qu'en avait prévenu le Pr Lamirette, tout cela ne constituait que la première étape. Maintenant que chacun disposait de sa pierre initiale, ils pouvaient passer à la suite.

— Malgré cette première transmutation de votre

cristal, dites-vous bien qu'il est encore vide. Il ne peut vous apporter aucun pouvoir. S'il peut déjà recevoir les énergies extérieures, c'est parce que la nature n'a pas besoin de nous pour cela. D'où la deuxième étape, qui va consister à charger vos pierres, à les mettre en concordance avec ce qui est en vous. Et là je réclame toute votre attention. Vous allez entrer à nouveau dans cette salle et prendre place comme vous l'avez déjà fait. Sauf que cette fois-ci, dès que le rayon de lumière apparaîtra, vous avancerez et traverserez le miroir.

— C'est comme les tapis-seuils des Comptoirs de la Guilde? questionna Basty Labrador.

— À peu près. Si ce n'est que de l'autre côté vous n'allez pas trouver le souk des marchands de la Guilde, mais d'autres miroirs. Beaucoup de miroirs. Exactement quatre mille quatre-vingt-seize. N'imaginez pas les voir tous! Pour aujourd'hui, vous allez simplement constater qu'ils sont disposés côte à côte et suivent un chemin en spirale qui vous conduira peut-être un jour jusqu'au centre de la salle. Mais pour cette deuxième charge de vos pierres, vous n'allez vous occuper que des dix premiers. Vous vous placez devant le premier…

— À droite ou à gauche? coupa Viggo Moss, très pragmatique.

— Ce sera à droite parce que vous n'avez pas le choix. La spirale décrite par l'alignement des miroirs tourne de droite à gauche. C'est un chemin qui remonte le temps. Mais pas n'importe quel temps. Le vôtre. C'est la raison pour laquelle les bandeaux vont se charger d'une manière unique et personnelle. Chacun des miroirs devant lesquels vous allez stationner le temps qu'il vous plaira va renvoyer une série d'images. Des images de vous-même, à un moment précis, à un endroit précis. Des moments qui n'appartiennent qu'à vous. Les premiers miroirs vous montreront des images récentes. Plus vous progresserez dans la spirale, plus vous vous éloignerez dans vos souvenirs. Cela pourrait remonter jusqu'à votre naissance. Vous vous trouveriez alors devant le dernier miroir et je vous répète qu'aujourd'hui nous n'envisagerons que les dix premiers. Il est possible que certains miroirs ne vous renvoient aucune image. Concentrez-vous. Et si rien ne se produit, passez au miroir suivant. C'est tout et ce sera tout pour aujourd'hui. Viggo, vous conservez le choix d'entrer le premier.

Viggo Moss disparut pour la seconde fois dans la salle aux miroirs. Pendant ce temps, le Pr Lamirette et maître Ashanashanti étaient assaillis de questions. Encore une fois, tout était simple mais les appréhensions allaient bon train. Aucun d'eux n'avait jamais été confronté à des miroirs qui ne réfléchissent pas le présent. Perline craignait de se tromper sur le nombre, de ne parcourir que neuf miroirs ou alors dépasser, jusqu'à onze…

Mais il n'y avait rien à craindre et, selon les dires du Pr Lamirette, moins valait mieux que trop. Aller jusqu'au douzième, voire au seizième ou ixième miroir, cela ne regarderait toujours qu'eux-mêmes. La première charge était limitée à une dizaine d'étapes parce qu'il était épuisant de se concentrer dix fois de suite lorsqu'on n'en avait pas l'habitude. Et il y avait quatre mille quatre-vingt-seize miroirs à remonter…

— Mais alors, s'inquiéta Basty, si on n'en fait que dix à la fois… Il va falloir revenir plus de quatre cents fois dans cette salle?

— Oui, et alors? Il ne s'agit pas d'une course. Si un petit malin se mettait à courir dans la spirale pour voir coûte que coûte les derniers miroirs, sa démarche serait aussi stupide que vaine. D'une part, les images sont nécessaires pour charger votre bandeau et font partie de votre apprentissage, d'autre part, les images que vous ne verrez pas sont forcément les plus importantes. Je vous ai dit qu'il est possible que certains miroirs ne réfléchissent rien. En vérité, c'est vous qui ne verrez rien. Ce n'est pas grave et ne vous enlève pas la possibilité de passer au miroir suivant. Cependant, il vous faudra retourner dans la salle aussi longtemps qu'il restera des images vides. Eh oui, Monsieur Labrador, cela peut prendre plusieurs années. Maintenant, si l'un d'entre vous ressort de cette salle sans avoir rien vu dans aucun miroir, alors sa place est à l'infirmerie pour soigner son amnésie. Ou bien c'est qu'il est un fantôme et qu'il n'a plus besoin de bandeau.

Bien que le Pr Lamirette ait terminé son laïus sur une note d'humour, ils comprirent tous qu'il valait mieux se conformer aux conseils.

Viggo Moss ressortit de la salle comme il y était entré. Rien sur son visage ou dans son comportement ne témoignait d'un changement visible, si bien que les appréhensions des uns et des autres s'écroulèrent. Il n'allait pourtant pas en être de même pour tous.

Les miroirs ne donnaient à voir que les souvenirs marquants. Le Pr Lamirette expliqua qu'on appelait cela des empreintes mnémoniques, ou plus simplement des images clés. Celles de toutes nos émotions. Et si tel miroir permettait de revivre un grand moment de bonheur, tel autre renvoyait forcément aux peurs et aux angoisses les plus profondes.

C'est ainsi que Kaylé ressortit tout essoufflé et blanc comme un linge. Il n'avait pas pu dépasser le quatrième miroir. En remontant le passé, le premier souvenir, encore frais, était sa rencontre avec Salomon. Il n'aurait pas pensé que cela l'ait marqué à ce point, mais c'était ainsi. Il le revit debout dans la perle d'entrée de sa chambre et ressentit l'émotion toute contenue qu'il avait éprouvée à ce moment-là. Même lorsqu'il a votre âge, ce n'est pas tous les jours qu'on rencontre un Flamel.

Le deuxième miroir lui montra une image qu'il ne serait sans doute pas seul à voir. C'était la sortie du soanambo de la forêt des Zindris, lorsque Oucoulouncoulou les avait conduits jusqu'ici. La découverte de cet Arbre-Mère gigantesque avait laissé une empreinte radieuse dans son esprit. Un pur moment de bonheur.

Le miroir suivant ne remontait guère plus loin dans le temps. C'était juste avant d'emprunter ce même couloir-seuil. Comme les autres Filus, il s'était retourné pour découvrir que tous les Zindris s'étaient dressés sur leurs araucarias pour leur souhaiter bonne chance et les remercier d'avoir découvert Avalon. Une image à haute teneur émotionnelle.

Où tout se gâta, ce fut au quatrième miroir. D'abord il ne réfléchissait rien. Kaylé avait beau se concentrer, le miroir restait aussi vide qu'un trou noir. Il se souvint qu'on pouvait dans ce cas passer au miroir suivant, qu'il faudrait simplement y revenir un jour. Mais il n'était pas de ceux qui abandonnent facilement. Il décida de se concentrer encore une fois et c'est là que tout partit en vrille. Le miroir se mit à l'attirer sans qu'il puisse résister. Aucune image ne s'y formait toujours mais la force d'attraction grandissait, grandissait jusqu'au point de rupture. Il eut le sentiment d'être aveugle, de basculer dans le miroir, absorbé par le vide, une chute sans fin dans un abîme sans fond. Sa tête était prise dans un étau, des griffes le pénétraient et, d'un coup, ce fut un autre choc. Une sorte de tenaille géante venait de l'enserrer à la taille comme pour le couper en deux. Il entendait des cris qui ne lui semblaient pas humains. Lui-même hurlait de toutes ses forces avec la certitude atroce que personne ne pouvait l'entendre et que c'était la fin. Soudain, il sentit quelque chose de mou sous ses pieds. La chute ralentissait. Il eut l'impression qu'on l'étreignait mais ses jambes ne le portaient plus et il se laissa glisser au sol.

Il ouvrit les yeux pour découvrir qu'il se tenait toujours face à un miroir désespérément noir. Ses jambes flageolaient et il avait le souffle coupé. Il décida d'arrêter là pour aujourd'hui la charge de son bandeau, et qu'importe ce que pourraient en dire le Pr Lamirette et maître Ashanashanti. La salle aux miroirs n'était pas de tout repos pour tout le monde.

Bien entendu, on ne lui fit aucun reproche. À l'inverse, devinant aussitôt le choc émotionnel du garçon, maître Ashanashanti posa une main sur son cou, une autre sur son plexus solaire, et Kaylé recouvra son calme en quelques secondes.

— Vous avez fait une chute, dit le maître. Vertigineuse. Ce qui est étonnant, c'est que le quatrième miroir ne saurait remonter loin dans le temps. Comment est-il possible que vous ne vous souveniez pas d'un événement aussi récent?

À ces mots, Piphan' comprit de quoi il s'agissait, comme seul il le pouvait en l'absence d'Albuceste. Kaylé venait de revivre l'attaque des voluptéryx et son sauvetage par le sîmorgh. La plume magique avait suffi à guérir les blessures physiques mais elle n'avait pas effacé le traumatisme. Kaylé avait échappé à la mort et cela faisait partie de son histoire personnelle. Même un sîmorgh ne pouvait se permettre d'intervenir plus qu'il ne l'avait fait dans la vie de quelqu'un d'autre que son protégé.

La sortie de Kaylé refroidit un peu ceux qui pensaient que la charge des bandeaux n'était qu'une formalité. Pourtant, la plupart ressortaient assez rapidement. Ils étaient arrivés au dixième miroir sans difficultés et affichaient une mine réjouie d'avoir pu revivre tous leurs derniers bons moments. Perline ne se trompa pas dans le compte et P'tit Floriot dépassa largement le quota : il alla jusqu'au dix-huitième miroir et ressortit avec un sourire plus grand que lui-même qui faisait plaisir à voir. Il n'avait revu que des moments de joie, comme si sa vie ne contenait rien d'autre.

Si elle avait été à décerner, la palme des visions noires serait revenue aux Filus Aquarti. Salomon ne put dépasser le deuxième miroir. Dans le premier, il se revit en compagnie d'Arthur M lors de leur arrivée sur Abracadagascar. Ils avaient fait la dernière partie du voyage à dos de baleines à bosse jusque dans la baie de Toliara. Et de là ils avaient pris un hippogriffe nocturne pour arriver jusqu'à Élatha. Rien que du plaisir. Tandis que le deuxième miroir le paralysa dans sa dernière grande frayeur.

C'était avant son départ pour Sion. Il était encore en Europe, dans ce quartier sombre de la ville haute de Montispilliarus. Arthur M et son ami Guilhem y avaient organisé un faux traquenard destiné à un Dahal du nom de Djagoul. L'information qu'ils lui avaient fait transmettre par une bonne source laissait croire que le jeune Flamel devait se rendre au Grand

Athanor avec son ami Rohan. Les deux jeunes garçons seraient seuls et l'heure avancée offrirait une rue quasi déserte. Une véritable aubaine pour un Dahal en mal de promotion.

En réalité, Rohan n'était pas venu et c'était Guilhem, l'ami d'Arthur M, qui avait pris son apparence. Arthur avait préféré se déguiser en clochard aviné et se tenait à bonne distance, prêt à intervenir si quelque chose ne se déroulait pas comme prévu. Tout faillit bien capoter. Pour commencer, Djagoul ne se pointa pas seul au rendez-vous, mais avec deux autres Dahals. Si bien que, dès que le combat s'engagea, Arthur n'eut d'autre choix que de lancer un sort de paralysie foudroyante qui laissa les deux imprévus sur le carreau. En temps normal, jamais le maître ne se serait permis d'attaquer des hommes par-derrière. Mais cette fois l'enjeu était trop important. Salomon devait mourir et Sarpédon en être persuadé.

Hélas, Guilhem eut la même idée qu'Arthur au même moment, celle de se débarrasser en premier lieu des deux acolytes. Suivant le même raisonnement, Djagoul ne visa que Guilhem pour mettre d'abord hors jeu celui qu'il prenait pour Rohan et pensait être le plus faible. Il lança un sort d'empêchement total d'une telle puissance que Guilhem, trop occupé par les deux autres Dahals, ne put esquiver l'éclair. Il fut projeté en arrière et se retrouva raide sur le sol, les yeux grands ouverts mais forcé d'assister impuissant au reste du combat.

Salomon, qui avait cru qu'il lui suffirait de faire

semblant, se retrouva engagé dans un vrai combat alors qu'il savait à peine utiliser son bâton. Par deux fois il trouva la bonne parade mais se demandait ce qu'Arthur attendait pour intervenir. Il n'était pas de taille à tenir bien longtemps contre un Dahal aussi hargneux que ce Djagoul, même si on lui avait garanti qu'il n'était pas très futé. Et même s'il ne pouvait lancer de sort d'éclatement au risque de détruire ce qu'il était venu chercher.

C'est alors qu'un autre clochard sortit de l'ombre d'un porche adjacent. Un vrai moazi de clochard qui ne faisait pas semblant d'être soûl, mais pas au point d'avoir perdu complètement l'esprit. Tout ce qu'il vit, c'était un type dont la tête ne lui revenait pas en train de s'en prendre à de jeunes garçons. Il s'interposa aussi sec et se rua sur Djagoul en vociférant n'importe quoi. Le Dahal ne fit aucune sommation. Les yeux de la chimère terminale de son bâton d'ébène s'allumèrent pour lancer un terrible sortilège d'éclatement qui réduisit en bouillie l'ivrogne malchanceux.

En revivant la scène, Salomon sentit à nouveau ces paquets de chairs et ce sang chaud mêlé de vin qui retombaient sur lui. Mais ce fut là qu'Arthur saisit l'occasion unique avant que tout ne dégénère. À l'instant précis où Djagoul faisait feu avec son bâton chimérique, Arthur lançait un magistral sort d'entourloupe qui enveloppa Salomon, le Dahal et le clochard tous ensemble. Salomon se retrouva paralysé au sol, un énorme trou béant à la place du ventre, les boyaux à l'air. Tout cela n'était qu'une illusion due au génie d'Arthur mais Djagoul tomba dans le panneau. Il fut persuadé que c'était son propre sortilège qui avait traversé le clochard, l'avait fait exploser et avait atteint le jeune sorcier en plein ventre.

Pourvu que je n'aie pas abîmé la pierre, pensa-t-il seulement.

Salomon ne pouvait plus bouger un cil ni émettre le moindre souffle, mais il voyait tout comme s'il surplombait la scène. Et aujourd'hui, même par miroir interposé, il sentait encore l'haleine fétide de Djagoul se penchant sur lui et glissant une main sous sa tunique rouge en lambeaux. À l'instant où le Dahal s'empara de la pierre rouge, Salomon se sentit vidé de sa substance. Il eut d'autant moins de peine à faire le mort qu'il lui sembla que cette fois il l'était vraiment.

Aussitôt, Arthur reprit sa forme habituelle et fit semblant d'arriver sur les lieux en catastrophe. Il défia Djagoul en combat singulier et, enfin, le plan se déroula comme prévu. Djagoul prit la fuite par la ruelle la plus proche, persuadé d'avoir accompli sa mission. Il avait vu le jeune Flamel les tripes à l'air et rapportait la pierre magique, trophée indiscutable de son exploit. Le Seigneur des Ténèbres allait être content. Il tenait entre ses doigts la pierre tant convoitée et, qui plus est, le dernier détenteur du secret n'était plus. Quant à cet Arthur M de malheur, à quoi bon le combattre? Le Seigneur s'en chargerait à son heure!

Bien entendu, la pierre dont le stupide Djagoul venait

de s'emparer n'était pas la bonne. Mais elle était si parfaite que même Sarpédon ne comprendrait la supercherie que plus tard ! À la prochaine pleine lune, les premiers rayons la feraient exploser. Et il ne ferait pas bon se trouver dans la colère du Seigneur trompé.

En attendant, on fit un simulacre d'enterrement dans la bonne ville de Montispilliarus, manière d'accréditer dans les médias la disparition du dernier des Flamel.

Mais si tout n'avait été que mise en scène, Salomon avait très mal vécu cet épisode et n'eut pas envie de s'attarder davantage dans la salle aux miroirs. À la différence de ses nouveaux équipiers, il n'avait pas seulement vu des Dahals de près ; il avait été une cible privilégiée et ça méritait bien une trêve. D'ailleurs, maître Ashanashanti le félicita de se l'être accordée.

— Ne soyez pas déçu, Salomon. Vous disposez de tout votre temps pour charger votre bandeau, sans compter qu'il vous faut porter une attention particulière aux phénomènes de résonances qui pourraient en découler. Arthur M m'avait prévenu des difficultés que vous pourriez éprouver à revivre certaines scènes. Sans doute devriez-vous prendre votre temps avant de retourner dans la salle aux miroirs. Cela dit, s'il vous venait l'envie d'assister à mes cours, je puis vous assurer que cela vous ferait le plus grand bien. Vous gagneriez à renforcer votre mental.

— Euh, si vous le dites ! répliqua Salomon. À ce propos,

Maître… On m'a parlé de cloisonnement mental. Est-ce que vous pensez que… ?

— Excellent complément ! Vous plairait-il de faire un stage chez les Zindris ?

— Je crois que oui, sans doute.

— Dans ce cas, le plus tôt sera le mieux. Je me charge d'organiser la chose.

Piphan' fut heureux de vérifier que son idée d'envoyer Salomon chez les Zindris n'était pas si mauvaise, d'autant qu'il semblait y avoir une relative urgence. À le voir ressortir de la salle avec une mine aussi déconfite, et de savoir qu'il n'avait pas dépassé le deuxième miroir, Piphan' appréhendait son tour. D'abord Kaylé, maintenant Salomon…

Il ne s'en sortit pourtant pas si mal que ça, puisqu'il trouva le courage et la concentration nécessaires pour remonter les quinze premiers miroirs. Avec une presque parfaite régularité, ils alternaient bons et mauvais souvenirs. Piphan' s'amusa, même si un peu de rouge lui monta encore au visage, à découvrir que la dernière marque dans son esprit remontait à l'aube, lorsqu'ils s'étaient fait virer de la salle du conseil de discipline.

Ensuite, il revit des images communes aux Filus Aquarti, la première vision de l'Arbre, la forêt des Zindris, Albuceste, les nautiles géants… Bien des moments de bonheur où s'intercalaient des angoisses, comme l'épisode des voluptéryx attaquant Kaylé et du sîmorgh surgissant de l'abîme. Cette fois, il aperçut un peu mieux l'oiseau divin, mais ce vol en rase-mottes au-dessus de sa tête resta aussi rapide qu'il l'avait été. Les miroirs ne permettaient pas le ralenti.

Le sixième miroir lui fit revivre l'attaque des marlous. Il réalisa que ce n'étaient pas eux qui l'avaient le plus impressionnés, mais les homméduses. Puis, à l'autre scène dramatique où ils avaient failli s'écraser en taxi contre le phare d'Albaran suivit l'instant où son gros livre sur les Archétypes volait dans les airs selon sa volonté. Il était avec son parrain Mercurio dans l'arrière-boutique d'Anselme Trumeau et c'était son premier geste magique conscient.

Au dixième miroir, il se retrouva dans la salle de bains de la villa des Marbode, en train de s'admirer dans un autre miroir avec le bandeau vert d'une inconnue sur le front… Il fut d'abord saisi de la même frayeur. Le miroir dans le miroir lui renvoya l'image de cette femme-serpent qu'il avait cru prête à lui bondir dessus. Et bien sûr tout s'arrêtait sitôt qu'il quittait le bandeau. Alors il se concentra plusieurs fois devant ce dixième miroir, pour se passer les images en boucle. Peu à peu, il pouvait regarder cette femme-serpent sans plus la craindre. Ce n'était pas sur lui qu'elle était prête à bondir, il l'aurait parié. D'ailleurs, ce bandeau n'était pas le sien mais celui d'Aelys. De plus, s'il n'y avait pas eu ces yeux aux pupilles en amande, le visage qui se déplaçait sur cette peau luisante et tendue res-semblait fort à celui d'Aelys. Cela restait encore un mystère mais au moins cette peur de la femme-serpent venait de disparaître en lui.

C'est pour ça qu'il continua encore un peu à remonter cette spirale du temps. Alors vint sa descente dans les bas quartiers de Tsimis-Voula où il revit, écœuré, ces enfants maigres et malades, surveillant du coin de l'œil les marmites où des rats éventrés cuisaient à gros bouillons. Il revit encore Aelys conduisant un char attelé de licornes, se revit quittant Kimyan sur les rochers de la pointe à Rodin, puis Bertille dans la cuisine de l'orphelinat, puis la mère loche dans l'épave du Bateleur. Mais au quinzième miroir, il était à nouveau devant une femme-serpent, bien plus vieille et fripée, celle de sa rencontre à la pointe d'Albaran. À présent, il savait qu'elle s'appelait Échidna et qu'elle était parente avec… Aelys.

Il s'arrêta là, épuisé. Et s'il venait de comprendre et de vaincre la plupart de ses peurs, il s'aperçut en même temps que quatre de ces quinze premiers miroirs étaient en lien avec Aelys.

Chapitre 24

Jeu dangereux

Dans les racines de l'Arbre-Mère.

On peut te montrer l'emplacement des salles souterraines que tu as ratées ce matin mais on ne pourra pas entrer dans certaines sans professeur ni mot de passe, dit Melys en posant ses mains sur une console.

— RP400, tout le monde descend! lança bientôt Kaylé.

Ils étaient cinq devant l'entrée du Sid que Piphan' découvrait avec curiosité. C'était une salle bien plus haute que large. De base circulaire, ses murs transparents par endroits découvraient un escalier central en colimaçon dont les marches diminuaient de largeur au fur et à mesure qu'elles disparaissaient dans les hauteurs. L'ensemble évoquait un sablier géant.

— La différence avec un sablier ordinaire, précisa Nive,

c'est qu'à l'intérieur de celui-ci ce n'est pas du sable qui s'écoule. C'est le temps lui-même.

— Vous n'allez pas me dire qu'il faut une salle entière rien que pour mesurer le temps?

— Non. En fait, il n'y a rien à mesurer, l'escalier sert juste à se déplacer hors du temps. Et encore, on ne peut pas vraiment parler de déplacement.

— Et nous? On peut l'utiliser?

— D'après le Pr Carambole, le Sid n'est pas une salle interdite. Mais ceux qui ont réussi à y entrer sont très peu nombreux, et ceux qui ont pu en ressortir sont encore plus rares. Il paraît que Sintonis est le seul qui en sache vraiment long sur le Sid.

— Ça veut dire qu'il a voyagé dans le temps?

— Pas tout à fait, rectifia Melys. D'ailleurs Nive n'a pas parlé de voyage dans le temps, mais hors du temps. Autrement dit, quand tu es dans le Sid, c'est plutôt comme si tu étais dans un univers parallèle, comme Avalon. Si j'ai bien compris, le temps et l'espace sont indissociables. Les frères Cosmocrator et Chronocator ne sont pas seulement jumeaux, ils sont siamois.

— C'est un peu comme la salle aux miroirs, poursuivit Kaylé. Le temps qui s'écoule à l'intérieur du Sid ne s'écoule pas de la même manière pour tous. Par exemple, si on entrait tous les deux en même temps et qu'on reste, disons juste une heure quand on sortirait, il pourrait s'être écoulé plusieurs jours pour moi et plusieurs siècles pour toi. Un jour dans le Sid peut être équivalent à plusieurs siècles ou seulement quelques heures. Ou même une seule minute.

— Excusez-moi mais je ne comprends pas très bien à quoi ça sert, dit Piphan' perplexe.

— Si ça peut te rassurer, je n'ai pas trouvé non plus pourquoi j'aurais envie d'entrer dans ce machin-là. Les voyages sans retour, ça fout plutôt la trouille, vous ne trouvez pas?

— Je pense aussi que ce n'est pas très rassurant, convint Tristan, mais pourquoi s'inquiéter? Tant qu'on n'a pas de raisons valables, il est impossible d'entrer dans le Sid. Et si notre directeur en est revenu, c'est que ce n'est pas si dangereux.

— Je crois plutôt que nous n'avons pas son niveau, préféra corriger Nive.

— Bon, ben… Ça laisse le temps d'y réfléchir, conclut Piphan'. Vous me faites continuer la visite? Qu'est-ce qu'il y a comme salle juste en dessous du Sid?

Pendant ce temps, dans les racines d'Yggdrasil…

— Juste en dessous? Ce sont les grottes élémenterres, dit Nicandre. Tous les éléments de la terre y sont conservés dans leur forme originelle la plus pure. Ce sont des salles de cristallisation. C'est ici que se trouvent les secrets restant à découvrir dont je t'ai parlé.

— Ah oui, se souvint Kimyan, c'est quand nous étions au pas du Géant. Ça m'avait rappelé que Piphan' parlait parfois d'une pierre des philosophes et d'un certain Nicolas Flamel... C'est ça qu'on cherche ici? Une pierre qui rendrait immortel?

— Ah, soupira Nicandre. Il était temps que commence ton apprentissage. La pierre philosophale est nécessaire en ce qu'elle constitue une étape. Mais à quoi servirait une pierre qui ne procurerait que l'immortalité? Réfléchis une seconde! Que serait l'immortalité sans le pouvoir? T'imagines-tu supporter la loi des hommes pendant des siècles et des siècles? Heureusement qu'à Yggdrasil nous cherchons autre chose.

— Il peut y avoir mieux que la pierre philosophale?

— Bien sûr! Une pierre totale, née d'une conjonction, un sceptre de pouvoir qui ne rend pas seulement immortel mais invincible, égal aux dieux. Et nous sommes sur le point d'en acquérir les éléments manquants. Tu peux te réjouir, mon jeune Kim, car ton rôle sera grand dans cette acquisition. Ne crois pas que je t'ai fait de vaines promesses en t'enlevant à ta misérable vie sur l'îlot Nat. Cela dit, je n'ai fait qu'obéir au vœu du Maître, celui de te rendre au destin qui est le tien.

— Et le Maître, pourquoi n'est-il pas là? Est-ce que je le verrai bientôt?

— Patience! Ce n'est qu'une question de lunes et de coordination. Le Maître sera parmi nous très prochainement. Juste le temps de préparer le Grand Rituel. Et de te préparer également. Tu as encore beaucoup à apprendre mais nous allons gagner du temps. Viens, je vais te montrer comment.

Ils remontèrent à la salle des ordinateurs.

Syrénia, Corberis et Amundflenn étaient occupés à ricaner, regroupés devant un écran qu'ils regardaient à travers d'étranges lunettes aux verres irisés.

Kimyan aimait bien Syrénia. Elle avait été la première à guider ses pas dans Yggdrasil et lui témoignait une grande sympathie. Il sentait bien que tout cela n'était pas complètement désintéressé mais il laissait venir. De toute façon, il avait tout à apprendre et Syrénia semblait tout savoir. Bien qu'elle soit du même âge que lui, elle était à Yggdrasil depuis trois ans et passait pour la plus prometteuse des magiciennes noires.

— Qu'est-ce qui vous met autant en joie? demanda Nicandre.

— C'est le programme qu'on vient de mettre au point grâce à une formule d'Amundflenn.

— Un nouveau virus?

— Si on ne s'est pas plantés, dit Syrénia, c'est bien mieux que ça. C'est un pesticiel. Mais je laisse à son concepteur le soin de l'expliquer…

Amundflenn n'était pas le dernier parmi les petits génies. Seul et ultime descendant des Thornvald, il avait vu s'éteindre les siens tout au long de son enfance. Les Thornvald avaient représenté la plus redoutable lignée de magiciens noirs que l'Ancienne Scandinavie ait connue. Tous des fidèles de Sarpédon, comme ils l'avaient été de Scorticore et plus avant encore, du temps de Taranis le Foudroyant. Mais loin de porter ce chapelet de morts comme un fardeau, Amundflenn s'en servait comme d'une source inépuisable d'énergie, celle de la vengeance. Il savait que chaque œil serait remplacé par un autre œil et chaque dent par une autre dent. Très croyant, il avait pour seule prière que vienne le jour où le dernier des initiés serait pendu avec les tripes du dernier des magiciens blancs.

— Il serait long d'entrer dans les détails techniques, mais le principe est très simple. Les virus sont démodés car les moazis finissent toujours par trouver une parade. Avec ce pesticiel, dès qu'un moazi se connectera sur un site de magie blanche, de religion ou d'humanitaire, il sera redirigé sur notre égrégore. Et c'est là que son cerveau va commencer à le démanger. D'abord, on agit sur la fréquence de balayage de son écran. Il va scintiller d'une manière imperceptible mais complètement hypnotique. Plus moyen de s'en détacher.

— À moins de porter ces lunettes qui sont aussi de notre invention, intervint Corberis, fier comme Artaban.

— Et alors? demanda Nicandre. Une fois hypnotisés…

— Après l'image, on s'occupe du son, poursuivit Amundflenn. Le programme déclenche un ultrason, toujours imperceptible à l'oreille humaine, mais nous avons découvert une fréquence qui provoque l'afflux de sang au cerveau. Ça commence par picoter, puis ça gratte de l'intérieur, puis c'est l'asphyxie mentale, mais si la personne cherche à résister ça peut aller jusqu'à l'explosion de la tête.

— Subtil! applaudit Nicandre. Je reconnais bien là un Thornvald.

Kimyan ne connaissait rien aux ordinateurs et comprenait encore moins cette attaque contre les moazis puisque, a priori, ils ne pouvaient pas pratiquer la magie blanche. Syrénia dut lui expliquer qu'il suffisait de penser aux choses pour les faire exister. L'existence d'égrégores en était une preuve. Or, à son sens, les moazis rêvaient tous de magie. Alors les combattre n'éradiquerait peut-être pas la magie blanche mais au moins l'affaiblirait en ne la renforçant pas. C'était toujours ça de gagné.

— Peut-être, dit Kimyan pas convaincu. Pour la magie, je peux comprendre, mais pourquoi s'attaquer à ceux qui s'occupent de religions ou d'humanitaire?

— Parce que c'est la religion qui a pris la relève de la magie blanche lorsque les magiciens décidèrent de vivre cachés. Et l'humanitaire, c'est ce qui est en train de prendre la relève de la religion maintenant qu'elle est sur le déclin. Tout ça, c'est du pareil au même.

— Bah, ils font pas de mal.

— Pas de mal? Tu rigoles, rétorqua vertement Amundflenn. Ils ont exterminé toute ma famille! Tu ne peux pas comprendre, toi. T'as même pas connu tes parents! Mais crois-moi, si tu veux rester ici t'as intérêt à comprendre la règle d'or d'Yggdrasil. Pour être un bon Dahal, aucune bonne action ne doit rester impunie. Voilà la règle! Si tu y déroges, c'est que t'es pas du bon côté.

— Du calme! s'interposa Nicandre. Pas la peine de s'énerver. Et puis, attendez d'en savoir plus sur Kimyan. Attendez surtout que lui-même en sache plus. À ce propos, lorsque vous aurez fini de vous amuser sur ce pesticiel, j'aimerais que vous prépariez une matrice d'apprentissage accéléré pour notre nouvel élève. Tu pourrais t'en charger, Syrénia?

— Bien sûr, Maître. Par quel programme va-t-il commencer?

— Je t'ai préparé une liste. Cosmogonies, Mythologies, Lois physiques, Formules, Rituels et Techniques de combats.

— Tout ça pour une première charge? Ce n'est pas un peu…

— Ne t'inquiète pas, votre nouveau camarade a des capacités étonnantes. Et puis nous n'avons pas trop de temps devant nous. Il doit être prêt pour l'arrivée du Maître. Pendant que tu prépares sa matrice, je continue de lui faire visiter notre domaine.

Kimyan et maître Nicandre reprirent leur route dans les couloirs luminescents d'Yggdrasil pour arriver à la salle des Archétypes. Deux dragons de pierre désignaient une porte circulaire. Chacun d'eux avalait l'autre par la queue dans un cercle sans fin. L'un était sculpté dans une pierre blanche parfaitement lisse tandis que l'autre, très noir et granuleux, donnait l'impression d'absorber la lumière autour de lui.

— Nigrum Nigro Nigrius, prononça Nicandre.

Dans un grondement caverneux, le cercle de pierre enserré par les dragons disparut.

— C'est une formule magique?

— Non, c'est juste un mot de passe pour cette salle. C'est du latin hermétique ; ça signifie «Un noir plus noir que le noir.» Vas-y, entre!

— Waouh! C'est géant! s'exclama Piphan'.

— Je te l'avais dit, c'est comme ton livre holographique mais en beaucoup plus grand, dit Kaylé.

Au centre de l'immense salle circulaire, une sorte d'estrade était entourée d'un écran transparent qui montait jusqu'au plafond. Son rôle protecteur était évident. L'estrade semblait vivante. Une fumée très dense s'élevait et retombait lourdement en un mouvement perpétuel, cachant au regard un abîme d'où pouvait surgir n'importe quoi.

L'écran fonctionnait comme les consoles des plans. Il suffisait d'y poser les mains dessus et d'énoncer l'archétype qu'on souhaitait visualiser. Encore fallait-il savoir ce qui était un archétype et ce qui ne l'était pas. Aux présents du matin, le Pr Carambole avait dit qu'on pouvait très bien invoquer des entités, des créatures ou des personnages mythologiques. Elle-même avait choisi Pégase pour la démonstration. Kaylé, qui s'était régalé du spectacle, tenait à le faire partager à

Piphan'. Il posa ses mains sur l'écran et les invita à faire de même.

— Je ne sais pas si on devrait, intervint Nive. Sans professeur, c'est peut-être pas prudent. Et puis cette salle est soumise à autorisation. Je me demande d'ailleurs pourquoi elle s'est ouverte.

— Eh bien justement! Si on a pu entrer, c'est que l'Arbre ne nous l'a pas interdit. Franchement, je ne vois pas ce qui t'inquiète. En plus, t'as bien vu la démo ce matin, tout ce qui sort de l'estrade ce sont des images, des représentations, rien de plus.

— Kaylé a raison, dit Melys. Sans compter que moi je reverrai bien Pégase, c'était vraiment superbe!

Cédant au consensus des garçons, Nive s'installa comme eux derrière l'écran et le spectacle commença.

Une colonne de fumée s'éleva du centre de l'estrade et se vrilla à la manière d'un tourbillon puis se solidifia sous la forme d'une épée en or, dont la garde était remplacée par deux ailes d'un bleu métallisé. Et d'un coup l'épée se transforma en cheval lumineux.

— Mais il est minuscule! s'étonna Piphan'. Il mesure à peine soixante centimètres!

— C'est exactement ce que j'ai dit ce matin, dit Melys. Pégase était tout petit. D'après le Pr Carambole, il n'était pas destiné à recevoir de cavalier, et puis ce n'est qu'un symbole. Attends la suite.

Le cheval se désagrégea, aspiré par une volute qui s'agita en tous sens avant de devenir un serpent. Le serpent finissait d'engloutir le mini-cheval quand une vingtaine de serpents identiques jaillirent de la fumée. Tous s'agitaient furieusement, dressés, bien qu'on ne vît pas leurs queues. Rapidement, la fumée de l'estrade changea de couleur, le bleu métallisé laissa la place à un vert sombre et glacial. Quelques secondes plus tard, une tête monstrueuse émergea et l'on découvrit que les serpents étaient ses cheveux.

— Ça alors, c'est Méduse... souffla Piphan' à voix basse.

Il l'avait reconnue sans peine malgré le fait que ses proportions soient très différentes de ce que montraient ses livres. La tête seule avait la taille d'un homme. Il observa en silence ce visage couvert de poils, ces dents démesurées qui lui retroussaient les lèvres, ces yeux vitrifiés et étincelants à la fois.

Impressionné, il n'était pas le seul à l'être. Derrière l'écran, aucun d'eux ne pipait mot. Il avait beau ne s'agir que d'une représentation virtuelle, Méduse restait médusante. Tout en elle était repoussant et, cependant, elle fascinait. Elle ondula un bon moment à la surface de l'estrade comme si elle cherchait désespérément quelque chose, puis soudain fixa Piphan'. En un bond elle fut devant lui, déploya des bras velus terminés par des mains de bronze et asséna un grand coup contre l'écran protecteur.

Rapide comme l'éclair, Piphan' se baissa pour esquiver l'attaque. Lorsqu'il se redressa, ce fut pour voir un trident argenté s'abattre sur Méduse et la réduire en eau. Le flot heurta l'écran et tout redevint l'épaisse et magmatique fumée de départ. Une douce lumière bleutée enveloppa l'ensemble et la surface retrouva son relatif calme initial.

— Heureusement qu'il y a cette protection, soupira Piphan'. Vous avez vu comment elle m'a visé ?

— Simple hasard, le rassura Tristan. Ces choses-là ne peuvent pas nous voir. Nous ne sommes pas sur le même plan de réalité spatio-temporelle. Avec le Pr Séraphin Lange, on a invoqué Adranos. On ne savait pas que c'était un démon du feu. Au début, on a vu un personnage normal, un mec assez baraqué quand même, mais d'un coup il s'est enflammé et certaines flammes sont devenues des langues de feu qui ont frappé l'écran. Ma parole, j'ai bien cru que j'allais griller ! Mais tout ça n'est qu'illusion.

— Des illusions bien réalistes, dit Piphan' impressionné mais très amusé.

Son sentiment n'était guère partageable. Au moment où Méduse se tenait au plus près de lui, il avait décelé une subtile ressemblance entre son regard et celui d'une certaine Échidna. Mais, comme chaque fois, ces instants-là étaient si brefs qu'il ne pouvait être certain de rien.

— Une chose sûre, fit Kaylé, c'est que c'était mieux ce soir. Ce matin, on n'avait pas vu ses mains, seule la tête dépassait des fumées. Là, il m'a même semblé qu'elle avait l'arrière d'un cheval... que c'est pour ça qu'elle se déplaçait aussi vite.

— En tout cas, constata Tristan, tout s'est transformé

en eau. Comme Adranos est redevenu du feu. Le Pr Lange nous a expliqué que tous les archétypes finissent par un des trois éléments fondamentaux, la terre, l'eau ou le feu.

— Et l'air? C'est pas fondamental? demanda Piphan'.

— Non. Enfin, on n'en est pas certain. Il y a des créatures qui vivent sans air. Mais elles ont besoin des minéraux pour exister et de l'eau ou de la chaleur pour vivre. L'air, tu sais, ça n'existe peut-être que sur Terre.

— Et un ange? Tu crois que ça contient de l'eau, de la terre, du feu? Moi ça ne m'étonnerait pas si ce n'était que de l'air, contra Nive, très pertinemment.

— T'as qu'à essayer de voir si les anges ont un archétype! avança Kaylé.

— J'ai une autre idée, lança Piphan' à la cantonade.

Sans attendre, il se repositionna devant l'écran et d'une voix très concentrée lâcha un nom qui fit cesser immédiatement tous les bavardages.

— Sarpédon!

Il ne fallut qu'une fraction de seconde pour que la surface de l'estrade se mette à rougeoyer et prenne l'apparence d'une coulée de lave bouillonnante. D'énormes bulles éclatèrent dans un bruit sec et mat tandis que de longues épines jaunâtres émergeaient du magma incandescent.

— Hou, ça… t'aurais pas dû, Piphan'… vraiment t'aurais pas dû dire ça, chuchota Kaylé d'une voix angoissée.

— La porte! lâcha Nive de la même voix, elle vient de se refermer.

— Sans doute un mécanisme automatique. Je ne vois pas de quoi vous avez peur. Ce ne sont que des images, tout le monde est d'accord, non? Regardons plutôt, ça peut être instructif…

Il jouait les cadors mais n'en menait guère plus large que ses amis. Comme eux, il savait qu'il y a des noms qu'il ne faut pas prononcer à la légère, mais ça avait été plus fort que lui, une envie imbécile de défi irraisonné, rien que pour la frime. On n'est pas toujours sérieux quand on a quinze ans…

Aux longues épines en succédèrent d'autres, plus courtes mais bien plus larges, osseuses, implantées sur une carapace brune qui s'élevait lentement de la lave en fusion. Des semblants de bras, de jambes, de pattes, d'antennes, toutes sortes de membres ou d'excroissances en jaillissaient et disparaissaient presque instantanément. La créature semblait instable, hésitant à se choisir une forme particulière. Par moments, des jets de matière fusaient dans l'espace sans qu'on puisse savoir s'il s'agissait de gaz, de liquide ou de pus. Et soudain un hurlement déchirant fit vibrer l'écran protecteur.

— Ptaahrrr!

La créature venait de se modeler une tête d'où le mot vibrant était sorti. La carapace se fendit à une extrémité et découvrit deux longues rangées de crocs acérés.

À partir de là, tout alla très vite. Deux yeux sangui-
nolents se dessinèrent au-dessus des dents, puis des
oreilles tout en écailles. Des bras griffus à la musculature impressionnante se formèrent, et la créature se
dressa comme un humain, libérant ses poumons dans
un rugissement sans fin. Haute d'environ deux mètres
cinquante, elle dégageait une impression de force
redoutable. À présent que les yeux avaient fini de se
former, de vives lueurs les animaient et le regard circulaire que la bête promena tout autour de l'écran ne
laissait aucun doute : elle était dotée d'intelligence. Sa
gueule, son échine et sa queue hérissées de pointes,
tout était fait pour déchirer, lacérer, détruire. Elle ne
ressemblait à rien de connu, mais on devinait que rien
d'autre ne pourrait l'apaiser qu'un sang rouge et chaud
comme la lave d'où elle avait surgi. Sitôt qu'elle fit un
premier pas, ils sentirent le sol vibrer et commencèrent
à paniquer.

— Comment on arrête ça ? cria Piphan'.

Mais personne n'avait la réponse. Les images archétypales étaient censées s'arrêter toutes seules dès qu'elles
revenaient à leur point d'origine.

— Pense à autre chose, tenta Melys tout aussi affolé.
Pensons tous à autre chose… Vite !

— Ér… ÉROS ! hurla Nive instinctivement.

À ce mot, la bête répondit par un nouveau rugissement, comme si elle avait entendu et comme si ce
mot avait un sens pour elle, un sens qu'elle n'aimait
pas.

— ÉROS! cria Melys pour vérifier.

Là, plus de doute, la bête les entendait. Elle tourna sa gueule vers Melys et cracha un liquide verdâtre qui dégoulina sur l'écran.

— Il faut qu'on le dise tous en même temps! Et sans s'arrêter! ÉROS! ÉROS!

Ils se lancèrent dans une incantation collective forcenée, persuadés que c'était le bon choix, mais surtout à défaut d'autre idée.

— ÉROS! ÉROS! ÉROS!

Si elle ne faisait pas disparaître l'image archétypale de Sarpédon, l'incantation semblait avoir le pouvoir de la perturber. C'est du moins ce qu'ils crurent un instant. La créature se tournait vers l'un puis vers l'autre et lâchait de brefs hurlements rauques chaque fois que le mot était prononcé. À chaque ÉROS, elle enfonçait ses griffes dans sa propre poitrine, cherchant à se déchirer elle-même. Mais brusquement elle abaissa son regard vif sur Piphan', comme si elle n'avait plus que lui à voir, et fit un pas dans sa direction. L'incantation ne fonctionnait plus.

C'est alors qu'il eut le réflexe de se concentrer. Tout en fermant les yeux, il tendit une main en avant et sentit venir du plus profond de lui-même un fluide qu'il ne contrôlait pas. Le sol vibra de plus en plus fort sous leurs pieds. La bête accélérait le pas…

— MAHAR'TRA!

Piphan' venait de lancer une formule dont il ignorait tout avant qu'elle sorte de sa bouche. Ses amis cessèrent l'incantation, stupéfaits, cloués sur place par ce qui venait de se passer. Piphan' avait fait exploser l'écran protecteur. Une brèche s'était ouverte juste devant lui, un trou par lequel il découvrait que la créature n'était plus qu'à deux mètres de distance et le surplombait de toute sa hauteur. Elle abaissa lentement la tête vers lui, avec une lenteur mesurée qui signifiait l'échéance d'un combat. Le silence était celui qui précède une estocade. La créature le détaillait comme pour jouir une dernière fois de la vue de ce qu'elle allait détruire. Sa bouche s'entrouvrit à peine et une longue langue noire fusa en claquant comme un fouet. Piphan' n'eut que le temps de lever un bras pour se protéger, mais le choc violent le renversa sur le sol de la coursive. Sa tête cogna et sa vue se brouillait déjà lorsqu'il entendit un cri tonitruant.

— SATIS IMAGO!

Aussitôt, la bête fit volte-face dans un craquement et se figea, enveloppée dans un tourbillon de centaines de langues noires jaillies de l'estrade. La lueur rouge s'estompa et tout devint d'un noir plus noir que le noir. Piphan' venait de s'évanouir pour la première fois de sa vie.

Il rouvrit les yeux sur cinq têtes penchées sur lui, dont la plus proche était celle de Mori-Ghenos.

— Ça va?

Il était un peu sonné mais n'avait rien de cassé. En revanche, son bras le faisait horriblement souffrir là où la langue l'avait percuté.

— Il va falloir soigner ça, dit Mori-Ghenos. C'est une brûlure, elle ne devrait pas être trop grave. Comme on dit, vous avez joué avec le feu. Peux-tu te relever?

— Euh, oui, articula Piphan' avec effort. Que s'est-il passé? Je croyais qu'il ne s'agissait que d'images.

— Nous le pensions aussi et, jusqu'à présent, nous n'avions pas de raison de penser autrement. Leur essence volatile ne permet par principe aucune matérialisation, mais... il semblerait que l'estrade magmatique ait été manipulée.

— Pardon maître, demanda Tristan, je voudrais comprendre. Le Pr Lange nous avait dit que les entités qu'on fait apparaître ne pouvaient pas nous voir.

— Eh bien, le Pr Lange a dit vrai. En temps normal, c'est précisément le rôle de l'écran protecteur. Il rend notre monde invisible à tout ce qui pourrait surgir de l'estrade magmatique. Mais un esprit malveillant a cru bon de désactiver les protections, tout comme celles de la porte d'entrée dans cette salle. Je crains que nous ne devions la condamner. C'est regrettable pour ceux qui étudient les Archétypes, mais nous n'avons pas le choix. Il se passe des choses inhabituelles. Aussi je compte sur votre vigilance et votre collaboration. Si quelque chose vous paraissait anormal, n'hésitez pas à prévenir immédiatement un Aîné du Conseil et n'en parlez à personne d'autre. Sur ce, jeunes gens, je vous demanderai de quitter les lieux sur-le-champ.

Dans le le couloir qui conduisait au Pourrissoir, ils rencontrèrent Merkès et Djagoul que Nicandre s'empressa de présenter à Kimyan.

— Toutes mes félicitations pour ta nouvelle recrue, fit Djagoul avec un regard pour Kimyan. Tu ne devrais plus avoir de souci pour ta promotion…

— Tu n'as pas non plus à te plaindre, répliqua Nicandre. Ainsi donc, le jeune Flamel n'est plus de ce monde? J'avoue que ça m'a impressionné quand j'ai appris la nouvelle.

— En effet, je ne suis pas mécontent. Le Maître a souhaité que je lui apporte la pierre aussitôt. Et je dois dire que… je n'ai jamais vu quelqu'un d'aussi satisfait.

— Oui, j'imagine. A-t-il donné plus de précisions sur sa venue à Yggdrasil?

— Rien n'est changé au plan. Il sera là comme prévu pour le Grand Rituel. J'ai cru comprendre qu'il préférait s'assurer que tout soit parfaitement au point.

— Qu'est-ce que tu veux dire?

— Oh, simplement que tu n'as pas intérêt à te louper dans la préparation de son petit protégé. Il en serait vraiment navré. Oui, il a insisté sur le mot : navré.

— Il aurait tort de s'inquiéter, répondit sèchement Nicandre. Je sais ce que j'ai à faire.

— Je n'en doute pas, mon cher Nicandre. Ce que j'en disais, c'est que maintenant que le jeune Salomon n'est plus, il reste celui qui pourrait devenir gênant. Je ne t'apprendrais pas le danger qu'il représente. C'est

pourquoi je parlais de la préparation de son double
Sait-il la vérité, au moins ?

— Il saura ce qu'il doit savoir en temps utile. Chacun
sa mission. Et toi, Merkès, où en es-tu du côté d'Élatha ?

— Ça avance, ça avance… Je sais que notre ami
Morien a obtenu ce qu'il attendait. Le reste n'est plus
qu'une question de jours. Nous serons en possession
de la formule rectificative bien avant l'arrivée du
Maître.

— Eh bien je le souhaite également. À plus tard,
messieurs.

Kimyan sentit que son tuteur était pensif et que les
propos de Djagoul y étaient pour beaucoup. C'était
la première fois qu'il rencontrait ce Dahal dont tout
Yggdrasil parlait depuis quelques jours en disant qu'il
allait devenir le bras droit de Sarpédon. Il avait réussi
là où le Maître lui-même avait échoué depuis plusieurs années. Mais Kimyan ne trouvait pas l'exploit
si extraordinaire que cela. S'il avait bien compris, ce
Salomon Flamel n'était qu'un initié de son âge. Alors
débarquer à trois adultes sur deux ados de quatorze
ou quinze ans… l'exploit de Djagoul lui paraissait
maigrichon et les honneurs dont on le gratifiait bien
disproportionnés.

Il avait plutôt tendu l'oreille lorsque le Dahal avait
laissé entendre qu'un autre jeune sorcier représentait
un danger potentiel. En fait, il avait le sentiment
d'être impliqué dans un plan qui se tramait et sur

lequel Nicandre ne le renseignait qu'au compte-gouttes. Depuis son arrivée, il ne pouvait plus ignorer qu'il avait été grandement attendu en ces lieux. Son nom était déjà connu de la plupart des magiciens. Certains Dahals s'étaient déjà confondus en courbettes, et la gentillesse de Syrénia à son égard ne semblait pas étrangère à cette célébrité mystérieuse. Il n'y en avait qu'un qui le prenait un peu de haut, c'était Amundflenn. Pourtant, il ne lui en voulait pas. Plutôt que de voir la jalousie, il se disait qu'Amundflenn avait beaucoup souffert en voyant partir tous ses parents les uns après les autres. Souvent, il avait pensé que, si être orphelin fait toujours mal quelque part, l'idéal est de l'être le plus tôt possible, car en vieillissant on comprend mieux les choses et elles font encore plus mal. Lui, en tout cas, n'avait pas eu à souffrir. C'était en quelque sorte sa chance dans le malheur.

Malgré ce mauvais départ dans la vie, il n'avait jamais cessé de penser à sa chance. Son optimisme l'amenait naturellement à conclure qu'il n'y avait donc aucune raison pour que ça s'arrête. Bien sûr, ça ne lui donnerait jamais la même chance qu'à Piphan'. Il songeait à la joie que son frère de cœur éprouverait le jour où il retrouverait son père. Ce serait sans doute une autre vie qui commencerait. Seraient-ils encore amis ce jour-là? Déjà il le sentait si loin. Était-il heureux au moins? Quelle magie apprenait-il dans sa nouvelle école?

À ce sujet, Nicandre lui répétait qu'il ne faut comparer que les choses comparables.

— Les écoles de magie blanche ne sont que des fourmilières de vieux rêveurs. Ils croient en la nature humaine et n'ont jamais admis qu'on ne peut rien en attendre. Sais-tu pourquoi? Tout simplement parce qu'elle n'existe pas. Il n'y a pas de nature humaine. L'homme n'est que de passage, une enveloppe de transit. Tu comprends bien, mon cher Kimyan, que du jour où ils ont découvert qu'il y avait des dieux et des demi-dieux, les hommes n'ont plus eu envie d'être de simples hommes. Les plus rusés ont vite compris qu'il y avait tellement mieux à faire…

— Mais si les magiciens blancs sont si nuls que ça, pourquoi y a-t-il encore la guerre? S'ils résistent toujours, c'est qu'ils sont aussi forts, non? dit Kimyan pour qui cela semblait être l'évidence.

— Le simple fait, comme tu le remarques qu'il y ait, cette guerre interminable, est une preuve de ce que j'avance. Ils n'ont jamais su comment y mettre fin. Imagine donc combien ils sont loin de bâtir le monde de paix dont ils rêvent. La longueur d'avance, c'est nous qui l'avons de toute éternité, et bientôt c'est nous qui mettrons un terme à la guerre.

Ils continuèrent d'arpenter les sous-sols d'Yggdrasil. Kim aimait bien que ce soit Nicandre qui guide la visite car il donnait l'impression de tout savoir tout en n'étant satisfait de rien. Mais Kim sentait que c'était plus par exigence que par pessimisme. Son tuteur était de ces hommes qui n'ont aucun idéal parce qu'un objectif leur suffit. Et lorsqu'ils l'ont atteint, ils s'en fixent un autre, même si la voie est différente, même si l'effort est redoublé. En bref, de ceux qui vivent pour une idée qu'ils n'abandonnent jamais tant qu'elle n'est pas concrétisée, quoi qu'il en coûte. En outre, Nicandre faisait tout d'une manière si posée. On aurait dit que le temps n'existait pas pour lui.

Au demeurant, cela semblait être une règle bien partagée à Yggdrasil. Tout y était relativement paisible et silencieux malgré les centaines ou les milliers de personnes qui transitaient par là. Quand on pense que l'Arbre était le centre nerveux de la guerre en préparation, ça en devenait paradoxal.

Kimyan se sentait appartenir à une organisation très puissante. Il en découvrait les rouages d'heure en heure et, même si le mystère sur son rôle demeurait entier, il était sûr de tenir une place de choix. Enfin une place! Enfin être utile!

Mais utile à quoi? Il était si différent de ceux qui l'entouraient. À les écouter, à les observer, il entrevoyait un monde assez barbare, assoiffé de vengeance, de destruction et de mort, loin, infiniment éloigné de tout ce qu'il avait pu apprendre sur son île tranquille. Mais ce qu'on lui expliquait sur la nature humaine et le devenir du monde lui paraissait si clair, si logique… Et tout le monde était tellement gentil avec lui…

Au sortir du Pourrissoir, il demanda à son tuteur:

— Djagoul… c'était de moi qu'il parlait, n'est-ce pas? La recrue, c'est moi?

— Bien sûr que c'est toi. Et j'espère que tu es sensible au respect que tout le monde te témoigne.

— Justement! S'il y a une raison qui me concerne à ce point, pourquoi je ne la connais pas? Djagoul a parlé de vérité. Qu'est-ce que je dois savoir?

— Tu dois connaître TA vérité. Et pour cela, il est juste un peu trop tôt. Allons voir si Syrénia a préparé ta matrice. J'ai dit que tu saurais tout en temps utile et c'est ce qui sera. Demain, mon cher Kim, tu seras un autre homme, un grand parmi les grands. Allez, viens!

Ils remontèrent vers la Grande Galerie. Il ne restait guère de temps pour visiter d'autres salles avant le repas du soir, ce qui n'empêcha pas Melys et Tristan de vouloir découvrir encore et encore d'autres lieux. Tristan venait d'apprendre que Basty et Zilibero avaient déniché un couloir plein d'inscriptions qui menait à une Ram abandonnée. C'était tentant.

Piphan' quant à lui trouvait que sa journée était bien pleine comme ça. De plus, il n'avait pas faim et son bras lui faisait mal, aussi préféra-t-il regagner le lieu de vie des Filus Aquarti.

Nuit de cauchemar, jour de vérité

Il se réveilla plusieurs fois en sursaut au cours de la nuit, trempé de sueur, une vive douleur au bras. Chaque fois, il se leva pour faire quelques pas dans le parc ou l'atrium avec l'espoir que l'air frais chasserait ses mauvais rêves ; mais dès qu'il se recouchait, le même cauchemar le reprenait dans ses griffes.

Il se voyait courir dans les couloirs de l'Arbre, dont les murs s'étaient transformés en pierre, et tous ceux qu'il croisait étaient translucides comme des fantômes. Personne ne lui prêtait plus d'attention que s'il fut lui-même un fantôme. Au moins ne rencontrait-il pas d'obstacle… Il savait qu'il courait contre le temps, qu'il risquait d'arriver trop tard. Mais plus il avait la volonté d'accélérer, plus forte était la sensation de faire du sur place ou de courir au ralenti. Il sentait son être se partager de l'intérieur, entre une très grande peur et un courage infaillible.

— Rien ni personne, vous m'entendez! Personne ne pourra m'empêcher d'atteindre la salle des matrices, criait-il.

Et lorsque enfin il y parvenait, une grande joie l'envahissait d'avoir accompli un exploit particulièrement difficile. Kimyan se tenait au centre de la pièce, poignets et chevilles sanglés sur un siège bizarre, des anneaux de lumière pivotant en tous sens autour de lui. De grandes auréoles rouges comme des rayons laser circulaires. Mais c'était gagné, son frère n'avait plus rien à craindre, il allait le libérer.

Mais au moment où il s'approchait de lui, Kimyan dressait la tête pour le regarder en face et ce n'était plus Kimyan. Un rire sardonique sortait en écho de sa bouche, et ses yeux… ah, ces yeux-là! Ils l'attiraient et dès que Piphan' s'apprêtait à les fixer, il se réveillait en sursaut et trempé de sueur.

Alors, par force, il décida de ne pas se recoucher. De toute manière, l'aube n'allait plus tarder. Il eut l'idée d'une douche froide mais dut vite abandonner à cause de la douleur à son bras. L'eau léchait la blessure comme une langue de feu. Il n'y avait plus la moindre place dans son esprit pour accueillir une nouvelle idée. Il était envahi tout entier par cette douleur qui projetait en lui des images rapides comme des flashs. Il se revoyait dans les fumées de la salle des Archétypes et les flashs se succédaient pour mettre en évidence un point commun à toutes ces images :

les yeux. Ceux d'Échidna, du serpent dans le miroir, de Méduse, du Sarpédon archétypal et maintenant de Kimyan!

— Pourquoi? Qu'est-ce que ça veut dire? se mit-il à répéter de plus en plus fort dans la nuit.

Il n'avait plus aucun moyen de savoir s'il était encore en train de rêver ou si, au contraire, il était bien conscient. La blessure agitait en lui les images du rêve comme une vérité à laquelle il ne pourrait pas échapper, quoi qu'il fasse, endormi ou éveillé. Il résista, se concentra, chercha à se persuader que tout allait s'arrêter. Mais alors qu'il se souvenait qu'il y avait une infirmerie à Élatha et qu'il devait y aller d'urgence, la douleur atteignit son maximum. En une fraction de seconde, elle grimpa à un tel degré de souffrance qu'il ne put retenir un immense cri, puis il s'évanouit pour la seconde fois de sa vie. Un mécanisme venait de le protéger à son insu.

Ce furent des voix qui le réveillèrent une minute plus tard. Mais si on lui avait dit qu'il s'était écoulé plusieurs jours, il aurait pu le croire, tant il lui semblait avoir dormi longtemps. La douleur était encore sourde mais largement tolérable.

— Piphan' tu es là? Ouvre! Tu entends?

Kaylé, Nive et Salomon, les singes du pacte se pressaient devant sa perle d'entrée.

— Tu, tu vas bien? demanda Nive avec un doute tellement il paraissait reposé.

— Ben oui, ça va. Pourquoi ça n'irait pas?

— Mais quand même! s'écria Kaylé, c'est bien toi qui criais, non?

— Ah? Euh… c'est possible. Je ne me souviens pas d'avoir crié mais c'est possible, j'ai fait un cauchemar. Mais c'est bon, là! Je suis réveillé.

— T'es sûr que tu t'es pas fait mal? reprit Kaylé. Parce que je t'assure, on aurait dit un cri de douleur…

— De terreur, oui! corrigea Nive. J'ai cru que la créature des Archétypes t'attaquait à nouveau. C'est idiot, je sais, mais c'était un cri si inhabituel.

Ce n'était pas si idiot. Des bribes lui revenaient, l'archétype de Sarpédon ou de Méduse… il ne savait plus. Tout en faisant l'effort de se souvenir des images, il porta machinalement sa main droite sur son bras blessé, attirant l'attention de Kaylé.

— T'as pas soigné ton bras?

— Non, je me suis endormi très vite. Pour le moment ça chauffe un peu mais c'est supportable.

— Tu ne devrais pas tarder, dit gravement Salomon. Tu sais, ça nous met tous en danger. On ne doit pas plaisanter avec les blessures magiques.

Il avait raison et Piphan' promit d'aller à l'infirmerie pour le rassurer. Mais il tenait d'abord à retrouver son parrain et espérait que, cette fois, il n'aurait pas d'empêchement.

— À force, je finirais par croire que c'est sa spécialité, plaisantait-il.

— T'es gonflé de dire ça! lui fit remarquer Kaylé. Tu sais très bien que ses derniers rendez-vous manqués ne l'étaient que pour la bonne cause. En tout cas, si t'es là aujourd'hui, tu peux lui dire merci!

Oui, Piphan' pouvait dire merci, mais il se demandait pour quoi? Pour les marlous et les homméduses? Pour les galères en Avalon? Pour les images archétypales plus vraies que vraies? Les cauchemars? C'était franchement plus cool sur son îlot Nat.

— Ouais! reprit Kaylé. Mais ce serait injuste de tout lui mettre sur le dos.

— Ok, j'essaierai de faire la part des choses. Mais il va m'entendre, quand même! D'ailleurs, je ne vais pas attendre la réunion chez Sintonis. Si Mercurio est là, je vais vite le savoir…

— Tu devrais te calmer un peu avant de te lancer dans l'Arbre. C'est à peine 5 heures du mat! Je te trouve plutôt speed pour quelqu'un qui dit que tout va bien et tu sais que ça ne te réussit pas. À ta place, je prendrais d'abord une bonne douche froide.

— Ah ça! Pas question! J'ai déjà donné! se retifla-t-il en protégeant instinctivement son bras.

Il alla droit vers un astabule central. Basty lui avait dit que les maîtres habitaient en général dans la même zone que la Direction. Il avait juste oublié de lui rappeler qu'il n'était pas question d'y pénétrer sans mot de passe approprié. Si bien qu'après quelques essais infructueux, Piphan' se résigna à grimper jusqu'à la Couronne, manière de prendre un bol d'air frais en attendant l'heure. Ce ne fut pas non plus une grande idée. Le lieu de la Couronne était déjà trop marqué. À la vue des gradins et à proximité du passage secret de la Golden Dawn, le souvenir du conseil de discipline d'Aelys raviva les images de la nuit. Tout se mêla à nouveau, le visage de Kimyan, l'idée que des Dahals aient pu atteindre l'îlot Nat, que Mercurio doive rappliquer au plus tôt à Élatha...

Plus il réfléchissait, plus se consolidait l'idée que, si trois des plus grands maîtres d'Élatha étaient partis précipitamment pour l'îlot Nat, c'est qu'il s'y passait quelque chose de vraiment très grave. Alors tant pis s'il devait expliquer comment il avait appris tout ça. Il ferait tout son possible pour ne pas trahir le secret de la Golden mais il fallait qu'il sache.

Précisément, il ne se doutait pas à quel point son désir ne demandait qu'à être partagé. La direction d'Élatha ne pouvait pas se dérober plus longtemps à ses propres responsabilités. Au sortir de l'astabule qui le ramenait dans la zone directoriale, il tomba sur maître Mori-Ghenos.

— Tu n'es pas ponctuel mais on ne peut pas dire que tu ne sois pas matinal ! le salua ce dernier. Il reste trois quarts d'heure avant l'entretien prévu.

— Oui, je sais. Mais j'aimerais voir mon parrain avant la réunion. Seulement je ne sais pas où il habite et il faut que je lui parle !

Mori-Ghenos marqua un bref silence en le détaillant.

Il percevait le trouble que la voix du garçon ne parvenait pas à dissimuler. Son regard se porta sur sa blessure au bras.

— Sacrebleu! Tu n'as pas soigné cette brûlure? Veux-tu que je t'accompagne à l'infirmerie, il n'y en a pas pour longtemps.

— Non, ce n'est pas pressé, ça ne me fait plus mal. J'aimerais mieux voir mon parrain d'abord.

— Comme tu voudras, céda le maître après une hésitation. Viens, suis-moi!

Un instant plus tard, Mori-Ghenos posait sa main sur la perle d'entrée du bureau d'Alban Sintonis.

Manquant à toutes les politesses, Piphan' oublia de saluer les personnes présentes. Son regard avait pourtant croisé ceux de Sintonis, d'Élia Grandidier et de Silvius Marbode, mais il n'avait vraiment vu que Mercurio. Il se jeta contre lui comme on agrippe une bouée de sauvetage. Plus question de lui faire le moindre grief, il avait le sentiment de n'avoir vu aucun être cher depuis de longs jours.

Bien que tout à ses retrouvailles, il entendit Mori-Ghenos expliquer qu'il était désolé d'avancer l'heure de la réunion mais qu'il avait cru bon de le faire vu «l'état du garçon».

— Puisque c'est ainsi... soupira Sintonis que la situation prenait au dépourvu.

Il se racla la gorge et un silence chargé s'installa dans le grand bureau. Piphan' comprit qu'il n'était plus question d'aparté avec son parrain. Alban Sintonis venait d'adresser à ce dernier un signe de tête signifiant que c'était à lui de prendre la parole et, à l'évidence, Mercurio ne savait par quoi commencer.

— Il va falloir que tu sois fort, Piphan'. Personne ici ne doute de ton courage, mais ce que nous avons à te dire, ne fait pas partie des choses anodines.

— Je me doute bien que ce n'est pas juste pour m'annoncer que tu seras mon mentor. Maître Mori-Ghenos l'a déjà fait. Il s'est passé quelque chose à l'orphelinat, c'est ça?

— C'est exact, il s'est passé des choses à l'îlot Nat. Elles ne concernent pas toutes l'orphelinat mais, sur ce point précis, vois-tu…

— Je sais qu'il est arrivé quelque chose à Kimyan! Pas la peine de tourner en rond. Je ne suis plus un bébé.

Impatient de savoir si ses rêves ou ses intuitions avaient un fondement, il bousculait son parrain, estimant qu'il prenait trop de biais. Il sentit aussitôt peser les regards de cette petite assemblée qu'il prenait de court.

— Très bien, dit Sintonis de sa voix claire. Si tu es capable d'entendre la vérité sans détour, la voici. Ton frère Kimyan n'est plus à l'orphelinat. Rassure-toi il n'est ni mort ni malade, mais il a disparu. Nous savons avec certitude où il se trouve et crois bien que nous ferons tout pour le ramener sain et sauf. Il nous faudra juste un peu de temps.

— Du temps! Mais avec du temps il sera trop tard! s'enflamma Piphan'. Il doit déjà souffrir, je l'ai vu… Il est attaché, il est prisonnier! Si vous ne voulez pas y aller tout de suite, dites-moi où se trouve cet endroit!

— Calme-toi! lui intima Mercurio d'une pression sur les épaules.

— Il ne te suffirait pas de savoir où il se trouve, reprit Alban. Pour être franc, Kimyan est effectivement en grand danger mais nous ne pensons pas qu'il souffre le moins du monde. Il est dans une situation qu'il a acceptée, peut-être malgré lui et sans doute pas en pleine connaissance de cause mais… il est entouré de gens qui lui prodiguent autant d'attention que nous en avons ici pour toi. Et comme toi il a fait des choix.

— Je n'y crois pas! Il n'aurait pas fait le choix de partir. Il a dit qu'il m'attendrait. Et puis, il ne peut pas être loin, il est sans doute sur Albaran, il me cherche, il ne peut pas aller plus loin tout seul!

— Tout seul, je t'accorde qu'il ne serait peut-être pas allé plus loin. Mais il y a eu de bien mauvaises visites à l'îlot Nat et…

— Les Dahals! C'est ça que vous ne voulez pas me dire… Kimyan est prisonnier des Dahals!

— Ton intuition est décidément puissante, mais je te répète que ton frère n'est pas prisonnier et qu'aucun Dahal n'est près de lui faire du mal. À défaut d'avoir eu le choix, disons que sa propre destinée a pris le dessus. Pour en venir à toi, tu as dit que tu n'étais plus un bébé et je te remercie de nous tendre cette perche. C'est de cela que nous devons parler, de lorsque tu étais un bébé.

Alban Sintonis s'arrêta un instant pour observer la réaction du garçon. Le silence redoubla d'intensité et ce n'était pas Piphan' qui allait le troubler. Cette dernière phrase le clouait dans l'expectative. Qu'allait-on encore lui dire sur sa venue au monde ? Que son père ne l'avait pas reconnu ? Que sa mère était décédée pendant l'accouchement ? Qu'elle avait été une grande magicienne ? Il en avait marre d'entendre les mêmes rabâchages qui ne lui expliquaient jamais rien. Mercurio prit le relais.

— Puisses-tu pardonner nos mensonges, Piphan'… Car nous avons dû mentir en attendant ce jour. Je t'ai déjà dit qu'à ta naissance la direction d'Élatha avait dû agir très rapidement pour t'assurer en quelque sorte une famille d'accueil. Et tu sais mieux que nous comment Bertille a veillé sur toi et… sur ton frère.

Il marqua un temps, encore une fois pour surveiller la réaction de son filleul. Piphan' avait vaguement noté le ton particulier sur lequel son parrain avait prononcé le mot frère mais, tant il n'est pire sourd que celui qui ne veut pas entendre, il n'avait en fait rien compris.

— Pour nous, il était pratique qu'à l'orphelinat vous vous considériez tous comme frères et sœurs. Mais ce n'est pas un hasard si tu as trouvé en Kimyan le double de ton âme. À quelques détails près, si vous êtes si ressemblants… c'est parce que vous êtes jumeaux.

— Kim… jumeau ? balbutia Piphan' abasourdi.

— Oui, Kimyan et toi vous êtes de vrais frères. Nés le même jour du même ventre, celui de votre mère Gaïa.

— Kimyan… mon vrai frère… La même… mère…

Il répéta ces mots d'une voix exténuée. Il n'était pas sûr de vouloir comprendre. Et si c'était ce mauvais rêve qui ne le lâchait plus ? Plus rien ne semblait réel. Il croisa les yeux attentifs de Mori-Ghenos, d'Alban Sintonis, balança des uns aux autres, revint à son parrain en quête de confirmation. Alban fit signe d'enchaîner. Le Maître savait que, dans quelques instants, Piphan' ne pourrait plus échapper à sa colère fondamentale et que, de ce qu'il restait encore à dire, le plus gros était à venir.

— C'est l'heure de la vérité, Piphan'. Je t'avais promis que tu la saurais en temps utile et tu dois comprendre qu'elle s'accompagne d'explications. C'est pour votre sécurité que nous avons caché votre gémellité. Personne ne devait savoir où se trouvaient les jumeaux de Gaïa. Si vous-mêmes l'aviez su, vous auriez pu attirer l'attention sur cette île protégée où vous avez grandi librement et en toute sécurité.

— Vous parlez toujours de sécurité ! Qu'est-ce qu'on pouvait encore craindre sans parents à la naissance ?

— Eh bien, nous y voilà. La deuxième partie de la vérité est aussi celle du mensonge que nous avons porté pendant quinze ans. Si votre mère, hélas, est bien morte dans d'atroces souffrances, ça ne signifie pas qu'il ne reste plus de parent.

— Quoi ! Tu veux dire que mon père est vivant ? Hein ?

Il est vivant? Vous le connaissez tous, c'est ça? Alors pourquoi je suis ici au lieu d'être avec lui? C'est pour lui que j'ai quitté l'îlot Nat, pas pour cette école où rien n'est normal!

Il se sentait tellement trahi qu'il n'avait pas envie de lutter pour étouffer sa colère. Mais la douleur était plus forte, et c'est en sanglots qu'il se laissa tomber à genoux devant son parrain, anéanti par la découverte du terrible mensonge dans lequel il avait grandi et qui avait modifié toute sa perception du monde.

— Parrain, pourquoi tu m'as rien dit? Pourquoi?

Mori-Ghenos intervint doucement.

— Il est légitime de ta part de nous en vouloir. Cependant, laisse-nous poursuivre quelques explications car la vérité est un peu plus complexe. Si Kimyan et toi êtes jumeaux du fait d'être sortis en même temps du même ventre maternel, cela ne signifie pas que vous ayez le même père. Aussi les larmes que tu verses en ce moment risquent de n'atteindre aucun cœur aussi pur que le tien. En tout cas… pas celui de ton père. En te laissant croire qu'il ne t'avait pas reconnu, nous ne faisions qu'un demi-mensonge. Ton père n'avait aucune envie de te reconnaître pour la bonne raison qu'il ne t'avait pas prévu. Quand il obligea ta mère à porter le fruit de sa semence, c'était Kimyan qu'il attendait comme fils. Seulement lui. Un fils qui serait doté de pouvoirs bien supérieurs aux siens, un magimutans! Un être en qui les forces infernales se mêleraient à la pure essence de votre mère, une si grande magicienne qu'elle atteignait presque à la divinité.

Mori-Ghenos fit une courte pause et posa ses mains sur les épaules de Piphan' avant de continuer.

— Ce que ta mère a accompli dépasse toutes les magies. Lorsqu'elle a compris qu'elle ne pourrait pas mettre au monde l'enfant des ténèbres sans y perdre sa propre vie, elle t'a enfanté, toi, Épiphane, fils de la lumière. Elle t'a conçu de chair et d'esprit, sans aucun secours mâle, à la seule force de l'amour qui était en elle. Un amour si puissant qu'à travers ta seule présence il modifiait l'autre, cet étranger qu'elle portait aussi en elle contre tout désir. Et ta naissance, votre naissance, lui a donné raison. Vous avez grandi dans la même lumière d'amour fraternel, sans que rien d'essentiel vous distingue l'un de l'autre. Vous êtes la preuve vivante que la prophétie de Lilith peut être contournée. Rien n'est joué et c'est pourquoi tu ne dois pas avoir peur! Lorsque vous aurez appris à contrôler votre pouvoir, vous détiendrez la clé de l'amour et de la paix sur le monde. Voilà pourquoi Élatha vous a tant attendu. Voilà pourquoi quelques mensonges valaient la peine…

— En retour, cette vérité engendre une très grande responsabilité, continua Alban. Nous n'y pouvons rien si ton destin est aussi fortement lié à celui d'Élatha, ni les uns, ni les autres. À part peut-être les phénix, nul ne choisit vraiment ni sa mort, ni sa propre naissance. Mais entre ces deux moments clés, il y a les choix que nous faisons. Et nous, magiciens d'Élatha, nous pensons qu'il n'y a qu'à cela que se mesure la valeur des hommes : leurs choix.

— Qu'est-ce que j'ai eu comme choix ? dit Piphan' entre deux sanglots.

— Ce que veut dire Alban, reprit Mori-Ghenos, c'est que nous comprendrions que tu ne veuilles pas aller plus loin. Élatha ne saurait retenir quelqu'un contre son gré. Mais dans ce cas, il est de notre devoir de te prévenir qu'en dehors d'Abracadagascar tu courrais les pires dangers. Pas seulement parce qu'il y a des forces terrifiantes en action, mais parce que la guerre va changer de visage en partie à cause de toi. Il ne s'agit pas que tu t'en sentes responsable mais que tu comprennes que... tu ne pourras pas y échapper. Tu es condamné à mourir très bientôt ou... à être le plus fort !

Piphan' entendait bien les maîtres mais les paroles se perdaient dans sa tête comme la vision dans un brouillard très dense. Trop, c'est trop, et c'était trop ! Son meilleur ami devenait son frère jumeau, leur mère avait voulu l'un et pas l'autre, tout comme ce père qui était celui de Kimyan mais pas le sien... Cela faisait beaucoup et pourtant il manquait encore tellement d'éléments ! Mais quoi, ce directeur qui lui parlait de choix ! Comme si on pouvait faire de la philosophie dans un moment pareil ! Quel choix peut-on faire quand toute votre vie a été truquée ? Quel choix reste-t-il quand vous n'êtes que le fruit de...

D'un coup, Piphan' réalisa pleinement ce dont il était question, cette vérité si dure qu'aucun de ceux qui la savaient ne s'était avancé à la dire. Il tourna un regard embrumé vers son parrain ; un regard suppliant de dire et de taire à la fois.

— Alors mon père, c'est…

Mercurio avala sa salive. Il aurait préféré que ce moment n'existât jamais mais il n'avait pas le cœur à faire souffrir son filleul plus longtemps.

— Sarpédon, lâcha-t-il sans fioriture.

Le silence pesa à nouveau de son terrible poids. Mercurio n'était plus seul à avaler sa salive. Silvius imaginait la douleur qu'il aurait eue à dévoiler d'aussi cruelles vérités à son fils Kaylé. Élia tremblait de tout son cœur de femme et de mère, et Mori-Ghenos se mordillait les lèvres. Mercurio dut faire un effort pour casser la lourdeur de l'instant.

— Mais comme te l'a expliqué maître Mori-Ghenos, tu peux ne pas le considérer comme un père. Ta mère ne l'a jamais considéré ni comme un époux, ni comme un amant. C'est une décision qui t'appartient.

— Mais c'est le père de Kimyan ! C'est le père… de mon vrai frère ! s'énerva-t-il.

Mercurio serra les dents. Alban Sintonis fit la moue, et tous comprirent que le reste de la révélation allait être reporté. Cette fois, la colère fondamentale de Piphan' venait de claquer comme la foudre. Il se dressa d'un bond pour se diriger vers la perle de sortie, renversant volontairement tout sur son passage.

— Je ne sais pas si mon frère est un magimutans mais je pense que c'est vous qui… vous êtes des monstres! Des monstres! Des monstres dégueulasses!

Il détala sans que personne cherchât à s'y opposer, bouscula toute personne sur son chemin dans les couloirs, fonça tête baissée et les yeux noyés de larmes.

Au même instant, quelque part dans les Karpathes, un autre jeune garçon laissait aller sa propre colère en apprenant qu'on lui avait menti, que ces ordures de magiciens blancs lui avaient inventé une fausse vie, avec de faux frères et de fausses sœurs, tout ça pour lui cacher qu'il avait un vrai père et, qui plus est, le plus grand d'entre les grands.

— Ils le paieront! Foi de vawak!

Puis il s'adoucissait en pensant à des images plus sereines et se tournait vers l'individu à ses côtés.

— Alors c'est vrai? Je vais découvrir mon vrai père?

— Oui, ton père arrive, répondait Nicandre.

Chapitre 26

Le secret de Salomon

Cela faisait plus d'une heure que Piphan' était assis dans le parc des Filus Aquarti. Malgré l'heure matinale, il avait trouvé le lieu de vie désert. Tout le pronaos avait dû descendre pour les inscriptions et c'était bien comme ça. Il n'aurait pas supporté de devoir affronter ses amis, de parler de tout et de rien, à coup sûr de choses qui n'avaient plus aucune importance à ses yeux. Quant à ce qui aurait pu avoir encore du sens, qu'aurait-il pu partager ? Personne ici n'avait jamais entendu parler de Kimyan. Ni de sa mère Gaïa. Pour le reste, il n'allait quand même pas dire qu'il connaissait enfin l'identité de son père ?

Toute sa vie, tout son passé heureux avait été brisé en quelques phrases. Le pire, c'est qu'il était laminé parce qu'il n'avait pas d'autre possibilité que de tout prendre sur lui. Obligé d'assumer. Trop façonné par l'amour dont Bertille les avait gavés, il était incapable de haine. Et pourtant, aujourd'hui, il détestait Mercurio, il détestait ces magiciens qui se prenaient pour les sauveurs du monde, il détestait la terre entière. Être magicien? Et maintenant être l'Élu? Pour quoi faire? Ou alors oui, rien que pour le pouvoir de faire disparaître cette planète à jamais en claquant des doigts et ne plus exister soi-même. Après tout, pourquoi sauver un monde où la vie n'a pas plus de sens ni de valeur que ça?

— Fils de Sarpédon! C'est pas vrai, c'est pas vrai… ça ne peut pas être vrai! cria-t-il aux arbres, au vent, au vide devant lui.

Sa douleur au bras se raviva soudain, en même temps que quelqu'un toussotait derrière lui pour s'annoncer. C'était Salomon. Il ne l'avait pas entendu arriver et pria pour qu'il n'ait rien entendu de ce qu'il venait de dire. Si ce n'est qu'il n'avait pas vraiment parlé à voix basse.

— Qu'est-ce qui n'est pas vrai? demanda son ami.

— Rien, ça te regarde pas! répliqua-t-il durement.

Mais malgré son désespoir, il ne pouvait lutter contre sa nature. Il n'était pas méchant, il n'avait jamais eu d'ennemi, il n'avait jamais su mentir, ce n'était pas à Salomon de faire les frais du grand désordre qui régnait dans sa tête.

— C'est… personnel! reprit-il d'une voix adoucie pour rattraper le coup. Je viens d'apprendre des choses terribles. Et je ne sais pas si j'ai envie de rester dans ce Naos de malheur!

— Bah! T'énerve pas! On vient juste d'arriver et puis on peut s'aider. Si ça te fait du bien de parler, tu sais, je respecterai le Pacte des Singes.

Parler? Oui, sans doute en avait-il un besoin urgent. Il n'avait plus personne à qui se raccrocher. D'autant qu'à bien y réfléchir, Salomon était des mieux placés pour entendre une vérité concernant le Maître des Ténèbres.

— Je peux te dire ce que je viens d'apprendre mais le Pacte des Singes n'a rien à voir. Il faut que ce soit un secret, à la vie à la mort! Ne rien dire à personne, tu entends?

Salomon prit du recul. Ils se connaissaient depuis si peu de temps. Cependant, il avait senti dès la première minute que leurs esprits étaient proches. C'était Piphan' qui était venu le premier frapper à sa perle d'entrée, qui lui avait permis de s'élancer dans l'Arbre et guidé ses premières rencontres. Comme lui, il partageait ce goût de l'aventure, ce plaisir de faire des entorses aux règlements et surtout, il portait en lui cette même colère. À première vue, Piphan' était aussi différent des autres élèves d'Élatha que lui-même l'avait été dans tous les Naos où il était passé.

— Si tu penses que ton secret a aussi de l'importance pour moi… oui, je veux bien l'entendre.

Piphan' lui proposa d'aller plutôt dans ses apparts, redoutant qu'en cet Arbre-Mère surprenant les lieux collectifs aient de grandes oreilles. Chemin faisant, il s'étonna soudain de la présence de Salomon au lieu de vie.

— Comment ça se fait que tu ne sois pas avec le reste du pronaos? T'as déjà choisi tes cours?

— Non. Pour moi, ils commenceront plus tard. Maître Ashanashanti m'a fait obtenir l'autorisation d'aller chez les Zindris. En fait, j'étais remonté pour prendre quelques affaires quand je t'ai entendu crier.

Lorsqu'il s'installa pour raconter son histoire, Piphan' exposa machinalement son bras blessé.

— Bon sang! Tu n'as toujours pas soigné ça? Je t'ai dit qu'il ne fallait pas plaisanter avec les blessures magiques, s'emporta Salomon.

— J'ai… complètement oublié. Excuse-moi!

— Nive et Kaylé m'ont tout raconté. Je sais d'où vient ta blessure. Il paraît que tu as invoqué quelqu'un qu'il ne faut jamais invoquer. C'est pour ça que je t'ai dit que ça nous mettait en danger. Et moi particulièrement, parce que le lien c'est…

— Stop! Arrête! Ne le dis pas! Je viens de comprendre le lien mais je t'en prie ne le dis pas! Ne prononce pas ce nom! Excuse-moi! Excuse-moi!

L'angoisse de Piphan' surprit Salomon mais il hocha simplement la tête et attendit. Ainsi Piphan' raconta-t-il tout ce qu'il venait d'apprendre. Au fil du récit, Salomon frissonna plusieurs fois. Il se mordit la langue pour endiguer sa propre colère, logée dans les mêmes ténébreuses déchirures.

— Tu vois, tu aurais tort de quitter Élatha maintenant. Faut pas rêver, Piphan'! On n'est pas prêts pour le grand combat. Je sais de quoi je parle.

— Alors que moi, je t'avoue que j'en sais plus rien. Je ne sais plus ni pour quoi, ni contre quoi je devrais me battre.

— Arrête! fulmina Salomon à nouveau. Je ne peux pas entendre des horreurs pareilles! Moi je n'ai pas eu la chance de grandir avec un frère ou une sœur que j'aurais pu aimer. En fait, je n'ai grandi avec personne, seulement avec du vent, du vide, du néant! Et toi, tu me dis que tu n'as pas envie de te battre pour Kimyan?

Salomon visait juste mais Piphan' était déjà las, comme usé, fatigué par ces quinze derniers jours. Il ne s'était jamais passé autant de choses dans sa vie en aussi peu de temps.

— Suis-moi, fils de Sarpédon! lança le jeune Flamel sur un ton qui ne laissait pas d'alternative. Un pareil secret en vaut bien un autre et je vais te dire le mien.

Il se dirigea vers la perle d'entrée et attendit que Piphan' s'approche pour ajouter à voix basse:

— Pour ce que je vais te montrer, le Pacte des Singes n'entre pas plus en ligne de compte. Tu dois prêter serment que cela restera entre nous deux. Nos maîtres le savent, les maîtres noirs le savent aussi... c'est déjà beaucoup trop alors ça doit s'arrêter là!

— Je ne te trahirai jamais! Je t'en fais le serment. Et j'espère que tu en feras autant pour ce que je t'ai dit.

— Alors tu n'as pas d'inquiétude à avoir.

C'est sur cet accord secret qu'ils changèrent d'appartement. Piphan' remarqua d'emblée que l'ami avait fait grand ménage. Il restait encore du bric-à-brac mais les cornues et l'appareillage qui l'avait intrigué deux soirs auparavant avaient disparu. Tout était passé dans le bureau, où ils se rendirent.

Salomon dénoua le gros cordon noir qui enserrait sa taille et ôta délicatement sa tunique de satin rouge pour se mettre torse nu. Piphan' crut comprendre ce qu'il voulait lui montrer.

— Tu t'es blessé? lâcha-t-il tout en mesurant aussitôt combien il était loin du compte.

À l'emplacement du cœur, deux courtes estafilades dessinaient une croix trop parfaite pour relever d'une simple blessure. Les bords des entailles, légèrement boursouflés, laissaient deviner par endroits une chair à vif.

— C'est mon entrée ouverte au palais fermé… dit Salomon énigmatique.

Il se dirigea vers un vase à large col où bouillonnait un liquide parfaitement limpide et y plongea la main. Ce seul geste fit frissonner Piphan'.

— Ça ne te brûle pas?

— Je suis insensible à la chaleur parce que je suis de la nature même du feu. Rien ne peut me brûler. Je peux traverser les brasiers, comme les salamandres ou les phénix. Mais ce que je veux te montrer… c'est ça!

Il retira sa main du vase bouillonnant pour dévoiler une superbe pierre rouge de la grosseur d'une mandarine. Piphan' fut surpris de ce qu'une pierre aussi écarlate fut invisible dans un liquide si transparent.

— Tu devines ce que c'est ?

Il s'apprêtait à répondre que le cristal lui semblait être un gros rubis lorsqu'il réalisa qu'il parlait au fils de Nicolas Flamel.

— La pierre des philosophes ! Ce n'était donc pas une légende !

— Non… ce n'est pas une légende, dit calmement Salomon. Mais avant que celle-ci appartienne aux philosophes… c'est d'abord mon cœur !

Du bout des doigts, il appliqua la pierre sur sa blessure en croix et l'enfonça jusqu'à ce qu'elle disparût complètement dans sa poitrine. Piphan' ne trouva pas de mot pour exprimer son effarement. Il sentit confusément qu'il ne s'agissait pas d'un tour de magie. Le rictus que Salomon avait affiché en enfonçant la pierre dans la blessure n'était pas fait pour séduire ou impressionner. Il ne témoignait que d'une grande douleur et d'un immense désarroi.

— C'est vraiment ton cœur ? Tu n'en as pas d'autre, je veux dire… comme tout le monde ?

— S'il n'était question que d'avoir un cœur, la pierre suffirait. Mais pour être comme tout le monde… ça ne sera jamais possible. C'est ça mon secret, Piphan', je suis un homonculus.

Mais Piphan' n'avait que de vagues notions d'alchimie et de pierre philosophale. Il s'apprêtait à demander une explication lorsqu'il s'aperçut que des larmes ruisselaient sur les joues de Salomon. Un ami solide et pourtant entraîné à ne jamais rien laisser paraître de ses émotions. Sauf que c'était la première fois qu'il avouait de son plein gré sa véritable condition. Piphan' le serra contre lui avec la plus grande compassion, éprouvant au passage combien cette peau, aussi satinée que la tunique qui la dissimulait d'habitude, était chaude, presque brûlante.

…de la nature même du feu …

Après un temps à se laisser porter dans cette fraternelle étreinte, Salomon s'apaisa et donna de lui-même les explications que Piphan' n'osait plus demander.

— Quand je vous ai dit l'autre soir que j'étais le fruit de mon père Nicolas et de ma mère Perrenelle, c'était une manière de dire que je ne suis pas leur enfant. Ils ne m'ont pas conçu par les voies habituelles. Ils m'ont fabriqué. C'est ça un homonculus. Je suis né dans un pélican, un vase comme celui où je dois maintenir la pierre qui me sert de cœur. Je suis… un artifice !

— Maintenant c'est toi qui dis des bêtises ! Je te sens tellement plus humain que moi. Si tu ne m'avais pas dit ton secret, je n'aurais jamais vu de différence avec personne. Et puis, même s'il est spécial, tu as un cœur, tu peux vivre, aimer…

— Ça, je ne sais pas, l'interrompit-il, à nouveaux triste.

— Comment, tu ne sais pas ? Tu sais forcément qui tu aimes et qui t'aime ! Rien que tes parents, même s'ils t'ont fabriqué, il fallait vraiment qu'ils t'aiment beaucoup pour arriver à ça. Ne me dis pas que tu ne le sais pas!

— Là-dessus je n'ai pas de doute. Il a fallu qu'ils se sacrifient tous les deux pour que je puisse exister. Une mort ne suffisait pas. Ma mère aurait pu rester pour m'élever, mais non! C'est tout le problème de cette fichue pierre! Pour lui donner le pouvoir d'immortalité, il faut une énergie supérieure à celle d'une vie entière. Alors tu as raison, je suis le fruit de leur amour, mais de là à aimer moi-même…

— Ben quoi? Je ne te comprends pas! Tu peux être immortel tant que tu le désires. Même si tu ne sais pas encore qui aimer ou comment aimer, ça te laisse vachement le temps de trouver!

— Tu ne comprends pas parce que je ne t'ai pas tout dit. Le problème des homonculus, c'est que nous n'avons pas d'âme.

Face à cette dernière donnée, Piphan' n'était pas près de trouver une réponse satisfaisante. Il regarda son ami en silence, complètement désarmé. Pas d'âme! Il n'arrivait pas d'emblée à en imaginer les conséquences, mais cette condition d'homonculus ressemblait plus à une malédiction qu'à un cadeau surnaturel. Fallait-il que ce cœur cristallin et cet esprit soient d'une rare perfection pour compenser l'absence d'états d'âme!

— Mais bon! se reprit d'un coup Salomon. Je crois que tu n'es pas mieux loti que moi, avec tes origines. Alors à quoi bon s'apitoyer sur nous-mêmes? Tu sais, si ça se trouve il y en a plein d'autres qui vivent des destins aussi singuliers que les nôtres. Maintenant que je connais Élatha, ça ne m'étonnerait pas. En tout cas, je suis vraiment content de t'avoir rencontré.

— Confidence pour confidence, est-ce que je peux te dire quelque chose sans que tu le prennes mal?

— Essaie toujours.

— Eh bien, je t'aime, mon frère!

Ces petits mots eurent l'effet d'un séisme dans la tête de Salomon. Oh, pour sûr, il les avait déjà entendus. Étant plutôt bien fait et de très fin visage, quelques filles s'étaient aventurées à les prononcer. Mais elles ne visaient pas la même chose. Sans doute était-il encore bien jeune pour rencontrer celle qui le dirait du fond du cœur rien qu'avec les yeux. Tandis qu'avec Piphan' il ne sentit aucune ambivalence possible et réalisa qu'en quatorze ans, personne parmi les nounous, les maîtres ou les tuteurs qui l'avaient aidé à grandir, personne n'y avait pensé, pas pu ou pas osé. Quant à Piphan' qui, à l'inverse, avait grandi entouré d'amour et de tendresse, il ne réalisa pas moins que la dernière personne à qui il avait dit «je t'aime» était cet autre frère adoré qui venait de devenir son infernal et tragique jumeau.

— Alors, si aimer c'est aussi prendre soin, dit Salomon en réponse, tu sais ce qu'il te dit, ton frère?

— Non, fit Piphan' amusé.

— File à l'infirmerie pour soigner ton bras!

— Tu as raison. J'y vais immédia…

Il s'arrêta net dans sa phrase. Une idée lumineuse

venait de jaillir. Comment n'y avait-il pas pensé plus tôt ? Inutile d'aller à l'infirmerie.

— Viens, dit-il. On retourne chez moi.

Il se dirigea droit vers le crochet où pendait son sac invisible et en retira la plume du sîmorgh. Il n'eut que le temps de la poser sur sa brûlure pour en voir disparaître toute trace et toute douleur. Mieux, il ressentit la même vague de chaleur doucereuse que lorsqu'il avait saisi pour la première fois cette plume des mains du bucentaure.

— Tu sais faire ça ! dit Salomon admiratif. Tu n'as pas besoin de la pierre pour guérir, toi ! C'est quoi ton truc ?

— Je sais rien faire du tout. C'est la plume qui fait ça !

— D'où tu la tiens ? C'est pas du phénix, je la reconnaîtrais.

— Non. Elle vient d'un sîmorgh. Mais je comprends qu'on puisse se tromper. Il paraît que, à part leurs tailles, les deux oiseaux ont beaucoup de points communs, et que les plumes se ressemblent beaucoup.

— Je ne sais pas, je n'ai jamais vu de sîmorgh.

— Et moi je n'ai jamais vu de phénix. Tu en as vu, toi ?

— Tu parles ! À la maison, il y a toujours eu un phénix. Un sîmorgh, c'est pas pareil. Il paraît qu'on ne peut pas l'apprivoiser.

— Ça te plairait d'en voir un ?

— Vachement, oui ! On dit que c'est plus grand qu'un hippogriffe, tu crois que c'est possible ?

Piphan' ne répondit rien. Il retourna à son sac en

toile de Mider, y prit son bandeau d'Élatha et l'enfila sur son front. Une idée faisait son chemin, le guidant davantage qu'il ne choisissait lui-même la situation. Il se revit dans la forêt d'Avalon et se remémora les paroles d'Albuceste.

«Lorsque tu voudras le revoir, il te suffira de brûler la plume et c'est lui qui viendra à toi, où que tu te trouves. Bien sûr, il te faudra une bonne raison.»

S'il n'y avait pas de bonne raison aujourd'hui, c'est qu'il n'y en aurait jamais.

Ils retournèrent dans le parc et Piphan' s'agenouilla, prêt à accomplir un geste à la fois nouveau et qu'il connaissait par cœur : enflammer la plume. Sauf qu'il avait oublié d'emporter son bâton et que, de toute façon, il ignorait encore la formule du feu. Salomon, lui, n'avait même pas besoin de formule. Il approcha sa main de la plume et n'eut qu'une pensée à invoquer pour qu'elle s'enflamme aussitôt. Dès qu'il ne resta qu'un petit bout de penne entre les doigts de Piphan', il y eut une déflagration suivie d'une compression de l'air, et l'oiseau géant apparut devant eux.

— Tu m'as appelé, me voici, mon ami! Que puis-je faire qui t'aiderait? dit le sîmorgh d'une voix chaude qui ressemblait à celle d'Albuceste, peut-être avec un peu plus de détachement.

— Ce qui m'aiderait? J'en sais rien. Je pensais que… que ce serait vous qui me le diriez.

— Je vois, je vois! fit l'oiseau en abaissant son cou au ras du sol. Allez, grimpe! Et accroche-toi, ça va secouer!

— J'ai besoin d'un peu de solitude pour me retrouver moi-même, expliqua Piphan' à Salomon tout en grimpant sur le cou du sîmorgh. Je crois que ça va aller. Et toi, ne tarde pas à partir chez les Zindris! Je pense que pour les problèmes d'âme… c'est vraiment les plus forts.

Salomon acquiesça de la tête, époustouflé par l'envergure de l'oiseau et sous le charme de la beauté de son plumage. Il n'eut pourtant pas le loisir de s'en délecter vraiment. Déjà, le sîmorgh dressait la tête et déployait ses ailes. En trois battements, l'ami et l'oiseau disparaissaient vers la cime de l'Arbre.

À quelques branches de là, deux hommes se tenaient près de la fenêtre d'où ils venaient d'assister à la scène.

— Tu le savais, toi, qu'il était l'ami d'un sîmorgh? demanda Mori-Ghenos.

— Penses-tu! répondit Mercurio. Lui-même, il y a une semaine, ignorait sans doute l'existence des sîmorghs. Décidément… ce garçon n'a pas fini de nous surprendre! Pourvu que son jumeau ne nous surprenne pas aussi à sa manière… Commençons par espérer qu'Épiphane n'aura pas l'idée d'utiliser son protecteur pour se rendre seul dans les Karpathes.

— Aucun danger. Je connais ce sîmorgh, c'est celui du Tsaratanan. Il s'appelle Ænas. Je peux te dire que ton filleul est entre de bonnes ailes! Je crains juste que nous ne le voyions pas de quelques jours et… la situation pourrait devenir délicate.

— Et pour Kimyan? Où en sommes-nous?

— Arthur M est reparti pour la Nouvelle Europe. Il a d'excellents appuis dans les Karpathes. Mais tu connais, suis-je bête! C'est le château de Frundschloss avec lequel il s'était jumelé lorsqu'il dirigeait Dragondor. Non, le vrai problème reste d'occuper Sarpédon ailleurs. Il ne faudrait pas qu'il lui vienne l'idée d'anticiper son arrivée à Yggdrasil.

— Et pour le traître d'Élatha?

— Là, nous gagnons du terrain. Le filet se resserre vers les salles d'alchimie. Nous ne devrions plus tarder à le démasquer. Avec tous les pièges que nous lui avons tendus, il ne va pas tarder à commettre une erreur.

— Et s'il ne la commet pas?

— S'attaquer à Élatha était déjà une première erreur. La deuxième va forcément suivre, finit Mori-Ghenos calmement.

Entracte

C'est sur ces mots de Mori-Ghenos que je refermai pour un temps le grand livre de ma mémoire. Les lunes se fondaient déjà dans la lumière d'une aube claire. C'était l'heure de la plus basse marée, celle où pas même un ressac ne vient troubler le silence. Les braises assoupies doraient encore les mains qui venaient s'y réchauffer, en tout cas pas celles des plus jeunes frimousses profondément blotties entre les ailes de leurs aînés. Mais aucun des grands n'avait perdu une miette de cette histoire qu'ils entendaient pour la énième fois.

Bien sûr, comme à son habitude, Yéul avait repéré quelques changements qu'il me fit remarquer. Je n'y pouvais rien, il y avait toujours des changements. À chaque récit, j'introduisais des détails nouveaux, non parce que je les avais oubliés la fois précédente, mais parce qu'on en apprend tous les jours. J'ai toujours pensé que les lunes ne sont pas étrangères aux variantes de l'histoire. À chaque cycle qui nous les fait revenir, elles apportent des éléments, sans doute glanés dans d'autres mémoires, bien plus anciennes et parfois… fort lointaines. Après tout, me concernant, l'important n'est-il pas que la mienne mémoire reste fidèle à l'esprit d'Élatha, et dans le respect de ceux qui s'y donnèrent tout entier ?

— J'espère, lança Yéul, que la prochaine fois nous irons jusqu'au moment où les ailes de Piphan'…

Il se retint. Norn avait commencé à rire, d'un rire tout plein de gentillesse qui en entraîna d'autres, et Yéul ne put que s'y joindre car il en savait la cause. C'était plus fort que lui ; quel que soit le moment où je suspendais l'histoire, il anticipait la suite comme s'il craignait de ne plus entendre un jour ce qu'il savait déjà par cœur. Oh, je savais bien ce qui tissait son impatience. Ces récits d'une époque où Pandor n'existait pas encore, où des êtres aussi purs que Piphan' ne disposaient pas encore d'ailes pour s'élever, tout cela évoquait en lui un monde de lourdeurs et de barbaries insupportables. Des actes qu'on dit de « bravoure » mais qui détruisent tant d'innocents, des dieux et des déesses qu'on croyait au-dessus des humains mais qu'on découvrait pareillement empêtrés dans de sordides rivalités… C'est vrai qu'il était temps que se révèle l'Élu, et je savais que Yéul était loin d'être seul dans cette attente. En mesurant sa chance d'observer les deux lunes, tout Pandoran mesurait combien il avait fallu déployer de magie et d'amour pour que change le vieux monde.

— Oui, dis-je pour calmer l'impatience de mon plus fidèle auditeur, la prochaine fois nous verrons comment se relient les fils de la guirlande éternelle. Mais… ceci est la même histoire.

Table

Impression réalisée sur CAMERON par

La Flèche
en août 2008

Imprimé en France
N° d'impression : 48507
Dépôt légal : août 2008